D1209862

Clemens Brentano
und die Brüder Grimm

Clemens Brentano und die Brüder Grimm

Von

Reinhold Steig

Mit Brentanos Bildnis

Bern, neu-verlegt bei Herbert Lang, 1969

Nachdruck der Ausgabe
J. G. Cotta'sche Buchhandlung Nachfolger
Stuttgart und Berlin 1914

Gesamtherstellung:
fotokop wilhelm weihert, Darmstadt

Vorwort

Den drei Bänden über Achim von Arnim und die ihm nahe standen tritt die Darstellung von Clemens Brentanos Umgang mit Jacob, Wilhelm und Ludwig Grimm zur Seite. Der Verlauf war ähnlich, wie der mit Arnim. Als dieser sich mit Bettina verheirathete, trat nothwendig sein früheres lebendiges Verhältniß mit dem Schwager zurück, ohne jemals ganz aufzuhören. Auch mit Jacob und Wilhelm Grimm mäßigte sich die alte Wärme seines früheren Marburger, Casseler und Berliner Verkehrs, um niemals ganz, aber äußerlich fast allmählich zurückzutreten. Nur Ludwig Grimm, als Künstler, hielt in den dreißiger Jahren des vorigen Jahrhunderts noch den alten Verkehr mit ihm in München aufrecht, und wie Brentano den Uebergang der Brüder nach Göttingen begrüßt hatte, so nahm er auch 1840 an ihrer Berufung nach Berlin seinen Antheil: bis zu seinem Tode, der 1842 in Aschaffenburg erfolgte.

In dieser Münchener Zeit hat Ludwig Grimm ein Bild Brentanos geschaffen, in der Art etwa, wie er in der Freunde Vorstellung fortlebte. Dies von der Hofkupferdruckerei Felsing neu hergestellte Bild sei der Schmuck des gegenwärtigen Bandes.

Berlin-Friedenau, auf Michaelis 1914

Reinhold Steig

Inhalt

Inhalt

Erstes Capitel.

Freundschaftliche Anfänge von Marburg bis Heidelberg 1808.

Während Jacob und Wilhelm Grimm, seit 1802 und 1803, in Marburg studirten, nahm daselbst, im Herbste 1803, Clemens Brentano mit seiner Frau Sophie und deren Tochter Hulda Wohnung. Er kam aus Weimar, hatte mit genialer Jugendlust das jenaisch-weimarische Leben genossen, war mit den Führern der deutschen Literatur- und Kunstbewegung in Berührung getreten und hatte poetische Leistungen aufzuweisen, die ihm mit denjenigen, an welchen er arbeitete, eine glänzende Zukunft zu versprechen schienen. Goethe war für ihn der Unvergleichliche, Unerreichbare, Ludwig Tieck aber mit seinen auf die deutsche Vergangenheit gerichteten Bemühungen der eifrig geliebte Meister, dem er es wenigstens gleichzuthun sich getraute.

Aehnliche Anschauungen hegte in Marburg der jugendliche Rechtslehrer Friedrich Carl von Savigny. Er war seit 1799 mit Clemens Brentano befreundet und neuerdings der Verlobte seiner Schwester Kunigunde. Mit Savigny und seinem ihm am nächsten stehenden Collegen Friedrich Creuzer verkehrte Brentano auf dem Fuße geistig berechtigter Gleichheit. Diese freundschaftliche Zusammengehörigkeit nahm den Charakter einer ausgedehnten Familienverbindung an, nachdem Savigny sich verheirathet hatte, und nun auch die meisten übrigen

Mitglieder der Familie Brentano, Bettina, Meline, Christian, aus Frankfurt zu kürzerem oder längeren Aufenthalte in Marburg sich einfanden. An dem geistigen Leben dieses hervorragenden Familienkreises durften auch die jugendlichen Studenten Jacob und Wilhelm Grimm aus Cassel Antheil nehmen, Savignys ergebenste Schüler, die freundlich von ihm dem Verbande seiner Familie und Verwandten zugeführt wurden.

Auf diese Weise erhielten Jacob und Wilhelm Grimm auch mit Clemens Brentano Bekanntschaft, dem sie damals ein gleiches Gefühl von Verehrung und freiwilliger Unterordnung entgegentrugen, wie ihrem geliebten Lehrer Savigny. Sie kamen öfters in Brentanos Marburger Haus und erhielten von ihm willkommene Anregung zu denjenigen Dingen, die neben dem juristischen Brotstudium anfingen ihnen die liebsten zu werden. Vierzig Jahre später noch erinnerte sich Wilhelm Grimm lebhaft dieser Zeiten. Auf einem Feste in Berlin trat ein junger Mann, Namens Ullmann, an ihn heran, und „dieser junge Ullmann", schrieb Wilhelm Grimm am 20. Januar 1844 an Hugo nach Göttingen, „ist ein Sohn der Tochter der Dichterin Mereau, die mir zu der Zeit, wo ich in Marburg studirte, als zehnjähriges Kind manchmal die Treppe hinunter geleuchtet hatte, und in ihren kleinen zitternden Händen den schweren silbernen Leuchter hielt, wenn ich ihren Stiefvater Clemens Brentano besucht hatte; der Sohn ist ihr ähnlich".

Der Marburger Umgang Brentanos mit den jungen Brüdern Grimm, denen namentlich auch seine ausgesuchtesten Bücherschätze von bestimmendem Vortheil waren, gestaltete sich so eng, daß bei räumlicher Entfernung sich das Bedürfniß brieflicher Mittheilung einstellte. Am

Schlusse seiner Studienzeit ging nämlich Jacob Grimm 1805 zu Savigny nach Paris, während Wilhelm noch in Marburg weiter verblieb. Von Paris aus trug Jacob am 10. Februar 1805 (Briefwechsel aus der Jugendzeit S. 12) seinem Bruder viele Grüße „auch an den Brentano" auf: „und ich hätte ihm meines Versprechens ungeachtet nicht schreiben können, indem ich nicht gewußt hätte, wie lang mein Aufenthalt an jedem Ort wäre, auch hätte mich das, was er nachschicken wollte, unmöglich erreichen können." Jacob verrieth seine Vertrautheit mit Brentanos persönlichen Verhältnissen, als er im März 1805 zu Wilhelm von Friedrich Schlegels Pariser Anwesenheit sprach, dessen Persönlichkeit wie Schriften Savigny nicht mehr recht gefielen: „wobei wohl," meinte er, „etwas Partheilichkeit für Clemens Brentano zum Grunde liegen mag, mit dem Schlegel auf eine eclatante Art, seit einem Jahr vielleicht, brouillirt ist." Auch briefliche Nachrichten Jacobs gelangten durch Brentanos Hand damals an Wilhelm. Dieser wieder, der gelegentlich Brentanosche Aufträge für Savigny mitbesorgte, berichtete dem Bruder nach Paris literarische Dinge und Bemerkungen von Clemens. Auch als dieser mit den Seinigen im Frühling 1805 nach Heidelberg übersiedelte, ließ Wilhelm das Wohl und Wehe des verehrten Freundes nicht aus dem Auge; Geburt und Tod seines Kindes, Aufführung der Lustigen Musikanten in Warschau und manches andere schrieb er, wie er es hörte oder las, getreulich dem theilnehmenden Bruder Jacob.

Zu Heidelberg erfrischte Brentano nun der glückliche Sommer 1805, in dem er, an der Seite seines Freundes Achim von Arnim, den ersten Band des Wunderhorns zu Stande brachte. Die gegenseitigen Ermunterungen und Vorbereitungen der beiden Freunde hatten Jahre hindurch gedauert, und es ist wohl kein Zweifel, daß beide Brüder schon damals hergaben, was sie an Volksliedern aus dem Leben oder Büchern, die sie eifrigst lasen, gesammelt hatten. Der fertige Band sowie die ersten Kundgebungen zu Gunsten einer allgemeinen Mitarbeit an dem Wunderhorn, die im Reichsanzeiger 1805 erschienen (Arnim und Brentano S. 150), mußten ihren Eifer von neuem schärfen. Beide Herausgeber dachten damals an eine rasche Fortsetzung des Werkes, schon im Jahre 1806, und bei den Vorarbeiten war eine unendliche Correspondenz zu bewältigen. Von allen Seiten mußte das Material herbeigeschafft werden.

Die beiden Brüder Grimm lebten damals wieder bei ihrer Mutter und den jüngeren Geschwistern in Cassel, Jacob als kurhessischer Kriegssecretair, Wilhelm ohne Verwendung im heimischen Staatsdienste. Wie befreundet die Brüder mit allen Gliedern der Familie Brentano geworden waren, ergibt sich aus einem Zettel Christian Brentanos, den er aus Marburg 20. Juli 1806 an „Herrn Kriegssecretair Grimm" nach Cassel sandte: „Lieber Grimm. Auf dem Trages (Savignys Gute bei Hanau) sprachen Sie mir von einem Bruder (Carl), der Kaufmann ist oder werden will, und um eine Stelle für diesen in einem ansehnlichen Handlungshaus. Da ich gegenwärtig etwas der Art weiß, so bitte ich Sie um Nachricht über diesen Gegenstand, ob nämlich die Sache noch auf dem alten Punkt steht und wo Ihr Herr Bruder gegenwärtig ist. Auch Ihr jüngerer Bruder (Wilhelm) sprach mit mir vor noch nicht ganz langer Zeit, als er sich hier examiniren ließ, davon. Ich freue mich, bei der Gelegenheit mich Ihnen wieder erinnerlich zu machen."

An Jacob bestellte auch Savigny aus Marburg am 16. April 1806: „Clemens läßt Sie herzlich grüßen und trägt mir folgende Frage an Sie auf: befinden sich in Cassel — außer den bekannten epischen Gedichten — handschriftliche Lieder weltlichen Inhalts, oder etliche von den zwischen 1400—1600 in großer Menge gedruckten musikalischen Liederbüchern mit weltlichen Texten? wie heißen sie? kann man dort Leute finden, die gegen Bezahlung Abschriften liefern?" Nun, die Abschriften, welche die Brüder Grimm damals etwa lieferten, werden sie gewiß nach ihrer thätigen Art mit eigner Hand und ohne Kosten angefertigt haben. In der „Badischen Wochenschrift" 1806, die sie lasen und später für ihre „Deutschen Sagen" fruchtbar machten, fanden sie Brentano als vorzüglichsten Mitarbeiter für Volksliteratur wieder[1]). Gewiß auch erhielten sie von ihm das gedruckte Wunderhorn-Circular, das er von Juni 1806 an versandte, zugeschickt. Als Arnim sich im Sommer 1806 abermals auf den Weg nach Heidelberg gemacht hatte und unterwegs auf der Göttinger Bibliothek arbeitete, rieth ihm Brentano am 16. Juli 1806 (Arnim und Brentano S. 185): „In Cassel suche auf Herrn Kriegssecretair Grimm, der mit Savigny in Paris war, ein guter Mensch, er sammelt Lieder für uns"; der Zufall verhinderte freilich, daß Arnim damals schon in Cassel Grimms kennen lernte. Nun brach auch bald der Krieg und das nationale Unglück über Preußen herein, das Arnim, ohne sein Ziel Heidelberg erreicht zu haben,

[1]) Darüber habe ich in den Neuen Heidelberger Jahrbüchern (1896. 6, 62) gehandelt: „Frau Auguste von Pattberg, geb. von Kettner, ein Beitrag zur Geschichte der Heidelberger Romantik."

weit fort nach dem äußersten Osten verschlug, während Clemens Brentano daheim Weib und Kind verlor und wie früher wieder allein in der Welt dastand; Hessen aber wurde für eine Anzahl Jahre französische Beute.

Im Dienste des Wunderhorns schrieb Jacob Grimm aus Cassel am 10. Februar 1807 an Brentano: „Ich weiß nicht, ob Sie ein vor 3—4 Monaten an Sie abgeschicktes Paquet mit Volksliedern, so gut und viel ich sie gerade finden konnte, erhalten haben. Hierbei kommen wieder einige, wie sie mir in dieser unglücklichen Zeit in die Hände gekommen sind. Mit der Zeit entschuldige ich also ihre geringe Anzahl und Bedeutung, dazu sind die meisten verbrochen, zertrümmert und entstellt, vielleicht aber daß Ihnen Bruchstücke an andern Orten zu Ergänzungen dienen können. Von Studentenliedern haben Sie noch keine aufgenommen, meiner Meinung nach sind jedoch einige der Aufnahme werth. Zu einigen andern Bemerkungen will sich mir jetzt weder Zeit darbieten, noch innere Fröhlichkeit, die dazu gehört. Es wird sich Ihnen auch wenig neues sagen lassen. Eine historische und critische Untersuchung der Volkslieder müßte einer großen Lücke in der Geschichte der Poesie abhelfen und zugleich etwas leisten, was bisher, auch bei andern Nationen, die Engländer nicht ausgenommen, übersehen und halb verachtet worden ist. Ich wünsche Ihnen fortdauernde Lust und Liebe zu dieser Arbeit. Ich bin nebst vielen Grüßen von meinem Bruder Ihr Grimm."

Als endlich wieder Friede ward, sah es in Deutschland ganz anders aus als vorher. Dem klein gemachten Preußen war, an der Elbe mit ihm zusammengrenzend, ein französisch eingerichteter Nachbarstaat, das Königreich Westphalen, entstanden, in dem Napoleons Bruder Jerome herrschte. Cassel stellte die Hauptstadt des neuen Reiches dar. Die französische Hofhaltung, Beamtenschaft, Militair, Finanz, Theater, Musik brachte ein bis dahin unbekanntes Leben in die Stadt. Auf viele Menschen übte sie ihre Anziehungskraft aus. Nach Cassel wandte sich auch, als Hofbankier berufen, Clemens Brentanos und Savignys Schwager Jordis, der Gatte von Lulu (Luise) Brentano, die freundschaftlich auch die jungen Brüder Grimm in ihr glänzend geführtes, im point de vue der Königstraße gelegenes Haus zog. Daher kam es, daß Clemens Brentano, nachdem er im Sommer eine neue, übereilte Ehe mit der siebzehnjährigen Auguste Busmann, der Nichte des Frankfurter Bankiers Moriz Bethmann, geschlossen hatte, Cassel als Wohnort für sich und seine junge Frau auswählte. Sogleich nahm er auch den Verkehr mit seinen Freunden Grimm wieder auf, in deren häuslichen Frieden er sich öfters flüchtete, wenn das Ungemach seiner Ehe ihm das eigne Heim verleidete. Aus ihren gelehrten Kenntnissen und Bücherschätzen holte er sich immer neuen Vortheil für seine Arbeiten. In diese Zeit gehört ein Blatt, das, durch Boten in ihr Haus in der Marktgasse geschickt, folgende Bitte enthielt: „Ich habe, wie ich glaube, einmal eine ältere Bildersammlung aus den Metamorphosen bei Ihnen gesehen und bitte Sie, mir dieselbe auf ein paar Tage zu leihen. C. Brentano.“ An diesem literarisch und künstlerisch gerichteten Streben nahmen auch Grimms gleichaltrige Freunde, wie Paul Wigand, der spätere Geschichtsschreiber der Vehme, der Architekt Daniel Engelhard[1]), der Maler Ruhl, der Bild-

[1]) Vgl. dazu meinen Aufsatz „Daniel Engelhard, der Architekt der Wahlverwandtschaften“, im Jahrbuch des Freien Deutschen Hochstifts zu Frankfurt a. M. 1912, S. 285—331.

hauer Henschel, Theil. Ein Lesecirkel wurde eingerichtet und von Jacob Grimm, als dem Bibliothekar des Königs, geleitet. Gegen Ende des Jahres 1807 traten diesem Kreise noch Bettina Brentano, Achim von Arnim und der Capellmeister Johann Friedrich Reichardt mit seiner hochbegabten Familie bei.

Nach dem Friedensschlusse 1807 waren nämlich Arnim und Reichardt auf ihrer gemeinsamen Fahrt von Königsberg in Halle angelangt, wo Reichardt seine Familie während des Krieges in dem nahen Giebichenstein zurückgelassen hatte. Halle war jetzt eine westphälisch-französische Stadt geworden und Reichardt westphälischer Unterthan, der den Ruf, nach Cassel überzusiedeln und königlicher Hofcapellmeister zu werden, nicht ablehnen mochte. Als Brentano sich seinen Freund Arnim so nahe wußte, redete er ihm mit Feuereifer zu, mit nach Cassel zu kommen und in Cassel mit ihm das Wunderhorn fertig zu machen. „Wir können es," schrieb er ihm am 19. October 1807 (Arnim und Brentano S. 224), „hier außerordentlich gut und besser noch als damals in Heidelberg. Denn ich habe hier zwei sehr liebe, liebe altteutsche vertraute Freunde, Grimm genannt, welche ich früher für die alte Poesie interessirt hatte, und die ich nun nach zwei Jahre langem fleißigen, sehr consequenten Studium so gelehrt und so reich an Notizen, Erfahrungen und den vielseitigsten Ansichten der ganzen romantischen Poesie wiedergefunden habe, daß ich bei ihrer Bescheidenheit über den Schatz, den sie besitzen, erschrocken bin. Sie wissen bei weitem mehr als Tieck von allen den Sachen, und ihre Frömmigkeit ist rührend, mit welcher sie sich alle die gedruckten alten Gedichte, die sie aus Armuth nicht kaufen konnten, so auch das Heldenbuch und viele Manuscripte äußerst zierlich abgeschrieben haben. Ihr jüngerer Bruder (Ferdinand), der sehr schön schreibt, wird uns die Lieder abschreiben. Sie selbst werden uns alles, was sie besitzen, noch mittheilen, und das ist viel! Du wirst diese trefflichen Menschen, welche ruhig arbeiten, um einst eine tüchtige teutsche poetische Geschichte zu schreiben, sehr lieb gewinnen." Brentano holte nun selbst Arnim von Halle ab, beide trafen sich mit Clemens' Geschwistern bei Goethe in Weimar, und alle reisten zusammen nach Cassel zurück. Hier wurde also die Druckvorlage zum zweiten und zum dritten Bande des Wunderhorns „arrangirt", woran in erster Linie Jacob und Wilhelm Grimm literarisch, ihr jüngerer Bruder Ludwig zeichnerisch für die Titelbilder mitbetheiligt waren (Goethe und die Brüder Grimm 1892, S. 21). Reichardt, dessen Beirath für die Singweisen der Volkslieder in Anspruch genommen wurde, wohnte mit Brentano in einem Hause und suchte dem strebsamen Ludwig Grimm Goethes Fürsprache bei der Weimarer Zeichenschule zu verschaffen[1]). Noch im späten Alter erinnerte sich Wigand der Casseler „Herstellung" des Wunderhorns und seiner zeichnerischen „Ausstaffirung", wie 1862 Wolfgang Müller von Königswinter erzählte.

Auch die Göttinger Bibliothek wurde um Hülfe angegangen. Den Titel des zweiten Bandes des Wunderhorns schmückt eine Abbildung des Oldenburger Trinkhorns, dessen Sage in Grimms „Deutschen Sagen" (meine 4. Auflage S. 436) mitgetheilt ist. Auf Jacob Grimms Anfrage antwortete der Göttinger Bibliothekar Georg

---

[1]) Vgl. meinen Aufsatz „Zwei ungedruckte Briefe von Goethe und Meyer (an Reichardt) über Ludwig Grimm, die Weimarer Zeichenschule betreffend", im Berliner „Literarischen Echo" 1912, Sp. 1570.

Friedrich Benecke am 25. December 1807: „In Müllers Schrift über die Tondernschen Hörner steht nichts vom Oldenburger Horn. Ich schicke Ihnen den Winkelmann (die Winkelmannsche Chronik) mit, worin die beste Abbildung sich findet.“ Auch sandte Benecke den „Goldfaden“ von Georg Wickram mit und schloß: „Empfehlen Sie mich, wenn ich bitten darf, Ihrem Herrn Bruder und Herrn Brentano.“ Der Goldfaden deutet auf Brentanos Erneuung dieses alten Romanes hin, die Arnim ein Jahr später zum Druck beförderte und Ludwig Grimm mit 25 Kupfern versah. Jacob Grimm dankte am 1. Januar 1808: „Sowohl Herr Brentano, als mein Bruder empfehlen sich Ihrem gütigen Andenken“ (Euphorion 1910. 17, 357).

Im neuen Jahre 1808 ging Arnim allein über Frankfurt nach Heidelberg, um im Verlage von Mohr und Zimmer den Druck des Wunderhorns zu leiten und vom 1. April ab im bewußten Gegensatz zu den gangbaren Modejournalen der Zeit, insbesondere dem Stuttgarter „Morgenblatt für gebildete Stände“, seine auf das Vaterländische in Literatur und Kunst gerichtete „Zeitung für Einsiedler“ herauszugeben. Brentano wie die Brüder Grimm arbeiteten von Cassel aus mit, Ludwig Grimm bildete dafür ältere deutsche Kunstblätter nach[1]). Leicht freilich zeigte Clemens seinen jüngeren Freunden gegenüber noch ein etwas gönnerhaftes Wesen. Seine rasche Zumuthung forderte von ihnen Dinge, die ihm ihre literarische Gewissenhaftigkeit noch nicht gewähren durfte.

---

[1]) Näheres findet sich darüber, außer in Arnims Briefwechseln mit Clemens und mit Bettina, noch in „Goethe und die Brüder Grimm“, S. 26, 27, sowie im Euphorion 1, 125 und 19, 229 ff.

Das wieder faßte er als literarischen Geiz von Jacobs Seite auf und klagte Arnim: „Er ist kaum zu bewegen, irgend etwas herzugeben für den Einsiedler von allem, was ich ihm doch durch meine Bücher verschafft." Arnim wußte recht gut, was er von solchen Auslassungen Brentanos zu halten hatte, und stimmte der redlichen Aufklärung bei, die ihm Jacob über diese irrige Anschauung gab.

Aus dieser Zeit des eigentlich doch nicht getrübten Zusammenarbeitens hat sich ein Blatt Papier erhalten, auf dem für die Zwecke der Freunde brauchbare Titel und Stoffe vermerkt sind, nämlich: „Schneider Wappen, beim alten Voß in einem rothen 4° Band in Pappe mit der Ueberschrift Satiren; Selbstbiographien von Einsiedlern; Die Beichten; Fausts Portrait; Jacopone de Tuterdo; Bernhäuter; Ueber zweierlei Wirthe; Schelmufsky; Gaston; Cöllnische Chronik; Schlußsymphonie; Erznarren; Närrische Briefe." Die sechs ersten Titel sind von Brentano, die drei folgenden von Wilhelm Grimm aufgeschrieben, die drei letzten wieder mit Röthel von Brentano. Ein Theil dieser Stoffe ist wirklich für die Einsiedlerzeitung und später in Brentanos Schriften verwendet worden.

Die Einsiedlerzeitung, die Arnim seit dem 1. April 1808 in Heidelberg herausgab, machte Brentano und den Brüdern Grimm in Cassel den größten Spaß und hob ihre Neigung mitzuarbeiten. Die Beiträge der drei Freunde sind festgestellt. Inzwischen aber steigerten sich in Brentanos Ehe die Unerquicklichkeiten dermaßen, daß von beiden Seiten die Angehörigen eingreifen mußten. Für Mitte März wurde ein Brentano-Bethmannscher Familienrath in Frankfurt verabredet, an dem auch Savigny Theil nahm und von Heidelberg Arnim, von Cassel Jacob Grimm erschienen. Der letztere schrieb an Brentano, Frankfurt 15. März 1808 (Poststempel 17. März): „Lieber Clemens, Wie ich hierher kam, fand ich den Savigny und die Bettine schon darüber einverstanden, daß Ihr jetziger Zustand nicht so bleiben kann, sondern mit der That schnell geholfen werden muß. In dieser Rücksicht sehe ich auch meine eilige Reise hierher für ziemlich unnöthig an, so nothwendig sie mir dort vorkam, in meinem innerlichsten Eifer Ihnen aus der Noth zu helfen. — Der Bethmann bezeigt sich doch so, daß er dieser Nothwendigkeit keine Hemmung entgegenbringt, ob er sich gleich von directem Einfluß ausschließt. Hier werden nun die kürzesten und besten Mittel eifrigst überlegt, und Sie können sich sicher davon den Erfolg versprechen, den Sie wünschen. — Ich hoffe bald wieder in Cassel zu sein, grüßen Sie Wilhelm tausendmal und er soll die Mutter und die andern vielmal grüßen. Dieses in Eil. Ihr treuer Grimm." Der scheinbar hergestellte Friede hielt aber nicht lange vor, man wollte es nun mit einer Trennung der beiden Ehegatten versuchen. Auguste wurde in das Haus des Pfarrers Mannel gegeben, Clemens strebte mit Macht zu Arnim nach Heidelberg.

Dieser Pfarrer Mannel wohnte und wirkte in Allendorf an der Landsburg, hatte eine Schar erwachsener Kinder und für seine Person keine Bedürfnisse als geistige, die er pflegte. Er war ein Mann ähnlich wie Pfarrer Bang in Goßfelden bei Marburg, Savignys, Brentanos und Grimms geschätzter Freund. Wie dieser, so bezog auch Mannel von Grimms fortlaufend neue Bücher, über die man wohl die Meinungen austauschte. Er erschien auch öfters in Cassel, bisweilen in Begleitung seiner Tochter Friederike, stets den Familien Reichardt, Brentano und Grimm willkommen. Von deren literarischem Treiben wurden leicht die Allendorfer angesteckt, der Schelmufski-Ton brach in ihren Briefen vor, so wenn die lustig plaudernde Friederike einmal Wilhelm Grimm, nachdem er in Allendorf zu Besuch gewesen war, schreibt: „Doch Sie sind glücklich in Cassel angekommen und erzählen den Geschwistern oder Reichardts von der gefährlichen Reise zu Wasser und zu Lande," oder wenn er ihr schreibt: „Ich komme hier auch wieder mit meiner alten Bitte um Kindermärchen. Sie haben mir viele in Allendorf versprochen, mehrere geschickt, die mir alle sehr lieb waren, und nun bilde ich mir ein, Sie hätten dort (bei dem Schwager Pfarrer Theobald in Rodenbach) mehr Lust und Zeit, die alten aufzuschreiben und sich nach neuen zu erkundigen, die es dort gewiß gibt. Es brauchen gerade keine Kindermärchen zu sein, auch was man sonst erzählt von allen Weltdingen, ist mir angenehm. Ich will mich, der Tebel hole mer, recht dankbar dafür auch beweisen und die Geschichte von der Ratte oder den 31 Pumpelmeisen, die in Butter gebraten so vortrefflich wohl schmecken, erzählen, wobei jeder ein paar Augen aufsperren soll, daß es nicht zu sagen ist, oder ich will dem Herrn Pfarrer ein Fäßchen Klebebier zuschicken, worauf man, wenn man einen Nößel getrunken, flugs predigen kann." Pfarrer Mannel hatte natürlich wenig Geld, viel weniger, als seine Kinder kosteten. So nahm er denn, gleichwie der Pfarrer Bang, Fremde zur Erholung oder zur Erziehung in sein Haus auf. Es bot sich also bei ihm die beste Gelegenheit, Frau Auguste Brentano für die Zeit der Trennung gut unterzubringen. Am 19. April 1808 wurde endlich Clemens nach Heidelberg reisefertig. „Zwei Kisten mit Büchern," schrieb er wohlgemuth an Arnim, „sind als eine Schatzkammer der Einsiedler mühsam ausgewählt und gepackt, das übrige bei Grimm mit allen Bildern, außer Deinem geliebten Bilde[1], aufgestellt." Am 29. April langte er über Allendorf und Frankfurt in Heidelberg an; mit Arnim und Görres wiedervereint, genoß er Frühling, Freundschaft und Arbeitslust mit vollen Zügen.

Die Brüder Grimm in Cassel warteten, wegen mancher vor der Abreise getroffenen Verabredung, lange vergeblich auf ein Lebenszeichen von Brentano. Endlich schrieb er ihnen am 7. Mai 1808 (Poststempel 9. Mai) aus Heidelberg: „Ihr lieben Grimmigen! Schon oft ist es mir rührend eingefallen, wie Sie an dem Abend vor meiner Abreise berechneten, wenn ich in Heidelberg ankommen und Sie einen Brief haben könnten. Diese Zeit ist schon seit einigen Tagen verflossen, nicht so mein tägliches ernstes Andenken an manichfaltige Liebe, an treue wahrhaftige Theilnahme und vertrauende Mittheilung und Schonung, wir werden uns keine Ursache geben, uns nicht zu lieben. Unter Peitschenhieben des Kutschers, unter Murren und Schimpfen der Frau, unter ärgerlicher Ziererei der Fränz kam ich bei den trefflichen Leuten (der Pfarrersfamilie Mannel in Allendorf) an, blieb zwei Tage dort, Madam (Brentanos Frau) konnte dem unaussprechlich lieben Wesen Friederikens nicht widerstehen, sie mußte sie lieben wider Willen, Madam weinte, wimmerte, ahndete von Nimmerwiedersehen, ich sprang mit dem heiteren Pfarrer übern Zaun, und hinter mir war ein Gespenst verschwunden; die Welt war mir lieb, wie einem Invaliden, und die grüne Erde trat mein Fuß

---

[1]) Dem von Ströhling in England gemalten Portrait (Arnim und Brentano S. 107 ff.).

gern, trotzend und liebkosend, denn sie verschlang und bewahrt mir Liebes. Bei Christian (in Marburg) war ich einen Tag, er war beschäftigt, sich ein abentheuerliches, neuerfundenes zerbrechliches Kapriolet bunt anzustreichen, ehe es fertig war, dann es zu probiren und zu repariren, eh es trocken war, und sich und andre zu beschmieren. In Frankfurt fand ich Savignys Kind krank Abends zehn Uhr, morgens neun reiste ich ab. Hier fand ich eine sich in ihren Mitgliedern hassende Universität, meinen manichfach als Philosoph von der hallunkischen Juristenfakultät verfolgten lieben, lachenden Görres, dessen Studien über die Nibelungen Sie weiter im Einsiedler finden werden, und an Arnim den unendlich produzirenden Herausgeber der Zeitung, der des Morgenblatts lacht, wenn nur die Zeitung ginge — selbst Savigny will sie nicht schmecken. Die Druckerei ist hier sehr unordentlich, nach der nun vollendeten Schlegelschen Schrift (Sprache und Weisheit der Indier) geht vielleicht der Druck des Wunderhorns wieder an, der Einsiedler wird alle Monat geheftet auch ausgegeben, thun Sie doch alles mögliche für Abnahme, er wird einst ein treffliches Buch; wie ich gesagt, der Bärnhäuter ist ihnen nicht recht und sie scheuen sich — mag sein (erst in Nr. 22 vom 15. Juni). — Voß ist hier ein Gegenstand allgemeinen Hasses und Gelächters. Ich wollte, Sie wären hier, das Zimmersche Museum ist jetzt so groß als das Beygangsche in Leipzig, er hat sogar die Italienschen Zeitungen und Zeitschriften und das vollständigste Sortiment, da könnten sie recht exzerpiren. Görres bittet Sie, ihm, bei Ihrer größeren Specialkenntniß der Vatikanischen Gedichte, eine Specification alles dessen zu machen, was Sie des Copirens am wichtigsten halten, und zwar zur Herausgabe auch am interessantesten, er hat einen Menschen dort (Glöckle) den ich gut kenne, und der ihm alles abschreibt, was er begehrt, er schreibt ihm jetzt die Haimonskinder ab. Thun Sie es bald, ebenso haben wir in Altdorf einen, wo noch gar viel trefflich Altteutsches ist, der uns auch abschreibt, haben Sie nicht den Schwarzischen Catalog? und können auch hierüber notiren.

Nun noch eine Bitte wegen Louis (Ludwig Grimm) im Bezug auf meinen Vorschlag, ihn auf einige Monate hierher zu nehmen. Dies geht allerdings an und würde er gewiß Gelegenheit haben, manches zu lernen, und sich zu weiterem Fortkommen abzuhoblen, ich und Arnim können ihm frei Quartier und Bett geben, Zimmer will ihm den Tisch geben; dafür müßte er uns freilich wacker für den Einsiedler arbeiten, und wäre für diesen keine Arbeit da, so müßte er sich nach allen Seiten ununterbrochen in allen Arten von Zeichnung und Mahlerei sehr fleißig üben, wir wollten uns eifrig bemühen, ihm, so lange er bei uns wäre, das beste, was wir wissen, zu rathen und ihn von böser Gesellschaft abzuhalten suchen, er wird, wo nicht vor mir, doch vor Arnim Respect haben, und wie vortheilhaft könnte es ihm nicht sein, auf seinem ersten Ausflug gleich von bessern Menschen geleitet zu werden. Weise, der das Wunderhorn (vor dem zweiten Bande) gestochen, ist ein ganz miserabler Kerl, aber ein Freimaurer; es hat mich empört, wie er Wilhelms mühsame Zeichnung verhunzt; das Horn hat er zwar kalt und platt und rein gestochen, das umgebende Laub aber, durch Arnims leichtfertige Erlaubniß und Unbekümmertheit zu verbessern, so lächerlich steif und plump verhunzt, daß ich mich gräßlich dran geärgert, die Schrift kann kaum hineingebracht werden, so ad libitum und hundedumm hat er alles vermatscht, ich hätte nicht gedacht, daß man etwas so miserabel machen, weniger noch es machen lassen könnte. Louis hätte es gewiß besser gemacht. Ueberhaupt habe ich nicht leicht einen elenderen, süßern, faderen, unverbesserlicheren Gimpel gesehen, der von nichts spricht, als Fernow und Oeser, den Dürer für miserabel hält, den er gar nicht kennt. Uebrigens kann Louis bei ihm recht gut einen Anfang im Stechen, was er ziemlich rein thut, lernen und auch sein Oelmahlen fortsetzen, da hier ein Kaufmann ist, der schöne Gemälde, sogar einen Raphael hat, der mein Freund ist und ihm das Copiren erlauben wird. Auch hätte er Gelegenheit, sich im Landschaftlichen zu üben, und überhaupt wird er ohne Kosten und mit rechtem Nutzen für seine Seele und sein Gewerb bei uns sein können. Ich bitte Sie daher, da Zimmer jetzt nach Leipzig geht und in ein paar Wochen erst zurückkehrt, ihn in etwa drei Wochen nach Marburg zu Christian, von da nach Frankfurt zu Savigny und dann zu uns zu spediren; dies seien seine Stationen. Haben Sie oder Wilhelm Lust ihn zu begleiten, so sind Sie herzlich willkommen. Vergessen Sie den Einsiedler nicht in Ihren Collectaneen. Und thun Sie alles zu dessen Verbreitung. Gruß an alle die Ihrigen, Ihr Clemens. (Nachschrift:) Sobald Louis fertig mit der Elisabeth (zu Nr. 18 des Einsiedlers vom 31. Mai), schicken Sie dieselbe."

Inzwischen war ein Doppelbrief mit Einsiedler-Beiträgen der Brüder Grimm vom 6. Mai 1808 bei Arnim eingelaufen. Rasch bestätigte Clemens, seinen Antrag für Ludwig Grimm wiederholend, unter dem 12. Mai 1808 (Poststempel 18. Mai) aus Heidelberg: „Gestern, liebe Freunde, erhielt Arnim Ihre Sendung für den Einsiedler und dankt von Herzen. Hoffentlich haben Sie nun meinen Brief, in welchem ich Sie besonders bitte, sich das, was den Louis anbetrifft, angelegen sein zu lassen; es wäre uns lieb, wenn Sie ihn uns noch früher, als nach den anberaumten drei Wochen, schicken könnten, das heißt, sobald es Ihnen irgend möglich. Wir ziehen heute in einen anmuthigen Berggarten, wo er ein recht angenehm Arbeitzimmer haben wird; sein Sie versichert, daß wir nichts versäumen werden, ihm seinen kurzen Aufenthalt für Kunst und Gemüth nützlich und erweckend und für seine Sitten ersprießlich und ungefährlich zu machen. Er kann bei Weise mancherlei erlernen, wir erwarten ihn mit Sehnsucht. Die Elisabeth erwarten wir recht bald mit Freude, senden Sie dieselbe stark mit Makulatur gepolstert direct per Postwagen an Zimmer hierher. Im Ausziehen begriffen, bleibt mir nur Zeit Euch zu grüßen alle zusammen; die Sache mit Louis stellen Sie nicht bei Seite, schreiben Sie gleich. Wir wünschen die Quellen der Aufsätze, welche Sie geschickt, und sehr erwünscht wäre mir, wenn Sie die sehr schönen Gott beschreibenden Anfangsverse mir aus dem Titurel abschreiben möchten, es sind etwa vier oder sechs. Ihr Clemens."

Die Brüder Grimm in Cassel gingen schweren Tagen entgegen. Ihre geliebte Mutter Dorothea, geb. Zimmer, erkrankte plötzlich und starb am 27. Mai 1808. Sie schrieben Clemens die Trauernachricht, in einem Briefe, der nicht erhalten ist. Erst im Anfang des Juni konnte daher Ludwig Grimm die Reise nach Heidelberg antreten. Von da schrieb Clemens (Poststempel 9. Juni 1808) zurück: „Lieben Freunde! Vorgestern ist der Louis in der Einsiedelei angekommen, die Reise und die frische Trauer über der guten Mutter Abschied hatten ihn etwas blaß gemacht, und ich kannte ihn in dem ersten Augenblick nicht, die Reise hat ihn beinahe gar nicht zerstreut, und seine Aeußerungen von Erinnerung und kindlicher Liebe sind sehr unschuldig und rührend, von seinem Leichtsinn wäre nichts mehr zu fürchten, wenn er nur erst selbst erwacht und einen Begriff von dem bekömmt, was er zu thun hat, um in der Kunst fortzukommen. Görres hat ihn recht lieb, und er hat den Tisch bei ihm, ich bin schon viel mit ihm spaziert, seine Trauer scheint aber die Ursache, daß ihn die Gegend sehr wenig ergreift, er ist sehr still und kindlich. Zimmer ist gestern von Leipzig gekommen, die Messe war unendlich schlecht, den Einsiedler liest kein Mensch, Reimer (Realschulbuchhandlung) hat 11 Exemplare remittirt, und das 12te à condition behalten; die Leute sagen, sie verstünden das kunterbunte Zeug nicht, wahrscheinlich wird er bald ein End nehmen müssen; der Bärnhäuter (oben S. 15) wird jetzt abgedruckt. Voß ist beinah ganz toll vor Hoffart, kein Mensch geht zu ihm, als eine bestimmte Hetze von vier bis fünf miserablen Schuften von getauften jüdischen Sprachmeistern und hypochondrischen Dozenten. Ein gewisser Zinserling, eine Art thüringer Geoffroy — soll jetzt in Kassel sein — führte diese Klique an, Herr Reinbeck gehört auch dazu; es ist hier unter den Professoren eine solche Spannung, keiner kömmt zum Andern. Louis soll Tiecks Bild, das er in Kassel gemacht, für die Einsiedler radiren; wollen Sie es uns doch sogleich schicken und auch den Umriß davon aus seinem Portefeuille. Ebenso bitte ich Sie nachzusehn, ob Sie unter meinen Büchern, die aufgestellt, oder unter dem Zeug im Koffer nicht ein in schmutzigem Pappband, Rück- und Eck-Pergament, zwei Finger dickes Lieder-Manuskript finden, es ist schlecht geschrieben, lauter schoffele Lieder von 1700, hinten stehn lauter Rezepte — ich meine nicht das alte Manuskript, wo vorn vom Federspiel und hinten das Concilium von Constanz —, ich glaube es mitgenommen zu haben, es gehört zu dem Eingeschickten zum Wunderhorn, und man plagt mich sehr um den Dreck, ich bin schier in Angst, daß es mir unterwegs gestohlen worden, denn Karl (Grimm), den ich doch sehr drum gebeten, hat unterlassen, meine Bücherkisten bereifen zu lassen, und die eine ist beinahe offen und nicht so gedrängt gepackt hier angekommen, als ich sie gepackt zu haben geglaubt; doch ist es vielleicht vergessen, schicken Sie es doch mit Postwagen. Sie können es sich nicht denken, wie herzlichen Antheil ich an Ihrem plötzlichen Verluste nehme, es ist nichts trauriger, als wenn sich eine so isolirte Familie aufzulösen gezwungen sieht. Ich wollte, ich wäre in Kassel gewesen, um Ihren Kummer noch herzlicher theilen zu können. Louis sagte, Wilhelm wäre so gern mit hierher gekommen, das wäre allerdings sehr herrlich gewesen und hätte ihm gewiß sehr wohl gethan, Platz haben wir die Menge. Die arme Lotte (Grimm) dauert mich am meisten, wenn sie nur zu lieben Leuten kömmt, daß sie ein wenig auflebt, und der Ferdinand (Grimm), wie wird es mit dem? Was den Louis anbetrifft, so wäre es recht gut, wenn Sie jetzt gleich schon den Savigny recht lebhaft für ihn interessirten, daß er ihn bei den vielen Connexionen, die er in München hat, dort gut bei der (Zeichnungs-) Akademie anbringen könnte, er muß doch noch viel zeichnen und in eine rechte Werkstätte. Schreiben Sie doch Savigny ernsthaft darüber, er thut es gewiß. Bringen Sie die Lotte doch öfters zu Reichardt, und wie steht es mit Ihnen und Ihrer Anstellung? Jetzt wäre

München erwünscht, ich gehe wahrscheinlich nach Landshut, wenn Savigny hingeht. In ohngefähr drei à vier Wochen gedenke ich einmal nach Cassel zu kommen, von der Auguste höre ich Gutes. Wenn es Ihnen möglich wäre, nach München zu kommen durch Savigny, so wären wir wieder nah, und ich wäre oft bei Ihnen, der Louis könnte auch bei Ihnen sein, das wäre sehr schön. Schreiben Sie uns bald und halten Sie sich froh. Ihr Clemens."

Indessen fühlte sich Brentano durch Arnims Reise zu Bettinen nach Winkel am Rhein (Ende Mai bis gegen 20. Juni) vereinsamt und knüpfte von neuem mit seiner Frau Auguste an. Sowie Arnim zurückkam, machte er sich nach Allendorf auf (Arnim und Bettina S. 169). Auf einem Fetzen Papier, das zu einem Umschlag gedient haben mag, theilte er den Brüdern Grimm die wenigen Worte mit: „ich bin in Allendorf und komme bald. Clemens," daneben der Poststempel: 4. Juli 1808. Mit Anspielung auf Jacobs unter dem 5. Juli erfolgte Ernennung zum Bibliothekar des Königs erging darauf am „Donnerstag" ein weiteres Billet Brentanos an Wilhelm Grimm: „Lieber Herr Bruder! Wie ich hier ankam, schrie mir der Pfarrer (Mannel) entgegen: wo ist Ihr Freund Grimm? Daß Ihr nicht gekommen seid, thut mir sehr leid; Ihr wißt nicht, wie gern ich Euch aus Eurer Kalfakter Gasse heraus hätte. Wollen Sie noch mit nach Heidelberg, so machen Sie, daß Sie den Sonnabend (9. Juli) hier sind, Sonntag geht es fast bestimmt fort, es wäre mir sehr sehr lieb, will mich einer noch hier besuchen, so setze er sich in eine Kutsche und fahre nach Wabern, in Wabern setze er sich auf einen Bauerwagen, wie ich auch gethan, so ist er von Wabern um zwei Thaler in drei Stunden hier; kömmt einer den Sonnabend Abend hier an, so bleibe ich noch einige Tage. Sollte es Ihnen und Jacob nicht möglich sein, so kommen Sie allein. Dem Hofbibliothekar meine herzliche Condolenz, ich bitte Euch sehr, kommt gleich, unter dem Sonnabend verstehe ich den nächsten, übermorgigen Schabbes, grüßt die komischen Geschwister. Euer Clemens. (Nachschriften:) Donnerstag Abend, also übermorgen ist der Schabbes, an welchem ich den Messias Grimm erwarte. — Von Wabern gehts nach Gumbett, Troken, Erfurth, Zimmersrode, Dorheim, Allendorf, in vier kleinen Stunden, kommt ja, Ihr macht Euch und mir viel Freude." Aber die Freude des Wiedersehens mit seiner Frau dauerte nicht lange, das alte Elend ging wieder los. Clemens reiste schnell ab und hielt sich die nächste Zeit in Cassel bei Grimms, auf dem Trages und in Frankfurt auf (Arnim und Brentano S. 255 f., Arnim und Bettina S. 182).

Im August erhielt Savigny einen Ruf nach Landshut in Baiern, den er annahm. Es wurde beschlossen, daß Clemens und seine Frau wie Bettina dahin mitgingen. Die Vorbereitungen mußten schnell getroffen werden. Ohne noch erst nach Heidelberg zurückzukehren, schrieb Clemens vom Trages aus einen detaillirten Brief an Ludwig Grimm, wie er ihm seine Sachen packen und schicken möchte. Er selbst machte sich am 29. August auf die Reise nach Allendorf, um seine Frau abzuholen. Unterwegs, von Marburg aus, gab er den Brüdern nach Cassel Nachricht; in seinem Auftrage schrieb ein Bekannter von ihm, Marburg 1. September 1808, an den „Herrn Kriegs-Secretair Jacob Grimm, Wohlgeboren zu Cassel" (Poststempel 2. September): „Ew. Wohlgeboren soll ich hiermit anzeigen, daß Herr Clemens Brentano in dieser Nacht hierdurch nach Allendorf gereist ist, um von dort seine Frau Gemahlin abzuholen und nach Landshut zu reisen. Sehr wünscht er Sie oder Ihren Herrn Bruder noch zu sprechen, um dies aber zu können, müßten Sie gleich nach Empfang dieses sich auf den Weg nach Allendorf machen, indem er nur bis Sonnabend dort bleiben will. Zugleich bittet er Sie, den Katalog seiner Bibliothek mitzubringen, um die Bücher anstreichen zu können, die er mitnehmen will. Mit Hochachtung unterzeichnet sich Ew. Wohlgeboren ergebenster Diener Kaerner, Prosector." Daraufhin reiste Wilhelm, der ja ohne Urlaub abkömmlich war, auch schnell nach Allendorf, wo sich die Freunde wiedersahen (Arnim und die Brüder Grimm S. 17) und vergnügte Tage verlebten. Brentano lud natürlich wieder dem Freunde die Verpackung seiner in Cassel zurückgelassenen Bücher und Möbel auf, er selbst reiste mit seiner Frau und einem Angehörigen der Familie Mannel ab. Friederike Mannel berichtete Wilhelm Grimm am 22. September 1808: „Unsre Reisenden waren pudelnaß in Marburg angekommen, aber sehr munter und freundlich. Clemens hatte unter andern mit viel Laune von seinem Schrecken im Aschhof erzählt. — Gern glaube ich, daß Sie mit dem Einpacken der Sachen des bösen Freundes zum zweitenmal von ihm scheiden, von ihm! — der, ach was kann ich sagen, das Sie nicht von ihm wissen!" Der alte Pfarrer Mannel aber gestand Wilhelm am 28. September: „Mit einer inneren Herzensangst und Beklemmung denke ich immer an unsren Freund, es soll mich Wunder nehmen, wenn er es den Winter mit seiner Hälfte aushält — geben Sie Achtung, im Frühjahr kommt er zu uns oder geht in die weite Welt. Denn auf Aenderung oder Besserung mache ich mir bei dem Charakter der Auguste gar keine Hoffnung." Während Friederike theilnahmsvoll bemerkte: „Wenn ich allein und vertrauensvoll mit der Frau spreche, so finde ich so viel Seele in ihr; sollten sich die Mißverständnisse wohl nie zwischen den beiden entfernen?" So widerspruchsvoll war der Charakter der unglücklichen Frau zusammengesetzt.

Clemens langte mit seiner Frau in Frankfurt an; nach ihrem Bericht an Friederike Mannel wurde sie dort „gut aufgenommen und fand in Flavigny einen zärtlich liebevollen Vater, der ihr die völlige Aussöhnung ihrer Mutter erwürkte. Brentanos Familie war ganz natürlich, und der Oncle (Bethmann) fühlte sich noch ein wenig gekränkt." Dann ging es weiter nach Aschaffenburg, wo beide sich mit Savignys und Bettina, die Arnim bis dahin begleitete, trafen. Gemeinsam wurde die Reise nach Baiern angetreten.

Zweites Capitel.

Ludwig Grimm nach München und Brentanos Verhandlung mit den Brüdern.

Clemens Brentano hatte sich noch in Allendorf Wilhelm Grimm gegenüber erboten, für Ludwig, der vorläufig in Heidelberg verbleiben sollte, in München eine geeignete Lehre und Unterkunft zu besorgen. Eine ähnliche Verabredung war mit Arnim in Aschaffenburg getroffen worden, der danach von Heidelberg seine Heimreise einrichten wollte. Aber lange kam keine Nachricht von Clemens. Endlich gab er Arnim am 10. October 1808 einen allgemeinen Bescheid, den Freunden Grimm aber schrieb er aus München 13. October und Landshut 15. October 1808 ausführlich: „Lieber Wilhelm! Ich hätte Ihnen längst schreiben sollen, aber ich schreibe gar nicht mehr, ich vernachlässige das Liebste und Beste, ich lebe in einem so heftigen Defensivkrieg gegen Kummer und Widerwille, daß ich nur an meine Freunde denken mag, um nicht zu klagen; gestern erhielt ich Ihren lieben Brief, den ersten aus meiner früheren Umgebung. Ich danke herzlich für Ihre Spedition, die erste Empfindung, die ich bei Ihrem Avis hatte, war, daß es mir leid thut, daß Sie nun des Malerei-Schmucks in Ihrem Tusculo entbehren. Wenn ich bei Ihnen wäre, könnte ich viel erzählen, so weiß ich nicht wo anfangen. Auf dem Trages fand ich noch eine Einladung Flavignys (des Stiefvaters der Frau Auguste Brentano), in Frankfurt zu wohnen, endlich stürmte er so, daß ich Madame hinschickte, drei Tage darauf zerrte meine unvernünftige Famille so lang, bis ich auch hinging, der Herr Vicomte wollte mich parforce bereden, que, si je voulois battre le pavé, celui de Francfort valoit bien celui de Landshout, und nun da ich das letzte kenne, welches aus lauter spitzen Iserkieseln des röthlichen Sandes wegen besteht [1]), muß ich ihm Recht geben. Er gab mir übrigens in allem ganz Recht und sagte mir, daß, wenn Madame sich nicht bessre, ich sie fortschicken möge; übrigens zeigte sich alles, was Herr Vicomte vorhatte, als Schikane gegen die Bethmännsche Familie und lief am Ende auf ein Present von alten Mobilien und einem Faß Wein hinaus, worüber doch ein großer Lärm in der Stadt geschlagen werden mußte.

Da wir endlich in Trages mobil wurden, ging es nach dem reizenden, himmlischen Aschaffenburg, schöne Bibliothek, ganz toll origineller Catalog von Heinse, herrliche große Kupferstichsammlung und ganz auserwählt niedliche Gemäldesammlung, eine Menge so herrliche alte Bilder von dem Aschaffenburger Grünewald, welche der Fürst nun aus den Kirchen nehmen, putzen und in die Gallerie bringen läßt; ich weiß nicht, wer mir lieber, er oder Dürer. Nürnberg ist eine unbegreiflich interessante Stadt, alles kratzt und polirt dran, aber sie ist durchdrungen vom Alterthum und Kunst, die Sebaldskirche ist inwendig bedeckt mit Kunstwerken. Seltsam ist, daß der Luthersche Gottesdienst drin ganz in katholschem Zermoniel und Kleidern gehalten wird. Ich stand mit

[1]) Anspielung auf Einsiedler-Zeitung Nr. 33, worin der junge Nepomuk Ringseis die kalte Brut der anderen Zone auf den röthlichen Sand des bayerischen Bodens herausgefordert hatte.

Bettine um 6 auf, wir fanden eine Betstunde drin, und indem wir durch die alten Gestühle nach dem Thor schlichen, die herrlichen Bilder zu besehn, fanden wir im Chor zwischen einem mit Stühlen begränzten Raum die Schlafstelle von. des Sigristen schöner Tochter, sie betete laut mit und ordnete ihren Putz vor dem Spiegel und räumte auf, stellte einen gemachten Blumentopf, wie den vor Jacobs Schreibtisch, auf ihren grünbedeckten Tisch, und legte uns zwei Kissen in Chorstühle, unter denen ihre Sonntagsschuhe und Pantoffeln standen. Wir warteten, bis das Gebet aus war, dann zeigte uns ihr Vater die ganze Kirche, unbegreifliche Schätze, besonders St. Sebaldsgrab in Erz gegossen, ein unbegreiflich reiches, liebes Kunstwerk, eine schöne Grablegung Dürers 2c.; bei letztem, erzählte uns der Sigrist, hat Madam Händel drei Stunden die Gruppen explizirt, und alle die Apostel an Sebaldusgrab hat sie mit ihrem Shawl nachgemacht, wozu die Nürnberger bellesesprits ihr Mallaga in die Kirche gebracht. Dies that sie Montags; Dienstags war sie den ganzen Tag in einer Bretterhütte vor Nürnberg auf einem Kartoffelacker, wo Antiken ausgegraben worden 2c. Regensburg: prächtiger, herrlicher Dom, St. Emmerans Abtei, äußerst geistreiche Benediktiner, Bibliothek, Manuscript, deutsch poetisch Papier Fablen Ariani, Markolph schlecht, mit Bildern; Stadtbibliothek, zerrissener papierner Codex Stück Rosengarten 2c. Landshut machte mir im Innern einen so traurigen, leeren, kahlen Eindruck, daß ich sehr traurig wurde; dort weiß kein Mensch vom andern, von einer Zeichnungsschule ist nichts dort —

und somit komme ich auf Louis. Er hat in Heidelberg bereits nicht nur nichts mehr zu thun, sondern auch nach Görres' vollzogner und Arnims naher Abreise keine rechte Stütze mehr dort. Anfangs hoffte ich, daß er in Landshut irgend etwas lernen könnte; das fällt aber nach näherer Einsicht ganz hinweg und trug zu meinem Mißfallen an diesem Ort nicht wenig bei. Da wir nun seit drei Wochen alle in München leben, habe ich hier mit dem berühmten Kupferstecher Heß, einem unendlich liebvollen, biedern, hülfreichen Mann, gesprochen. Das Resultat war, daß Heß, wenn Louis wirklich fleißig mit Anlage ist, ihn in Zeit von anderthalb Jahr so weit zu bringen versichert ist, daß er sich selbst Etwas verdienen kann. Heß will ihm nicht nur den öffentlichen Unterricht, bei der Akademie, sondern auch den treusten Privatunterricht gratis geben, ja auch alle Instrumente und Materialien, will ihn zu recht braven Leuten einquartiren und ihn ganz in spezielle Aufsicht und Liebe nehmen; und hätte er nicht acht Kinder und bloßen Arbeitsverdienst, er würde ihn ganz als Lehrling aufnehmen, so kann er nicht mehr thun. Um nun hier zu leben, braucht er jährlich 400 fl., wie Heß sagt und es ihm einrichten will. Nun ist die Frage, wieviel können Sie überhaupt an ihn wenden, um ihn lernen zu lassen? hat er einiges Vermögen? kann er, auf etwa zwei Jahre, die jährlichen 400 fl. haben? Hiezu kömmt, daß Savigny ihm jährlich 100 Gulden dazu geben will, und Bettine mit mir auch Etwas, so daß, wenn Sie ihm nur ganz fix und gewiß 200 à 250 Gulden schaffen, er seine beste Carriere anfangen kann, und zwar gleich[1]). Sie müßten mir und ihm sogleich drüber schreiben, die 100 fl. könnten Sie vierteljährig an Jordis zahlen, und er (Louis) würde sie von Savigny erhalten. Ich gebe mir alle Mühe um ihn

---

[1]) Ebenso Bettina an Arnim, S. 207.

und hoffe, daß Ihnen mein Vorschlag lieb sein wird; ich glaube, Sie werden ihn nirgends besser unterbringen; sollte Ihnen nicht möglich sein, so viel für ihn auszulegen, so bitten Sie doch die Tante (Zimmer in Gotha), doch Sie schaffen gewiß Rath. Ich werde ihm nach Heidelberg schreiben, bei Zimmer so lange noch zu verweilen, bis Sie ihm schreiben, nach Landshut abzureisen; dazu würde aber auch gehören, daß ihm seine kleine Garderobe ein wenig nachgesehen würde, überhaupt müssen Sie sich seiner ein wenig annehmen; denn mir selbst steigt mein eignes Elend täglich einigemal so sehr an den Hals, daß ich vor Ekel am Leben alles von mir werfen möchte. Die Gallerie ist hier täglich und bequem offen, ganz ohne Abgabe, jeder Gassenjunge kann die herrlichen Sachen sehen und kopiren. Die Bibliothek war durch Aretin, der ganz ab ist, in der schändlichsten Unordnung, Hamberger hat gearbeitet wie ein Pferd, und noch thut er Wunder, er zeigt sich als ganz vortrefflich auf seinem Platz. Er wünschte Sie und Wilhelm gar sehr zu seiner Hülfe, und Savigny wünscht dies auch, wir sprachen mit ihm; er würde gern alles thun, um den Buchhändler Scherer, der mit 1200 fl. dran ist und noch nie da war, zu jagen, aber dieser steht in Schürzen-Connexionen ꝛc. Sowohl von Savigny als ihm könnten Sie in einer Bemühung alle Unterstützung hoffen, doch sagt mir Savigny, wäre gar vortheilhaft, wenn Sie irgend etwas dahin zweckendes schrieben. Die Bibliothek hat Schätze von Manuscripten, und Dotzen[1]) ist der aller unsinnigst zerzaselte, verwirrte Mensch, der keine vier

[1]) Brentano schreibt so den Namen „Docen", was auf seine die erste Silbe betonende Aussprache schließen läßt; andere legten den Ton auf die letzte Silbe.

Worte zusammenhängend sprechen noch denken kann, er hat nichts und weiß nichts.

Schreiben Sie mir doch gleich nach Landshut über Louis definitiv. Ich wünschte ein Verzeichniß von meinen zurückgebliebenen Büchern. Leben Sie wohl, haben Sie Mitleid mit mir, und haben Sie mich lieb, das Weib bringt mich noch unter die Erde. Ihr Clemens Brentano.

München den 10. October 1808.

Soeben rede ich mit ein paar jungen Malern, die sehr arm sind; diese behaupten, daß der Ueberschlag von Heß zu stark sei, und machen mir nachfolgende Berechnung ihres eignen Lebens:

Stübchen mit monatlich frischem Bett à 4 fl.	jährlich	48 fl.
Mittagstisch mit noch andern Malern reichlich à 13 x	"	72 fl.
Ein Seidel Milch und eine Semmel Frühstück 3 x	"	18 fl.
Ein Schoppen Bier und Stück Brod zu Abend 3 x	"	18 fl.
Ein Hemd, Halstuch, Schnupftuch, Strumpf, wöchentlich Wäsche 5 x	"	4 fl.
		160 fl.

Und dieses geben sie noch nicht als minimum an, da sie mir einen Maler gezeigt, der sein Quartier monatlich um einen Bayrischen Thaler hatte. Mag dieser Ueberschlag gleich für Louis, der das Geschick, sich durchzuwinden, noch nicht so haben mag, gleich etwas knapp sein, so sehen Sie doch daraus, daß es nicht unmöglich sein wird, ihn hier zu erhalten, und ich trage daher kein Bedenken, ihn, sobald ich in Landshut bin, hierher kommen zu lassen, ich will dann ihn selbst herüber bringen und ihn soviel ich kann orientiren. Das Geld, das Sie ihm jährlich nach bequemen, aber womöglich fest zu bestimmenden Fristen geben können, melden Sie mir sogleich nach Landshut und lassen es ihm immer durch mich oder Savigny auszahlen, denen er Rechnung ablegen soll, denn er ist leichtsinnig mit Geld; ich hoffe, es soll alles gut gehen. Schreiben Sie ihm sogleich und fragen Sie ihn nach dem, was er zur Reise im Winter bedarf, oder schicken Sie ihm, wenn Sie bereits wissen, was ihm fehlen könnte etwa an Wäsche oder Kleidern, etwa einen Mantel ꝛc. Ich erwarte Ihre Antwort mit Ungeduld. Ihr Clemens Brentano. (Nachschrift:) Bieten Sie Ihre (dänischen) Romanzen doch Cotta an und preisen Sie ihm im allgemeinen deren Interesse, er nimmt sie am ersten; oder bieten Sie sie Zimmer wohlfeil an, etwa umsonst, mit Theilung des zu machenden Gewinnstes, oder gegen Bücher.

Tausend Grüße
An Luise,
Tausend Blicke
An Friedrike,
Und ein Blühe
An Sophie,
Und an Muttern
Gebratne Puttern,
Und an Vatern
Gestopfte Katern [1]).

C. Brentano bei Herrn v. Savigny in Landshut."

Auf diese Auskunft hin entschlossen sich Jacob und Wilhelm Grimm, ihren Bruder Ludwig nach Bayern zu schicken. Im November 1808 reiste er von Heidelberg zunächst nach Landshut, dann nach München und trat bei Professor Heß in die Lehre [2]).

---

[1]) Diese Grüße sind gerichtet an Luise, Friederike und Sophie Reichardt, die Töchter von Mutter und Vater Reichardt.

[2]) Für Ludwig Grimm sei im allgemeinen jetzt auf seine von Adolf Stoll herausgegebenen und kommentirten Memoiren

Erst am 20. Januar 1809 ließ sich Brentano wieder aus Landshut hören: „Mein sehr liebenswürdiger und geliebter Wilhelm und Jacob! Ich habe bereits mehreres auf dem Herzen, Sie betreffend, nämlich Briefe von Ihnen, sehr liebe und schöne, die ich in dem Rocktäschchen über dem Herzen trage[1]), ich sehe noch aus wie sonst, ich trage noch Euren Hut und habe noch keinen neuen Rock. Abends gehe ich, statt zu Euch, zu Savigny allein, wo ich esse, aber doch lange nicht so gern bin, als bei Euch. Ihr mögt denken, was Ihr wollt, aber es ist gewiß wahr, daß ich nirgends lieber als bei Euch noch gewesen bin und unaufhörlich an Euch gedenke. Meine Frau ist womöglich schlechter als sie war, sie macht mich manchmal ganz schlecht und niedrig, wüthend und rasend; ich esse jetzt nicht mehr mit ihr, sondern auf meiner Stube allein. Meine von Euch erhaltenen, vor vier à sechs Wochen schon, Bücherkisten habe ich noch nicht auszupacken gedacht, und kann es auch nicht, ich habe keine Freude an nichts mehr auf der Welt und wollte, ich hätte Euch alles gelassen und wäre bei Euch geblieben. Seit acht Tagen gehe ich hier täglich 4 à 5 Stunden auf die Bibliothek und lese die Catalogen durch, die aus alphabetisch liegenden Blättern in allen Fächern bestehn, und da die beigebundenen und andre noch nicht zu ihren Fächern ausgesondert sind, so thue ich das, um mich zu zerstreuen. Die Bibliothek ist etwa 150000 Bände stark, jedes Fach steht ganz durch einander, nur die Formate getrennt, und auch sind die Classiker nicht allein gestellt. Ich habe schon allerlei alt-

hingewiesen: „Erinnerungen aus meinem Leben" (Leipzig 1911). Dazu treten urkundliche Nachträge von mir im „Literarischen Echo" 1912, 1. März und 15. August.

[1]) Von diesen Briefen Grimms hat sich kein Stück erhalten.

deutsche Sachen gefunden, die ich zusammenstelle. Ein sehr schöner Roman ist die Geschichte vom Ungenähten Rock Christi, er existirt einmal in 4⁰ gereimt, im Charakter des Morolfs, und einmal in sehr naive Prosa aufgelöst, auch 4⁰. Einige Titel, die ich, mir beiliegend in den Münchner Katalogen, für Sie abschrieb, finden Sie hier[1]).

Sehr leid thut mir Vossens Niedertracht gegen das Wunderhorn (Morgenblatt 1808 Nr. 283), und durch Arnims mir nicht genug thuende Antwort („An Hrn. Hofrath Voß in Heidelberg", Cassel 8. December 1808, im Intelligenzblatt der Jenaischen Literatur-Zeitung Nr. 3 vom 6. Januar 1809) ist jetzt Vossens Gegenerklärung (ebenda Nr. 4 vom 11. Januar 1809), die mit arglistiger Bosheit alles, wo er sich getroffen fühlt, umgeht, ist die Sache für das Buch noch mehr verdorben. Alles das haben wir dem Einsiedler[2]) zu danken, mir thut es gar leid Zimmers wegen, den Voß jetzt auf alle Art verfolgt. Ich hatte auch schon eine Antwort an die Zeitungen fortgeschickt („Zu allem Ueberfluß an Herrn Voß in Heidelberg rc.", ebenda Nr. 18 vom 4. März 1809 und im Intelligenzblatt der Heidelberger Jahrbücher 1809 Nr. 8, auch im Nürnberger Correspondenten vom 30. Januar 1809), als mir Arnim seine schickte, und zugleich einen Aufsatz von ein paar Bogen versprochen und angezeigt, welcher einen genauen Text über alles Falsche und Aechte nach meinem guten Gewissen liefern sollte, und zugleich mit literärischen Notizen die Geschichte des Buchs erzählen, um diesem Sch—ßkerl auf einmal das Maul zu stopfen.

---

[1]) Nicht erhalten.

[2]) Das heißt: der Polemik darin gegen Voß.

Nun möchte der Zimmer das gar gern drucken, mir aber fehlt es an mancherlei Literar-Notizen, und ich kann die Arbeit unmöglich zu Stande bringen, wenn Ihr beiden nicht barmherzig seid und mir eine gelehrte Kritik aller drei Bände und Eure Ideen über die Geschichte des teutschen Liedes mittheilt; wir wollen das Ganze sodann unter beiderseitigem Namen herausgeben, o Jacob, rümpfe die Nase nicht! Ich glaube, es ließe sich allerdings etwas sagen, und somit dem armen Zimmer einiger Maßen nutzen. Thut mir den Gefallen und thut es bald. Görres hat das Ganze in die (Heidelberger) Jahrbücher rezensirt; ich hatte die Rezension durch Creuzer vorher, sie ist außer einiger Superfoetation ganz ungemein trefflich. Aerger aber noch, als Voß, ist gegen den Einsiedler, Wunderhorn und Görres' Volksbücher Tieck eingenommen, und vor allem die Bernhardi: so wie Wieland u. d. g. über Tieck und Schlegel, ohne irgend etwas von ihnen gelesen zu haben, als über naseweise junge Leute schimpften, so er über diese, und es ist ein Jammer, wie er klagt, daß alles Gute ihm und Schiller von Arnim gestohlen sei, der auch ohne alles Talent zur Poesie sei und recht zu seiner Schande den schönen physikalischen Weg ausgeschlagen habe; übrigens hat er das Wunderhorn und den Einsiedler und die Volksbücher noch nicht einmal aufgeschnitten, das ist ekelich. Er ist übrigens noch mit der Bernhardi in München, wo Bettine auch ist; um sich nicht hier zu langweilen, lernt sie dort bei Winter singen. Von Louis höre ich nichts, er ist übrigens bei Heß gut aufgehoben, zu seinem großen Leid wohnt er bei zwei achtzigjährigen Weibern (der Wittwe Wink und deren Base), durch deren Schlafstube er in seine Stube muß, und da sie um 8 Uhr zu Bett gehn, muß er um 7 Uhr zu Haus sein.

Neulich äußerte Jacob Grimm gar wunderliche Gedanken gegen mich von der hiesigen Universität[1]), aber mein Gott, er irrt sich gewaltig. Marburg in seiner schlechtsten Zeit ist ein Athen, ein Bologna gegen hier, die Universität steht unterm Schuldirektorio, hat keine Art von Gericht, die Studenten stehn ganz unter der Polizei. Die vier oder fünf begeisterten jungen Leute, welche die Sonette im Einsiedler geschrieben[2]), stehen außer einem, Löw, tief unter Hundeshagen und Consorten, sie sind dabei so miserabel einseitig, sie verachten Alles und nennen die griechische ganze Kunst sündliche Sodomiterei, Göthe ist nichts, und Niemand ist alles; sie wollen eine Zeitung, Jugendblätter, herausgeben, Religion, Religion, Religiönchen, aber die Regierung hat sie ihnen gänzlich verboten, was ein Glück für sie ist, denn sie wußten nicht, was hineinschreiben; übrigens sind ein paar von ihnen, die recht fleißig studiren. Um sich eine Idee von den Studenten zu machen, bedenken Sie, daß Savigny unter ohngefähr zweihundert Zuhörern in zwei Collegien etliche zwanzig hat, die bezahlen, die andern zeigen Armuthsscheine vor. Keiner kann orthographisch schreiben, wenige Latein, meist Handwerkers- und Baurensöhne, und die stupidsten Edelleute; Compendien theilt Savigny ihnen selbst aus als Darlehn. Lexika und Grammatiken und Handbücher leihen sie sich auf der Bibliothek, das ganze ist ein Jammer, und Gelnhausen, Friedberg sind Paris gegen hier. Uebrigens fahren die Metzger die Köchinnen den ganzen Tag Schlitten, und die Stadt ist mit lauter spitzen handgroßen Kieseln gepflastert; die breiten Gassen gleichen abgelassenen

---

[1]) Wohl in dem Eingangs erwähnten verlorenen Briefe.

[2]) Einsiedler Nr. 33: Nepomuk Ringseis, Sebastian Ringseis, Joseph Löw, Karl Aman, Karl Loe.

Wassergraben, die Häuser haben keinen Sockel, alle sehen aus wie weißgemahlte Särge, es ist keine Mauer um den Kirchhof, der wie ein Acker am Wasser liegt und alle Jahr zweimal unter Wasser steht: kurz es ist eine Misere. Ast, von dem man Wunder glaubt, welches Getöß er mache im Ausland, ist ein Mensch etwas größer, sonst sehr ähnlich der jetzigen Madam Nathusius (der Tochter der Philippine Engelhart in Cassel, geb. Gatterer), dazu ein Grindchen über dem Maul, und kein Wort geredet, so matt und todt als Etwas, aber fleißig in seiner Art und sehr betrübt. Haben Sie gehört, daß Deutschland Creuzern in Heidelberg verliert? Er geht nach Leyden mit 4000 Gulden zu Wyttenbach, somit hätten die Heidelberger Jahrbücher auch den tödtlichen Stoß, das haben wir Voß auch zu verdanken, der ihm das Leben satt machte. Für Görres ist hierher keine Hoffnung, Schelling ist sein Feind, und Jacobi auch. Aretin ist ganz eine Null geworden, Hamberger arbeitet wie ein Pferd in München und wünscht nur, er hätte einen Herrn C. W. Grimm zum Gehülfen, so aber geschieht gar nichts, außer ihm thut kein Mensch etwas. Docen ist ganz elend herunter, hypochonder, und kurirt seit sechs Monden an einer [Sache, die] er sich auf der Bibliothek [zugezogen] haben will. Hamberger ist erbittert über seine gottlose Faulheit und mit Recht, und so sind alle die andern. Uebrigens verfaulen an die 80000 Bücher und Manuscripten, die bei offnen Laden auf den Speichern gehäuft liegen. Docen ist im Uebrigen Ihr bester Freund, hat die größte Verehrung vor Euch und liest im Frauenjournal, während ihn die herrlichsten Manuscripte umgeben. Hier (in Landshut) auf der Bibliothek ist ein Codex Minnelieder mit vielen Frauenlobschen Liedern, nächstens will ich ihn durchsehen und Euch beschreiben. Savigny grüßt. Nächstens mehr, Euer Clemens Brentano."

Den Antrag, den Clemens den Brüdern Grimm wegen einer kritischen Geschichte des Wunderhorns und der darin verarbeiteten Lieder gethan hatte, lehnten sie jedoch mit guten Gründen ab. Wilhelm begründete die Ablehnung Arnim gegenüber am 2. März 1809 (Arnim und die Brüder Grimm S. 22): „Dazu sind wir nun mit dem besten Willen, den wir haben, nicht im Stand, weil wir am wenigsten darauf gesammelt, und das Gesammelte nicht in Ordnung; es ist nichts schwieriger als jetzt dies zu unternehmen, da durchaus erst eine Menge Vorarbeiten nöthig sind, und Du wirst selbst wissen, daß Clemens uns die Originale zum Wunderhorn nicht gegeben. Dann aber ist nun diese Seite der Critik durchaus nicht beim Wunderhorn anzufassen, wovon ja Göthe in der Recension schon abgerathen, und es kann nichts herauskommen, als daß Voß und Anhänger Waffen erhalten, die ihnen sonst niemand geben kann, und die überhaupt, wie das Wunderhorn genommen und Du mit Recht behauptet hast, gar nicht gebraucht werden dürfen. Außerdem daß damit die ganze Idee, in welcher das Wunderhorn doch gemeinschaftlich gesammelt wurde, compromittirt würde, und Du namentlich, insofern Du nicht Theil nehmen willst an jener Critik, so wird auch Clemens seinen Zweck nicht erreichen, dem Zimmer dadurch einen bessern Abgang zu verschaffen, welches doch sein einziges ist, sondern nur das Gegentheil, da niemand seine Liberalität darin erkennen würde, sondern nur ein verdecktes Sündenbekenntniß. Ich glaube mit Dir, daß der bisherige Streit dem Buch gar keinen Schaden bringt; ohnehin wer den ersten Theil hat, kauft auch die andern. Wir haben es daher dem Clemens abschreiben müssen, wie leid mir auch der Gedanke ist, er werde es auf einen literarischen Geiz schieben, wobei er wahrlich viel Unrecht thäte."

Diesen Gründen schloß sich Arnim völlig an, indem er am 2. April 1809 erwiderte: „Was Du über Clemens' gelehrtem Register über das Wunderhorn sagst, ist ziemlich auch meine Meinung, die ich ihm darüber geschrieben (am 2. März 1809, Arnim und Brentano S. 270); wenn ich auch nicht eigentlich darauf gesammelt habe, die Geschichte des Volkslieds zu schreiben, so bemühe ich mich doch gelegentlich, was davon zu erfahren, nun fehlen bei unserm Unternehmen gerade alle bedeutende Stücke dazu, oder was daraus bedeutet, ist meist weggelassen und verändert. Ich schrieb ihm, es wäre, als wenn man Mineralogie aus einem gemauerten Hause studiren wollte, das eben frisch mit Kalk beworfen und angemalt ist."

Dieser Meinungsaustausch zwischen Wilhelm Grimm und Arnim wird durch das Concept eines verlorenen Briefes erhellt, den Jacob an Brentano in Erwiderung seiner Aufforderung vom 20. Januar 1809 gerichtet hat, und der nach dem 15. Februar 1809 muß geschrieben worden sein[1]); im Concept steht nur das Sachliche, nichts persönlich-Freundschaftliches: „Durch das Wunderhorn wollten Sie eine Sammlung von vergeßnen alten Liedern stiften, damit sich jeder daran erfreuen, sie singen oder lesen könnte, es mochten nun verlorene oder noch gesungene Volkslieder sein, oder andere Gedichte, die in den alten

[1]) Dies scheint einer der Grimmschen Briefe zu sein, die Bettina (an Arnim S. 264) im März 1809 hatte, ohne zu wissen, wohin sie zu adressiren seien; die Meinung, sie seien von Wilhelm aus Halle, ist irrig.

Büchern stehen. Dabei war es schlimm, daß Ihr beide, weder Sie noch der Arnim, über die Art einig oder zufrieden waret, wie damit umgegangen werden sollte. Historische Achtung vor diesen Liedern hattet Ihr nun wohl keiner recht, die viele Menschen haben und viele nicht haben. Die ersten meinen, es geschehe den alten Sängern und den Jahrhunderten, worin sie gedauert, ein Leid damit, daß man die Weise nach langer Zeit verwerfe und willkürlich meistere, wodurch ihr Recht darauf verkürzt oder vertilgt wird; dies Gefühl scheint mir noch unabhängig von der Neigung, die Geschichte der Poesie zu studiren. Die andern meinen, die Poesie sei frei, jedweder könne die also so erneuern, daß sie nicht blos von seiner Zeit verstanden werde, sondern auch in deren Geschmack und Fähigkeit passe, die gebliebnen Fragmente aber dürfe er wieder vervollständigen, damit sie nicht ganz vergingen, die Geschichte der Poesie, für die besonders das letztere nicht taugt, möge sich dann für ihren Zweck besonders bekümmern. Diese Freiheit der Poesie leugne ich gewiß nicht, aber nur dann kann davon die Rede sein, wenn sich eine neue Poesie über den alten Stoff verbreitet, nicht bei kaltsinnigen, geschickten oder ungeschickten, oder theilweisen und darum wieder kalten Uebersetzungen oder Restaurationen. Wie an Herders Cid das beste ist, was sich gar nicht in den spanischen Romanzen findet, die wieder vieles haben, wovon bei ihm keine Spur geblieben ist. Nun geht Arnim, wie ich glaube, zwar immer von dem rechten Grundsatz aus und hat manche Lieder sehr stark mit seiner Poesie versetzt, ja ganz eigene einrücken lassen, so wie Sie auch einigemal gethan haben, wogegen ich an sich gar nichts weiß, weil diese Lieder sehr schön sind. Das böse war, daß

Arnim es mit der Arbeit oft zu leicht genommen, d. h. zu geschwind abgeändet hat, oder unnöthig, oder manche gar nicht, die es ebenso gut oder eher bedurft hätten wie andere. Sie aber, aus einem Gefühl gegen das Moderne, suchten die Lieder noch auf einem andern Weg künstlich zu ergänzen und zu vermehren, indem Sie zu der Aenderung oder dem neuen Lied die alte Manier nachahmten, damit das ganze alt aussehe, oder vielmehr das Neue nicht störe. Ich bekenne Ihnen aber, daß ich Ihre Lieder von der Badwanne (2, 277), dem Albertus Magnus (2, 237) denen nachsetze, wo Sie sich haben gehen lassen, wie in dem von den ..., auch haben Sie es sich in jenem mit den Reimen zu leicht gemacht. Diese Inconsequenz der beiden Autoren und einiges andere mehr äußere z. B. über Beibehaltung alter Wörter und Dialecte — deren in den letzten Bänden viel gelassen worden sind, offenbar falsch und gegen die allgemeine Tendenz des Buchs, aus der man alle einzelne lassen gemußt hätte — sehe ich nicht ein, wie man sie entschuldigen kann. Der zweite Tadel ist unstreitig, daß Sie Ihr Verfahren und Ansicht nie bekannt gemacht haben. Die Erklärung der Jen. Litteratur-Zeitung (Intelligenzblatt 1805, Sp. 891) ist allerdings verborgen und unbestimmt. Und dagegen sieht vieles im Anhang zum ersten Theil und Ihre übrige öffentliche Ankündigung, wo von dem Werth der alten Lieder so treulich gesprochen wird, ab, ja es sind manche neue und gemachte Lieder absichtlich durch Bemerkungen im Anfang für alte ausgegeben oder unter der Rubrik „Mündlich" versteckt. Voß, der keine Ehre hat, mitzusprechen, und der sicher von der alten deutschen Poesie nichts weiß, hat sich nun über diese Fehler, weil sie einige andere schon angemerkt, aufgeworfen aus Privathaß,

Schlechtigkeit und Rache, aber alles das viele, womit man seine Bewegungsgründe niederschlagen mag, hilft der andern Untersuchung wenig. Wie aber dies eine Untersuchung der Entstehung des deutschen Volkslieds zu thun vermag, sehe ich nicht recht. Der Grundsatz, worauf eine Geschichte der Volkspoesie beruht, ist, natürlich äußerst einfach, desto schwerer über die lebendige Beweglichkeit des Lieds, wodurch es in der Folge andere Form angenommen hat, seinen Ursprung zu erkennen und etwas darüber zu bestimmen. Sie sagen nun: eben diese Unbestimmtheit der Volkspoesie, dieses beständige Mischen und Uebergehen, wonach wir von einem Lied zehn und mehr verschiedene Recensionen aufweisen können, muß unser ergänzendes und ferner unser zusetzendes Verfahren rechtfertigen. Allein es ist ein großer Unterschied zwischen dieser Veränderung, die sich selber fügt, ja unvermeidlich, und der andern, die später mit Fleiß und meistentheils ohne Noth geschieht. Die eine will durchaus nicht bessern oder ändern, will überhaupt nichts, sondern macht sich aus Unschuld aus der Vergessenheit des menschlichen Gedächtnisses Reichthum oder Armuth, so daß im Lied ausgelassen wird oder aus andern hineinkommt. Die zweite geschieht von der Hand eines überlegenden Dichters, der sich berechtigt glaubt, den unverständlichen Sinn nach seiner Absicht zu ändern und aus eigenem Vermögen fortzusetzen, wenn er schon nicht mangelhaft ist, nachdem ihn seine Sinnesart oder irgend ein guter oder witziger Gedanke dazu getrieben hat. Also halte ich dafür, das neue Dichten, wenn es auch an sich vortrefflich und natürlich ist, darf nicht aus der Unbestimmtheit der alten Volkslieder gerechtfertigt werden, folglich nicht aus einer critischen Geschichte der Poesie, es wäre unrecht, wenn es dieser besondern Rechtfertigung nöthig hätte. Wenn Sie also einen Index des Wahren und Falschen im Wunderhorn nebst einer Geschichte der Volkslieder herausgeben, so fürchte ich, daß dies dem Zimmer mehr schaden als nutzen wird, weil sich dadurch sein Fehlerhaftes noch mehr hervorheben muß, dagegen aber sein Hauptstreben, die allgemeine Gültigmachung aller Lieder und alle Vertheidigung von dieser Seite aufgegeben worden ist. So interessant sie durch sich selbst wäre und in Zusammenhang mit einer Ausgabe der Volkslieder eigentlich steht, so nachtheilig könnte sie ihr jetzt werden.

Vielmehr, nachdem Voßens Niedertracht mit der erschlichenen Recension (Goethes) aufgedeckt, seine Unwissenheit über die geistlichen Lieder und sein elendes Absprechen über den Werth mancher Lieder widerlegt worden sind, weichen Sie ihm nicht in dem andern, und erklären Sie die Richtigkeit und Nothwendigkeit der angebrachten Zusätze und untergeschobenen Stellen kurz und gut aus der Macht der Poesie. Die Inconsequenzen, die, wie es mir vorkommt, von Ihnen bei diesem poetischen Verfahren begangen sind, wird Voß nicht die Geschicklichkeit haben aufzuweisen, ich möchte es selbst nicht thun und würde oft fehlen. Was den Vorwurf mit der Verheimlichung angeht, hat Arnim soso darauf geantwortet und beruht vielleicht. Auf diese Art wird für den Zimmer am ersten gesorgt, was doch die Hauptsache ist.

Insofern habe ich auch gegen Arnims zweite Erklärung im Intelligenzblatt der Jen. Allgemeinen Litteratur-Zeitung (vom 15. Februar, Nr. 13) nichts und finde sie sehr gut. Auch die Aufforderung am Schluß kann gegen den Feind ein Schreckschuß sein, denn sonst fände ich es freilich sonderbar, warum es einen Unterschied machen soll, ob das ganze Lied unterschoben ist oder nur ein Stück — und solche Rettung oder Erhaltung der Fragmente, wenn es darauf dabei angesehen sein soll, wäre freilich verzweifelt zu nennen — ferner: ob dem Maßstab der höhern Kritik d. i. doch der Poesie etwas daran liegt, daß das schöne Lied auf ein Fragment, eine Sage gegründet ist, oder nicht. Das Fragment mag immerhin dem Dichter die Anregung zu seiner Poesie gegeben haben, aber weiter bedeutet es hier nichts."

Die literarischen Pläne in Ruhe weiter zu fördern, gebrach es Brentano bei der Steigerung seiner ehelichen Mißhelligkeiten an Muße und Lust. Die Familie Savigny in Landshut wie Bettina in München konnten das, was vorfiel, nicht länger mitansehen. Eine Trennung mußte herbeigeführt werden. Während Clemens in das Gebirge entwich und den Augen der Freunde für einige Zeit gänzlich entschwand, kehrte Auguste im März 1809 nach Frankfurt zurück, von wo aus sie wieder das Pfarrhaus in Allendorf aufsuchte. Friederike Mannel schrieb Wilhelm Grimm (11. Juni 1809): „Auguste wurde freudig und herzlich von uns aufgenommen, wir lieben sie alle, besonders ich. Sie glaubte in ihrer Heimath zu sein, nichts glich ihrer Freude, ihrer Rührung. Und Sie sollten sie jetzt sehen! So freundlich, so theilnehmend, so hingebend in unsre Verhältnisse könnte kein Weib sein. Sie ist wohl nicht glücklich, aber keine Klage, keine finstre Laune trübt uns das Leben. Ihr Dank für jede kleine Freundlichkeit ist so lebhaft, so zart, sie ist so zufrieden, so ganz zu uns gehörend, daß wir sie einen guten Geist unsrer Familie nennen müssen, und noch mehr gute Herzen wie unsre bitten hier den Himmel um Glück für sie.

Glauben Sie nicht, daß ich über sie und Brentano hiermit urtheilen will; sie und er haben ihre Ansicht, und nach der ihrigen hat sie schwer gelitten. Clemens Brentano hat die seinige, und er wird nicht minder Recht vor sich haben. Dabei kann ich beide lieben, oder vielmehr all seine Vollkommenheiten und Liebenswürdigkeiten anerkennen, wie ichs immer that, ohne mich in sein Gemüth zu vertiefen oder zu versteigen, das eine Seele wie meine schwindelnd macht."

Wie verworren für Clemens die üblen Verhältnisse waren, in denen er in Baiern steckte, zeigt sich auch darin, daß von den Briefen Grimms an ihn kein einziger aus dieser Zeit im Original erhalten blieb. Jacob erhielt erst unter dem 28. Februar 1809 von Savigny Kunde, wie es um Clemens stände, zugleich auch folgende Mittheilung über Ludwig: „Ihr Bruder ist bei Heß trefflich versorgt. Heß ist einer der liebenswürdigsten, sinnigsten Menschen, jedes Talent und jede Eigenthümlichkeit ehrend und von sehr unbefangnem Urtheil. Er scheint Ihren Bruder gar lieb zu haben, bezeigt ihm viel Vertrauen und behandelt ihn fast wie sein Kind. Von den 176 fl., die von Ihnen an mich bezahlt worden sind, hat er erst 60 fl. abgefodert; wenn jenes Geld zu Ende ist, hat er noch eine Reservecasse bei mir und Clemens, und es kann also noch eine gute Zeit dauern, ehe wieder von Ihnen ein Zuschuß nöthig sein wird. Ich denke, er wird das erste Jahr ohne diesen Zuschuß auskommen."

Jetzt, wo die Freunde um Clemens Bescheid wußten, kam es darauf an, ihn aus Bayern fortzuziehen und ihn anderswo, vielleicht bei Arnim in Berlin, seinen Arbeiten zurückzugeben.

Aber bald rauschte das Kriegsgewitter über Landshut hin, Clemens war mit den Seinigen Augenzeuge der Schlacht, die am 16. April 1809 unten in der Ebene geschlagen wurde.

Clemens und Bettina haben Arnim die Vorgänge brieflich geschildert.

Drittes Capitel.

Wilhelm Grimm und Clemens Brentano in Halle.

Zu dieser Zeit, wo in Bayern die ersten Schläge des Krieges von 1809 vorfielen, hielt sich Wilhelm Grimm in Halle auf, wohin er die aus Cassel zurückkehrende Familie Reichardt begleitet hatte. Er suchte daselbst in dem von Reil gegründeten Bade Heilung von einem Herzübel, das ihn quälte. Im Reichardtschen Kreise war man um Brentano theilnahmsvoll besorgt. „Sobald Du", schrieb Wilhelm Anfangs April 1809 an Jacob, „etwas von Clemens hörst, schreibst Du es gewiß. Hier in dem Hause genießt er eine reine Verehrung, Louise (Reichardt) hat an ihn geschrieben und ihn in ihrem und aller Namen hierher einladen sollen." Aber Clemens schwieg befremdlich. Auch der Heidelberger Professor Creuzer wußte von ihm nichts, er hatte ihm Recensionen abgefordert, aber keine erhalten; wie Jacob erfuhr. Dieser fand es recht garstig, daß Brentano nicht schrieb und seine Ausgabe des Goldfadens nicht schickte (17. Mai 1809), und daran knüpfte er seine grundsätzliche Verschiedenheit: „Der Geist von Sammeln und Herausgeben alter Sachen ist es doch, was mir bei Brentano und Arnim am wenigsten gefällt, bei letzterm noch weniger, Clemens' anregende Bibliothek hat wohl alles das hervorgebracht. Die Auswahl ist gewiß vortrefflich, die Verknüpfung geistreich, die Er=

scheinung für das Publikum angenehm und willkommen, aber warum mögen sie fast nichts thun als compiliren und die alten Sachen zurecht machen. Sie wollen nichts von einer historischen genauen Untersuchung wissen, sie lassen das Alte nicht als Altes stehen, sondern wollen es durchaus in unsere Zeit verpflanzen, wohin es an sich nicht mehr gehört, nur von einer bald ermüdeten Zahl von Liebhabern wird es aufgenommen. So wenig sich fremde edele Thiere aus einem natürlichen Boden in einen andern verbreiten lassen, ohne zu leiden und zu sterben, so wenig kann die Herrlichkeit alter Poesie wieder allgemein aufleben, d. h. poetisch; allein historisch kann sie unberührt genossen werden. Ich weiß, daß Du zum Theil anders denkst und dafür hältst, jeder Dichter müsse nur in seiner Zeit und für sie sein; das ist gut, paßt aber nicht hierher, wie es mir scheint."

Niemand wußte, wohin sich an Brentano wenden. Louise Reichardt gab Wilhelm (1. Juli 1809) eine Einlage für Clemens mit, die Jacob von Cassel aus zunächst an Franz Brentano in Frankfurt weiter befördern sollte. Jacob Grimm besorgte den Auftrag und schloß folgenden Zettel bei: „An Herrn Clemens Brentano. Lieber Clemens, ich habe die Einlage von der Luise an Sie erhalten, der Wilhelm ist noch in Halle und braucht auch dort für seine Gesundheit. Ich lege das nur bei, um Ihnen zu sagen, daß wir Sie immerfort lieb behalten, auch wenn Sie uns nicht schreiben, woran Sie nicht recht thun. Adieu, und an Savignys und Bettine viel Grüße. Ihr Jacob Grimm. Am 5. Juli 1809." Aber immer noch keine Antwort von Clemens. Jacob, der den Argwohn hegte, es möge Verdruß über seine redliche Ablehnung des Antrages im Spiele sein, schrieb an Wilhelm, 28. Juli 1809, die gereizten Worte: „Von Brentano ist es schlecht, daß er vielleicht über eine andere Meinung und Ansicht, die jeder anders haben kann, bös wird und abbricht. Oder hat er uns als bloße Bekanntschaft betrachtet? oder hat er nichts Heiliges in der Welt? Dann muß ich es bedauern wie eine verlorene gute Bekanntschaft, nicht wie verlorene Freundschaft."

Mit diesen Worten war Clemens doch von Jacob zuviel geschehen. Gerade in jenen Tagen kam, wie Wilhelm am 2. August 1809 Jacob melden konnte, ein Brief Brentanos bei Louise Reichardt an, dem zufolge er und Bettine nach Halle reisen würden; Wilhelm solle doch nicht eher von Halle abgehen, bis er komme, er werde noch schreiben; er habe auch Jacob vor einiger Zeit einen sehr langen Brief geschrieben, worin seine ganze Lebensgeschichte, seit er von Cassel weg sei, stehe. Eine ähnliche Meldung erhielt Jacob von Ludwig aus München. Das große Schreiben Brentanos war also in den Kriegsläuften nicht durchgedrungen und verloren gegangen. Jetzt that es Jacob doch leid und er freute sich, ihn, da er vielleicht nach Cassel kommen werde, einmal wiederzusehen. Clemens könne bei ihnen, in Cassel, in der gelben Stube, die leer sei, recht gut wohnen. Wenn Wilhelm zusammen mit ihm zurückkäme, würden sie vielleicht in Gotha bei Clemens' gutem alten Bekannten, dem Regierungsrathe Geisler, bleiben, wodurch längere Zeit auf der Bibliothek zu arbeiten möglich sei. Auch allerlei literarische Auskunft, z. B. über das Manuscript des Reinfried von Braunschweig, hoffte Jacob von Brentano zu erhalten. Kurz, die alte Freundschaft drang in Cassel wieder neu hervor.

Nun aber empfing Wilhelm in Halle einen Brief von

Brentano (Poststempel: München, 2. Juli 1809): „Lieber Wilhelm! Sie werden aus meinem letzten Briefe an Luisen vernommen haben, daß ich gesonnen sei, auf ein paar Wochen nach Halle zu kommen, und werden sich hoffentlich drauf freuen. In mir ist ein trauriger, unstäter Geist, der mich treibt, und mir dennoch nirgends Ruhe verspricht. Stellen Sie sich vor, daß ich aus alter Erfahrung schon jetzt vorausfühle, wie ich wieder von Halle abreisen werde, und es wird mir nicht besser sein. Doch muß ich hin, die Idee, daß irgendwo jemand ist, der mich aufrichtig liebt, zwingt mich nach dem Orte. Luise, welche meine Antwort auf ihren früheren Brief nicht erhalten, wie auch Sie und Jacob, hat mir abermals so liebreich und gütig geschrieben, und ich bin so blutarm an Menschen, denen ich Etwas bin in meiner jetzigen Lage, daß ich meiner verkümmerten Seele diesen Thau vergönnen muß. Recht herzlich muß ich Sie versichern, daß die Liebe und Freundschaft, die ich bei Ihnen und Jacob genossen, mir unter die wenigen glücklichen Minuten gehören, deren ich mich erinnere. Außer Görres ist mir die Nähe von Niemand so wohlthätig geworden, und wenn Ihnen dieses Freude macht, so muß ich Sie versicheren, daß mir meine verlornen Briefe an Euch um so leider thun; denn sie sprachen lebhaft davon. Stellen Sie sich vor, die Bücherkisten, die Sie mir von Kassel geschickt (oben S. 23. 30), habe ich bis diese Stunde nicht geöffnet; Sie können daraus denken, wie mir bis jetzt noch nicht wohnlich geworden. Indeß hat sich mein Vorrath um manches vermehrt, aber es macht mir nichts mehr Freude, weil ich nicht weiß, wohin damit. Ebenso habe ich wieder allerlei alte Gemälde bekommen, aber Alles wird mir bei meiner traurigen Heimathlosigkeit zu einem

Ballast, den ich täglich verfluche. So halten mich allerlei kleine Besitze, die ich doch gar nicht genießen kann, weil keine verwandte Seele mit mir ist, in steter trauriger Unthätigkeit an einem Ort fest, der mir keine lebendige Freude gewährt; ich wollte, ich hätte alles bei Euch in Kassel gelassen, da wäre es doch gut aufgehoben und benutzt worden.

Eher ich nun nach Halle abreise, möchte ich von Ihnen einen umständlichen Brief erhalten, der mir Ihre dortige Lage und Ihren Umgang schildert, ob er Ihnen irgend einen wirklichen Genuß gewährt. Haben Sie einige interessante Bekannte? und vor allem, was arbeiten Sie? könnte ich Ihnen einige Bücher mitbringen, die Sie benutzen könnten? Ich habe einige altdeutsche Possenbücher, den Wegkürzer (von Martinus Montanus), Nachtbüchlein (von Valentin Schumann) und anderes. Ich wünschte sehr, daß Sie zur Herausgabe der Auswahl einen Buchhändler fänden. Eine rechte Freundschaft könnten Sie mir thun, wenn Sie mir gegen dergleichen Mittheilungen einige Kindermärchen überließen, dergleichen ich gern möchte abdrucken lassen. Der Buchhändler Hitzig, der das Hagensche Buch der Liebe gedruckt, ist ein alter Jugendfreund von mir, ich könnte ihn vielleicht mit Ihnen in Verbindung bringen, da Sie billig sind. Das Hagensche Buch der Liebe ist mir wie alle deren Unternehmung so zuwider, daß ich schon durch Druck und Format mich nicht entschließen könnte, sie zu lesen; doch meinen es die Leute gut. Welch ungemeiner gemeiner Esel hat das Wunderhorn in Halle (unten S. 60) recensirt?

Louis arbeitet hier fleißig und ruhig fort, er ist so einfach und still und unschuldig fleißig wie immer, aber im Innern auch eben so unerwacht. Er zeichnet nach der Natur in der Akademie und trifft allerlei alte und junge Köpfe recht brav; Heß ist durchaus mit ihm zufrieden. Er liebt Euch sehr und ist ohne Euch ganz einsam, Ihr werdet ihn so unverändert wiedersehen, wie Ihr ihn entlassen, er wird seinen Ursprung nie verleugnen. Oft zeichnet er noch allerlei Scenen von Haus, und die Mutter verläßt ihn nie. Die Frechheit und Lüge der neuen Zeit, welche ein ungeschicktes, knolligtes Volk zu seinen Aposteln macht, erscheint jetzt so schrecklich und widrig in meinen Umgebungen, daß Unwill allein das Herz jedes bessern Menschen erfüllt, und jeder poetische Gedanke erwürgt sich lieber selbst in mir, als daß er sich herauswagen möchte, ich kann nicht arbeiten. Vieles traurige, empörende habe ich gehört und gesehen, was man nur im vertraulichen Gespräch mittheilen kann. Neulich hat mich Calderons standhafter Prinz in Schlegels Uebersetzung wieder etwas erquickt, das ist ein herrliches Werk. Ach wird je das Heldenmäßige unsrer Zeit einen solchen tragischen Dichter finden! Es gehen Dinge vor den Augen der Menschen vor, die an alte Herrlichkeit erinnern, aber die Zuschauer sind so schändlich verblendet, daß sie nur Spitzbuben sehen, wo einzig noch Heil wohnt. Schreiben Sie mir doch gleich, auf alle meine Fragen; schreiben Sie mir nichts von Ihrer Liebe, an die glaube ich, aber Realia und von Ihrer Gesundheit, und wie lange Sie noch zu bleiben gedenken, damit ich meine Ankunft darnach beschleunige. Ich will von Halle nach Berlin zu Arnim, vielleicht gehen Sie mit, und wir nehmen, wenn es dann Ruhe wird, den Arnim mit und gehen zusammen hierher, damit Sie die Bibliothek benutzen können. Gott gebe Ihnen Heil und mir ja die Hoffnung, mit allen den meinigen Geliebten an einem Winkel der Erde den Frieden und die Liebe zu genießen, nach der ich verlange. Ihr Clemens. (Nachschrift:) Schreiben Sie mir auch, wie es Louisen und den andern geht, und wo Sie wohnen, wo Sie leben, und ob ich vielleicht mit Ihnen in einem Hause leben kann, d. h. mit Ihnen, Wilhelm."

Unverzüglich antwortete Wilhelm, Halle 2. August 1809: „Sie wissen, lieber Clemens, daß ich schon seit April hier bin. Reichardts, die in Cassel ganz verlassen waren, und denen niemand als ich geblieben, der gern viel thun wollte und wenig konnte, baten mich sie zu begleiten, und weil ich hoffte, mir Erleichterung für meine ängstliche Krankheit durch Reils Hilfe zu verschaffen, so nahm ich es gern an und bin nun vier Monate in der Cur. Ich weiß nicht, ob Sie Reil kennen, er spricht ganz langsam und bedächtlich, seine Reden schießen wie Cristall an, sind ebenso scharf und glänzend, aber auch ebenso hart, und so ist er selbst, vor dem Ganzen oft verwirrt, aber vor dem Einzeln, vor der Krankheit so scharf durchdringend und hell sehend, daß gewiß keiner einen richtigern Blick hat, wo es fehlt und wie zu helfen. Anfangs gebrauchte ich allerlei höchst starke Essenzen, womit ich das Herz reiben mußte, und wovon ich fast lebendig balsamirt wurde, und auf diese Art vor dem Sterben gesichert, und sonst allerlei Dinge, auch einmal einen Magnet, den ich über dem Herzen trug und der wunderliche Wirkung hatte, daß ich ihn nicht vertragen konnte. Jetzt gebrauche ich das hiesige neu eingerichtete Eisen- und Soolbad und werde elektrisirt. Auf alles aber ist es mir gottlob besser geworden, ich fühle zwar, wie weit es geht mit dem Bessern, und daß ich nie durchaus curirt werden kann, aber dieses Erleichtern ist mir schon viel. Sie glauben nicht, wie ich mich gefreut habe, wie ich wieder ruhig und friedlich, nicht in steter Angst aufsitzend unbeweglich im Bett, und bis in die Nacht wachend, einschlief und mich freier umherlegen konnte, und nicht die ängstlichen Träume kamen, die ich schon fast jede Nacht hatte, in welchen ich oft mein geborstenes, vom Blut überquollenes Herz vor mir liegen sah; es fiel mir meine Kindheit ein, wo ich, müd gelaufen, mich fröhlich hinwarf und gleich einschlief. Ich war seit zwei Jahren so an mein Unglück gewöhnt, daß ich mich hier ordentlich aufs Schlafengehn freue. Mein Herzklopfen habe ich nun seit zehn Monaten nicht gehabt.

Es geht mir hier auch so gut, daß mir viele Freundschaft und Liebe erzeigt wird. Sie thun mir alles zur Erleichterung und Freude, was sie können, und nehmen herzlich Antheil, wie es mir geht. Wiewohl diese Familie innerlich getrennt ist und jedes Glied für sich steht, daß wohl große Opfer gebracht werden, größere als die größte Pflicht fordert, und dennoch kleinere als die größte Liebe bringt, und obgleich die einfache Herzlichkeit fehlt, die stille Freude des Zusammenseins und ungesuchten Sprechens, in welcher ich zum Jacob lebe, und ohne welche ich nicht sein möchte, so vereinigen sie sich doch auch wieder in vielem Guten. Louise habe ich am liebsten und recht lieb, sie hat ein tief Gemüth, Herzlichkeit, Geist, und sie ist es allein, die mir eigentlich dankbar ist für den guten Willen, den ich für sie gezeigt. Was man nicht glauben sollte, aber ich meine, daß sie eigentlich von Natur Neigung zur Fröhlichkeit hat, die wohl Unglück, mehr aber ihr fester Vorsatz unterdrückt, so sind alle ihre fröhlige Compositionen bei weitem die besten. Sie ist in all ihren Reden, Bewegungen höchst bewußt, und sie hat es sich so ausgebildet, was in einem andern von weniger Gemüth und Geist affectirt sein würde. Sie ist eigentlich die, welche, wie der rothe Faden den Rosengarten, das Ganze leis zusammenhält, und wenn sie, wie sie vorhat, (nach Hamburg) weggeht und nicht einige mitnimmt, so fällt es von einander. Friederike darf man eigentlich nicht loben und auch nicht tadeln, weil man mit beidem Recht und Unrecht hat. In ihrer Jugend hat sie durchaus ungesucht ein Tagebuch gehalten, und sich einmal in die Saale stürzen wollen mit einer Freundin. Dabei ist sie doch ohne alle Poesie, hart, unbeweglich und ohne Zutrauen; sie hat nichts in sich als eine Nachahmung von Louise, aber auch diese so schroff und weit getrieben als etwas, daß sie wirklich dadurch etwas ist. Sophie ist ein brav, gut, deutsch Gemüth, die jetzt Solo singt. Vor einiger Zeit war Rieckchens Bräutigam hier, der (Karl von) Raumer, ein fleißiger, gescheidter Mensch, den ich gern noch näher gekannt hätte, und der mir seit der acht Tage, wo er hier war, recht lieb war. Ich soll ihm so ähnlich sehn äußerlich, daß wir allgemein verwechselt worden sind.

Reichardts wohnten anfänglich bei Steffens hier, weil ihnen aber zuviel darauf ging, und weil sie nicht gern mit Steffens zusammen sind, zogen sie nach Giebichenstein, zwar nicht in ihr eigenes, sondern in ein nicht weit davon stehendes Haus, wo sie nun in einem kleinen Stübchen für 18 Groschen gelb angestrichen saßen und stickten, einiges zu verdienen. Ich bin versichert, daß es ihnen weniger rührend vorgekommen ist als mir, als ich es zum erstenmal sah, weil doch alle die neben in dem schönen Garten genossenen Freuden als Schmerzen ihnen zurückkehren mußten, aber sie waren durch die Entsagung vergnügt. So war es alles gut, bis er (Reichardt) vor vierzehn

Tagen unerwartet ankam zu seinen Lieben, bei denen er aber Langweile hat. Es brennt ein innerlicher Hochmuth in dem Menschen, alle andern sieht er für Schund an und er sehnt sich nicht nach geistreicher, sondern vornehmer Gesellschaft. Er redet hier vornehm wenig und spricht nur vornehm äußerst freundlich und herablassend. Vor mir hat er Ruh, und ich warte, bis er zu mir kommt. Ich wohne hier in der Stadt, weil es des Badens wegen nicht thunlich war, daß ich, wie ich wünschte, auch nach Giebichenstein zog. Anfänglich hatte ich in demselben Haus eine Stube, seit aber Reichardts draußen, wohne ich in einer ihrer Stuben bei Steffens.

Steffens ist mir ziemlich fremd, wiewohl ich recht artig mit ihm stehe, und er eben mit mir die dänischen Lieder durchsieht, welches mir dienlich ist. Er dauert mich oft, es ist als wenn eine Schuld in ihm läge, die alle Ruhe und alles Gleichgewicht aufgehoben. Er ist entweder übermäßig gut, und meint es dann auch, küßt seine Freunde wie z. B. die Realschulbuchhandlung Reimer, die hier war, und drückt ihnen die Fäuste blau, daß es nicht zu sagen; dann tobt er wieder unmäßig und jedes Glas Wein entbindet immer mehr einen bösen Geist in ihm, der nothwendig toben muß. Er hat eine ganz unmäßige Eitelkeit, womit er jeden Gegenstand aufspießt, daß man nicht mehr darüber reden mag. Er hat eigentlich keine Freunde, die frei zu ihm stehn, sondern blos Anhänger, welches die drei Domprediger sind; der eine ist ein stiller, sanfter, hypochondrischer Mensch, der andere fatal und der dritte nichts. Alle Studenten, die er zu sich läßt, sind höchst unleidlich. Steffens weint so leicht, daß mans alle Tage etliche mal haben kann. Seine Frau (geb. Hanne Reichardt) ist schön, freudig und angenehm, die sich gegen ihn sehr gut benimmt und leicht ein Interesse an etwas faßt, das aber bald abbrennt. So leb ich hier unter diesen Leuten und ich empfinde es doch sehr, daß nicht noch ein Stuhl in meiner Stube steht, wo der Jacob sitzt, mit dem ich ein gutes Wort reden kann, mit dem mein Leben zusammengewachsen ist, daß ich mich nicht von ihm trennen könnte. Ich habe meist das eine Kind von Steffens bei mir, ein sehr schönes, freundliches und liebliches, das eben sprechen kann — ein andres ist sehr unangenehm und gleicht ihm — und so schöne Augen hat. Ich habe mancherlei gelesen, viel nordische Sachen excerpirt, und bin eben mit der Heimskringla des Snorro Sturleson fertig, welche ein ungemein herrliches, reiches Werk ist, durchaus nur dem Herodot an die Seite zu setzen. Ich habe die einzelnen Sagen daraus nicht blos excerpirt, sondern auch übersetzt, und ich hoffe, es soll Ihnen Freude machen, darin zu blättern und diesen großen poetischen Geist zu sehen. Die Betrachtung dieser Vergangenheit gibt einem eine freudige Trauer und einen Trost, womit man in die Zeit sehen kann, ja er ist selbst ausgedrückt in einer Sage, wornach in der Zeit der Noth die alten Helden Dieterich von Bern, Siegfried &c. in einem alten Schlosse am Rhein sich wieder sammeln würden.

Manches ist hier an uns vorbeigegangen, Schills Kreuzzug, und vor einer Woche kam das schwarze Corps des Herzogs von Braunschweig hier an und zog den folgenden Tag wieder ruhig weiter. Es sah wunderlich aus, sie hatten alle Todtenköpfe auf den Mützen, und wir glaubten sie schon abgeschnitten und dem Tode geweiht. Wenn ich Abends von Giebichenstein nach Haus komme und in dem weiten Feld mich allein sehe und fühle, da kommt es mir oft so sonderbar vor, daß ich so große Anstalten mit mir und aus mir etwas mache, da so viele unbeklagt und gleichgültig fallen, die mehr werth sind.

Lieber Clemens, ich habe nicht an Ihrer Liebe gezweifelt, es hat mir nur Leid gethan, daß Sie uns so gar zu vergessen schienen, und wir waren auch besorgt, wie es Ihnen möchte ergangen sein. Darum hat mich so sehr dieser Brief und die frühere Mittheilung von Louise gefreut. Ich weiß nichts, das mir lieber wär, als daß Sie hierher kommen wollen, aber kommen Sie recht bald; meine Cur ist wohl bald zu Ende und kostet mich viel, und eben weil die Brüder mir nichts sagen wollen, muß ich es mir sagen. Und der Jacob kann auch wohl so ungerecht sein und glauben, weil ich so lange wegbleibe, wovon er die Ursach nicht einsieht, ich sei lieber bei Fremden als bei ihm, wenigstens deutet er im letzten Brief auf so etwas, das mich sehr gekränkt hat[1]). Sie können in diesem Haus, wenn Sie wollen, meine vorige Stube bekommen, die 4½ Thaler monatlich kostet, und könnten den Tag über sich meiner auch bedienen, die allein und ungestört liegt, die aber zu klein, als daß noch jemand darin sein könnte. Wenn Sie lieber wollten, könnten Sie eine Stube in Giebichenstein bei Reichardts bekommen, die Raumer gehabt; ich glaube aber, daß das andere besser ist, wie es mir viel lieber. Ich freue mich auf alles, was Sie mitbringen wollen,

---

[1]) Dies bezieht sich auf die in Jacobs und Wilhelms Briefwechsel aus der Jugendzeit S. 133 ff. abgedruckten Briefe vom Ende Juli 1809 und die darauf folgende Auseinandersetzung zwischen den beiden Brüdern, wobei Wilhelm sich aus Irrthum und Zartgefühl im Unrecht befand.

und die Possenbücher werden mir sehr angenehm sein; ich habe einiges hier bekommen, unter andern einen guten Studentenroman. Alles, was wir haben, ist Ihnen so gut eigen, als uns selbst, und Sie können in Cassel unsere Kindermärchen besehn, was Ihnen gefällt.

Es ist hier durch die neue Badeanstalt sehr lebhaft geworden, indem an sechzig Familien schon angekommen sind. Reil thut alles, sie zu vergnügen, fast täglich sind Gesellschaften, ein neuer Salon zum Tanzen ist gebaut worden 2c., ich werde als Badegast beständig und gratis dazu eingeladen, ich gehe aber wenig hin, weil ich einsam dort bin. Wenn Sie hierherkommen und ein Bad nehmen, so werden Sie ebenfalls invitirt, und dann macht es Ihnen wohl Vergnügen, die mancherlei Menschen anzusehn. Reil selbst gibt auf seinem Berg zuweilen Gesellschaften, wo man eine ganz herrliche Aussicht hat. Ein Theater ist vor einer Woche wieder abgegangen, es war ganz erbärmlich und spielte die schlechten sentimentalischen Stücke. Alle Mondtag Abend ist hier der Professoren-Clubb, wo man auch leicht hinkommen und für 8 Groschen essen kann, es ist vieles lächerliches Vieh darunter, woran ich mich amüsirt habe. Ein gewisser Voß, der die Zeiten schreibt, und der es einem nicht wehren kann, wenn man sagt, sie wären jetzt schlecht, ein horndummer, aufgeblasener, aufgeschwollener Kerl, der neulich weitläuftig auseinander setzte: es sei doch immer das beste, mit weit überlegener Anzahl zu agiren; der buckeliche Annalist Gilbert; der Niemeyer, der wie ein Hallore aussieht, und Sprengel wie ein Mops; und der Lafontaine, der doch ein guter Laps ist und der neulich behauptete, er verstehe das Indische Sanskrit, er hat einen schönen Garten und erzählt frei, daß er schon sechzigtausend Thaler mit seinen Büchern verdient.

Lieber Clemens, ich freue mich sehr, daß Sie von dem bösen Geist erlöst sind, ich hatte einmal nach Allendorf geschrieben, ob die etwas von Ihnen wüßten, da schrieb mir die Tochter (oben S. 43), daß sie bei ihnen wäre und so mild und sanft, daß sie wie ein guter Engel von ihnen verehrt werde; so gut sind die Leute. Machen Sie nur, daß Sie bald kommen, wenn nur etwas in unserer Macht stände, das Ihnen Freude oder Erleichterung gewährte, es sieht schlecht geschrieben aus, es ist aber recht herzlich gemeint; Louise machen Sie glücklich damit, die nichts höheres kennt als Sie und Arnim, und die mich versichert, daß Ihr Brief sie vierzehn Tage lang gar nichts denken ließe, als daß er so traurig sei. Es wäre mir sehr lieb, wenn Sie mir nur in ein paar Zeilen Ihren bestimmten Entschluß hierherzukommen schreiben wollten. Grüßen Sie Bettine viel tausendmal und bitten Sie sie, sich meiner freundlich und gütig zu erinnern. Auch Savignys, die Sie wohl noch sprechen. Leben Sie wohl und behalten Sie mich lieb. Ihr getreuer Wilhelm."

Nachschriften: „Grüßen Sie den Louis auch aufs herzlichste von mir, ich hab ihm schon durch den Jacob sagen lassen, wie ungemein mich seine letzten zwei Bilder gefreut. Es ist Leben und Gefühl darin, und sie sind schön gearbeitet. Ich habe sie hier in meiner Stube aufgesteckt, und auch sein Bild von der lieben Mutter. Wenn er so fortarbeitet, so wird doch etwas aus ihm, und ich zweifle nicht, daß er es thun wird, da er so gut angefangen. Sagen Sie ihm, wie lieb wir ihn haben, und daß ich täglich an ihn dächte, und er solle fernerhin so brav bleiben.

Hagens Buch der Liebe ist mir auch durch sein vornehmes Wesen unrecht vorgekommen, sonst enthält es nichts als einen breiten Abdruck und eine langweilige historische Literar-Einleitung, durchaus geschmacklos, worin sich alle drei vereinigen. Hagen ist der gelehrteste, aber wird, wenn er weiter kommt, nichts als ein deutscher Böttcher, der arme Büsching ist der einfältigste, und Docen ist nicht recht gescheut, denn er weiß gewiß nicht, was er sagt und will, so verwirrt ist alles. Was er in dem neuen Magazin (Altdeutsches Museum, Heft 1 f.) gegen Jacob vorgebracht, ist so verkehrt, daß es sich nicht verlohnt, ein Wort darauf zu sagen.

Büsching hat eine Lebensbeschreibung des Wolfram von Eschilbach, worin er mit dem unbändigsten, höchst lächerlichsten Aufwand von Belesenheit zeigt, daß man nichts von ihm wisse. Artig ist, wie er in der Einleitung versichert: er werde nichts von ihm sagen, als was er wisse.

Die Recension der hiesigen Zeitung vom Wunderhorn (Hallische Literaturzeitung, Ergänzungsblätter 1809 Nr. 58) könnte wohl von dem Büsching sein, den ich an seinem albernen Styl in mehreren Recensionen erkannt, z. B. in der vorjährigen dummen von Görres (1808 Nr. 151). Ich habe sie nicht gesehen, vielleicht ist sie auch von dem jungen Schütz, diesem höchst fatalen, albernen, aufgeblasenen Menschen.

Göthe schreibt an der Fortsetzung des Wilhelm Meisters, in dem nur vier Personen auftreten, worunter Felix ist."

Das Schreiben Wilhelm Grimms war gerichtet an „Herrn Clemens Brentano in München, im Königreich Baiern, bei Herrn Heß zu erfragen".

Kaum aber war der Brief aufgegeben, so überraschte Clemens schon, am 11. August 1809, die Freunde in Halle mit seiner Ankunft, nachdem er unterwegs Goethe in Jena aufgewartet hatte (am 8. August 1809). „Vorgestern Abend,“ schrieb Wilhelm am 13. August 1809 [1]), Clemens Brief mitschickend, an Jacob (Briefwechsel aus der Jugendzeit S. 146), „ist Brentano hier schon angelangt. Ohne meine Antwort ist er von München abgereist, über Nürnberg, und ist nun hier und will einige Zeit sich aufhalten. Er scheint wieder ein wenig lustiger zu sein und macht viel Spaß, er sieht noch aus wie sonst, nur ein wenig magerer. Von der Frau (Auguste), deren Geschichte er erzählt hat, ist er zwar nicht getrennt, er wird sie aber niemals wiedernehmen, und sie wird nach Frankfurt zu ihren Eltern gehn. Er hat hier in diesem Haus eine Stube gemiethet und will, wenn ich fertig gebadet, mit mir nach Giebichenstein ziehen, wo wir sehr wohlfeil ein Logis und Essen bekommen können, nicht aber bei Reichardts. Wie immer, hat er wieder viele interessante Bücher mitgebracht, unter andern höchst merkwürdige spanische Volksbücher aus dem 16. Jahrhundert voll herrlicher Geschichten. Ich kann sie recht gut lesen, da sie ganz einfach erzählt sind, und ich wollte sie schon abschreiben, als er mich versicherte, er werde sie übersetzen in ein neues Buch, das ein Gegenstück zu dem Wintergarten, Sommerkarneval, werden soll. Ich will die Titel wenigstens herschreiben, wenn Du etwa gleich etwas daraus zu wissen wünschest: La historia de la reyna Sebilla. An Karls des Großen Hof, sehr zart und märchenhaft. El conde Partinuples. Hab ich

[1]) So, nicht 6. August 1809, muß es im Briefwechsel aus der Jugendzeit S. 146 heißen.

nicht irgendwo davon gehört? Historia del abad don Juan. La historia del valeroso y bien afortunado cavallero Cid Ruy Diaz de Bivar. — Ferner eine Abschrift von dem Ungenähten Rock Christi. Vier neue Bücher über Possen, worin Vieles von den Lalenbürgern. Der Malvidische Robinson ꝛc. Ich werde nun sehr fleißig sein, so viel ich nur kann, vorerst muß ich die Scherzbücher benutzen, dann will ich mich doch an das Abschreiben der spanischen machen, da ich dem Uebersetzen nicht recht traue, den Ungenähten Rock soll ich mitnehmen dürfen und vorerst behalten. Von dem Goldfaden hat er uns ein schönes Velinexemplar mitgebracht[1]). Ueberhaupt thust du ihm Unrecht, wenn Du glaubst, daß er uns nicht lieb hätte. Es erfreut ihn jede herzliche Gesinnung und er ist dankbar dafür, so hat er viel Freundliches zu mir gesagt und für Dich. Vom Louis spricht er Gutes, er ist fleißig und still, aber auch noch unerwacht und ohne Gedanken. Heß hat ihn sehr lieb. Er

[1]) Den „Goldfaden", von Jörg Wickram, hatte Clemens Brentano Ende 1807 durch Grimms von Georg Friedrich Benecke aus Göttingen erhalten (Euphorion 1910. 17, 357) und sodann 1808 zur neuen Auflage vorbereitet, die Arnim im Herbste 1808 bei Mohr und Zimmer in Druck gab und Ludwig Grimm mit 25 Kupfern versah. Jacob war ungehalten, daß er von Clemens das Buch nicht empfing (17. Mai 1809). Wilhelm besorgte es sich in Halle aus einer Leihbibliothek und urtheilte, es sei wenig verändert und ein angenehmes Buch, die Kupfer von Louis seien aber zwei Drittel schlecht. Nun also brachte Brentano sein Buch den Freunden mit. Noch 1809 schrieben Arnim sowohl wie Wilhelm Grimm Anzeigen für die Heidelberger Jahrbücher (vgl. meine „Zeugnisse zur Pflege der deutschen Litteratur in den Heidelberger Jahrbüchern", in den Neuen Heidelberger Jahrbüchern 11, 204. 214. 237), von denen nur Wilhelms gedruckt wurde (Kleinere Schriften 1, 261). Dem Schlusse der Recension sind einige Worte aus Wickrams irr reitendem Bilger angefügt.

geht gar nicht aus, lebt sparsam, hängt über all seine Kleider ein Schnupftuch, um sie zu schonen, und hat alles, was ihm geschenkt wird, sehr lieb, z. B. ein Buch von Arnim zum Zeichnen, worin ein Vers von diesem eingeschrieben ist, darüber hat er ein Blatt geklebt, um es zu schonen, und zeichnet viel hinein, ob es gleich schlecht Papier [1]). Er geht nur zuweilen zur Bettine, die sehr gut gegen ihn ist. Bettine lebt in München und componirt mit großer Leidenschaft am Faust. Von Tieck spricht Clemens nicht gut, er hat jedermann auf eine schändliche Art um Geld geprellt [2]), und niemand mag etwas von ihm wissen, so auch Savigny. Seine Poesie erstarrt und verholzt sich, und er hat nur den einen schönen Ton; von Arnim liest er nichts und sagt er, er habe gar kein Talent und borge alles von ihm. Sie leben noch immer, ohne etwas zu haben, auf die feinste Art, mit vielen Bedienten, und die Bettine hat ihnen oft die Wachslichter ausgeputzt und gesagt, sie sollten Unschlitt brennen. Jetzt aber geht sie auch nicht mehr hin. Am fatalsten soll die Bernhardi sein, die sich für die erste Dichterin hält und dem Clemens gesagt, in zwei Zeilen des Zerbino sei mehr Witz als in dem ganzen Arnim, worauf Brentano sie gebeten, ihm die zwei Zeilen zu zeigen, er wolle sie gern sich herausschneiden, weil ihm das Buch zu dick sei. Wie's mit Clemens' Abreise beschaffen und wohin, weiß ich noch nicht. Von meiner Recension des Nibelungenlieds, hat Savigny gesagt, daß sie gut, nur zu scharf getrennt und nicht recht verbunden, was auch wahr ist, und ich weiß recht gut, wie es ent-

[1]) Vgl. auch „Arnim und Bettina“ S. 303 und „Literarisches Echo“ 1912, S. 751.

[2]) Vgl. „Arnim und Bettina“ S. 235. 251 u. f.

standen, nämlich daß ich recht klar sein wollte und kein Wort unnöthig sagen."

Diese ausreichende Mittheilung brach Jacobs mangelndes Vertrauen gegen Clemens. „Nun grüß mir," schrieb er umgehend mit Herzlichkeit zurück, „den Clemens vielmal, dessen letzter Brief an Dich mich sehr gerührt und gefreut hat, und wenn ich ihm über sein Stillschweigen Unrecht gethan habe, so mag er mir verzeihen, denn es war so natürlich; sein Brief hat mir allen Zweifel benommen und ich versichere Dich, wenn ich Dich nicht hätte, so gibt es nur ihn und den Savigny, an den ich vertrauen könnte. Es thut mir leid, daß ich seine Geschichten nur im Auszug oder in einer schwächern Auflage hören werde, denn Du wirst nicht mehr alles so lebhaft wissen, als er Dir erzählt, oder er wird es nicht noch einmal mir besonders erzählen. Du hast das gute Theil erwählet. Ich hoffe nun bald zu hören, ob er mit hierher kommt und wann."

Und weiter auf den abgesandten Brief eingehend, erklärte Jacob: „Der Clemens kann die Sammlung von den Kindermärchen herzensgern haben, und es wäre schlecht, wenn wir seine Güte durch so Kleinigkeiten nicht erkennen wollten, wenn er auch anders damit verfährt, als wir es im Sinn hatten. Dieser Grund gilt überhaupt. — Die spanischen Volksbücher machen mich recht begierig. Ich wollte, daß ich einmal die italienische Märchensammlung, ich glaube Conti degli conti oder mille conti, vom Clemens einsehen könnte, was ich hier nie konnte, weil sie seine Frau immer hatte und, ich glaube, übersetzen wollte; oder gehn diese Uebersetzungen auch in seinen Kindermärchenplan ein? Ich glaube fast. — Clemens schreibt bös gegen das Buch der Liebe. — Das wenige, was Du mir über Tieck schreibst, ist mir so noch zu unvollständig und nicht rein. Wer weiß, wenn Tieck über einen andern als über Arnim so ungerecht urtheilte, ob Clemens so spräche?"

Weiter schrieb Wilhelm seinem Bruder am 19. August 1809 aus Halle: „Es ist so vieles zu thun, weil Brentano so mancherlei mitgebracht hat, und Du weißt, wie es geht, wenn er zugegen, man kommt wenig zum Arbeiten und ich muß die interessanten Sachen vor mir liegen lassen. Unter andern hat er einen ganzen Pack Soldatenliebesbriefe auf dem Schlachtfeld von Landshut aufgelesen, in denen manches Lustige vorkommt, und von welchen ich gern einige abgeschrieben hätte. Clemens ist nun ernsthaft Willens, Kindermärchen herauszugeben, wozu er auch einige von den dänischen aus meiner Uebersetzung bearbeiten will. Ein Hauptbuch ist die kleine italienische Sammlung, die er hat, und weil sie so selten, wird wohl nichts übrig bleiben für uns als das verdammte Abschreiben. Da ich mit ihm über die Gesellschaftsspiele sprach, sagte er, daß er in Landshut ein italienisches Buch besitze, in welchem alle solche Spiele abgehandelt wären mit Beispielen, und unter welchen viele mit den deutschen gemeinschaftlich vorkämen. Er hat den Titel vergessen, er kann ihn aber einmal schreiben, weil er glaubt, daß es in Göttingen sich finden werde. — Clemens hat an Arnim geschrieben (Arnim und Brentano S. 283), der wahrscheinlich kommt, und dann reise ich mit jenem zurück bis nach Gotha. — Göthe wird, wie der Clemens (bei seinem Jenenser Besuche) bemerkt zu haben glaubt, Arnims Wintergarten recensiren."

Aber all diese Mittheilungen gingen Jacob nicht tief genug, er wünschte mehr zu hören; auf seine Vorhaltung antwortete Wilhelm am 28. August 1809 von neuem, zunächst von Tieck: „Wogegen es Clemens meint, das ist erstlich seine ungemeine Vornehmheit gegen jeden, keinen wie z. B. Göthe ausgenommen, als wenn seine Poesie der einzige Mittelpunkt sei und bleiben müsse; darum liest er Arnims Gedichte, die doch reicher, wenn auch nicht so klar und klassisch sind wie seine, gar nicht und behauptet davon, es sei ganz ordinäres Zeug, ihm und dem Schiller nachgesagt. Darum hat ihm auch Bettine geradezu geschrieben, sie könne nicht mehr zu ihm kommen, und geht auch nicht mehr hin. Sodann vom Louis. Er radirt jetzt die Bettine, wovon Clemens die Zeichnung sehr schön gefunden, und wird es wohl bald schicken. Arnim hat ihm eine silberne Medaille geschickt für die zwei Bilder, die ihn groß gefreut haben werden. Er hat Arnim sehr lieb und zeichnet am liebsten in ein Zeichenbuch, das ihm dieser geschenkt, wiewohl das Papier schlecht darin ist, und über einen Vers, den dieser ihm hineingeschrieben, hat er ein Papier geklebt, damit er nicht schmutzig werde. Zu der Bettine geht er öfter, die ihm recht freundlich ist, und besieht ihre Bilder. Bettine componirt den ganzen Tag an dem Faust und hat zu der Musik eine solche Leidenschaft, daß sie, wie sie spricht, dadurch eine der Verrücktheit nahe gerückte Person ist. Alle Instrumente gehn ihr nicht tief genug, und sie setzt für alle. Sie erzählt einem jungen Menschen ihr Leben, der alles genau aufschreibt, welches eine der wunderbarsten Geschichten geben muß, sie geht bis zu dem Geringsten, z. B. zu den Kleidern, die sie getragen; Clemens spricht, daß es etwas Herrliches sei, wie ich wohl glauben kann, denn in diesen Kleinigkeiten ist auch ein großer Reiz. Ich dachte Dir noch mehr zu schreiben, was mir Clemens erzählt, so seh ich aber, daß es nicht geht und mündlich geschehen muß. Er will zu dem Leben der Bettine auch das seinige schreiben, worin das ganze Wesen zu Jena vorkommen soll, also daß nichts fehlt, als daß ers schreibt. Auch was Schönes hat er für Dich mitgebracht, womit ich Dich überraschen will."

Am 2. September 1809 im selben Briefe weiter: „Du wirst erstaunen, wenn ich Dir etwas Unvermuthetes zuletzt hier schreibe, daß ich nämlich bis Mittwoch mit Clemens nach Berlin reise zu Arnim. Es ist so gekommen. Clemens schrieb an Arnim, ob er hinkommen solle oder er hierher wollte. Arnim stimmte für Ersteres und lud mich zum zweitenmal, den Sommer schon einmal, sehr freundschaftlich ein, ich dürfe Berlin, da ich in der Nähe, nicht versäumen; dazu hatte Clemens schon beständig gesagt, daß ich mit ihm müsse, falls er abreise. Ich sagte aber dem Clemens geradezu, daß ich nicht könne, daß mir nach Abzug der Badekosten und für den Arzt, 10 Louisdor, nur noch 18 Thaler übrig seien, damit könne ich nicht fort und wolle nach Giebichenstein ziehen, bis er wiederkomme. Er ward aber bös und sagte, ich solle still schweigen; wenn ich kein Geld habe, so habe er und ich solle mit, und wenn ich es nicht umsonst haben wolle, so solle ich es von dem Honorar für die zukünftig zu edirenden Lalenbürger Possen rc. an ihn abbezahlen. Was konnte ich machen! Dazu nimmt er seine Bücher mit, die ich unmöglich alle hier durcharbeiten konnte, so aber mag es gehen, und ich hoffe, es soll Dich freuen, was ich mitbringe. Also fahr ich mit und in solchem Zustand, daß ich mich freue, nach Berlin zu kommen, daß ich mich freue, Arnim zu sehn, daß es mir leid thut, meine Rückreise zu Dir immer mehr verzögert zu sehn, und daß es mir täglich leider thut: wann werden wir wieder beisammen sein, muß ich durch viele Montage, Dienstage, Mittwochen rc. durchsingen und alltäglich.

Clemens zwackt mir viele Stunden zu einem großen Bilde über Schelmuffsky ab, worin ich schon vieles recht Schöne gemacht habe, und worin Du auch in Galauniform stehst, und ich in meiner Carikatur dem Naturdichter Hiller sehr ähnlich. Clemens will auch noch ein Blatt an Dich schreiben — (Nachschrift:) noch nicht geschehen, Sonntag 3. 10 Uhr."

Wilhelm hatte auch einen Märchenversuch bei seiner Schwester Lotte, die sich in Marburg aufhielt, gemacht, worauf Jacob am 3. September 1809 antwortete: „Am Freitag (1. September) ist die Lotte gekommen. Mit den Märchen ist es nichts gewesen, ich hatte Deinen Brief denselben Tag fortgeschickt. Die Lotte hat die Frau kommen lassen, sie hat den ersten Tag gesagt, sie müßte sich erst besinnen, und den zweiten, sie wüßte nichts mehr. Darüber ist auch die Lotte weggereist. Beweg doch den Clemens, daß er vor der Herausgabe sich ja erst viel mündlich erzählen läßt, da steckt noch das Meiste und Beste. Wär denn niemand anders in Marburg geschickt, mit der Frau einen bessern Versuch zu machen? Sonst mag der Clemens lieber hinreisen, die Quelle ist es gewiß werth. Ich sprach neulich mit der Engelhardin, die nicht viel weiß, aber durch sie haben mir Hassenpflugs, die mir auch sonst gefallen, einige ganz neue erzählt, und es soll noch mehr sich besonnen und zusammengebracht werden. Auch wäre wohl nöthig, daß der Clemens aus dem cabinet des fées das Gute herausnähme. Von Savigny ist endlich ein angenehmer Brief gekommen, der mich sehr erfreut." Mit einigem Unwillen nahm Wilhelm die mißlungene Märchengewinnung seiner Schwester auf, in der Antwort an Jacob vom 11. September 1809: „Daß die Lotte keine Märchen mitgebracht, ist bloß ihre Schuld, sie ist nicht recht und vertraulich mit der Frau umgegangen. An Brentano hat sie sechs bis acht erzählt, der einzelne Worte aufgeschrieben und vermeint, sie nicht zu vergessen, wie es nun geschehen. Schade, daß er nicht dahin wieder kann und will, so lang die Auguste in Allendorf, vor deren Ueberfalle er sich fürchtet; das ist die Ursache, warum er auch durchaus nicht nach Cassel will." Noch einmal bat Jacob den Dr. Zimmermann, Creuzers Schwiegersohn, die Marburger Märchenfrau kommen zu lassen und ihre Erzählungen aufzuschreiben, was dieser auch versprach, ohne daß freilich ein Ziel erreicht worden wäre.

Nach erst noch verschiedenartig geplanter Reisefortsetzung entschlossen sich Clemens Brentano und Wilhelm Grimm, zu Arnim nach Berlin zu reisen.

Viertes Capitel.

Clemens Brentano und Wilhelm Grimm in Berlin.

Ueber sechs Wochen hatte Clemens Brentano mit Wilhelm Grimm in Halle geweilt, als sie sich im September 1809, von Arnim eingeladen, zur Fahrt nach Berlin entschlossen, wo sie am 18. des Monats eintrafen. Die Abreise war aufgeschoben worden, weil Clemens sich das Bein verrenkt hatte, das erst langsam wieder in Ordnung geriet. Arnim wohnte damals in der Mauerstraße bei dem Geh. Postrathe Pistor, der Reichardts Stieftochter, Lotte Hensler, zur Frau hatte. Er empfing seine beiden Freunde liebreich und gütig, wie er war, und führte sie an manche Orte und zu vielen Menschen, die ihnen von Wichtigkeit waren. Er veranstaltete für sie, ohne daß freilich Clemens Theil nahm, mit Freunden eine Fahrt nach Potsdam (Arnim und Bettina S. 336), gerade um die Zeit, wo Auguste Brentano mit Moriz Bethmann auf der Durchreise in Berlin weilte.

Seiner Tante Zimmer schrieb Wilhelm Grimm, am 10. October 1809: „Berlin ist die schönste Stadt, die ich gesehen. Ebenso schön ist Potsdam, das zum größten Theil aus lauter Palästen besteht. Das Schloß ist groß und prächtig, ebenso Sanssouci, wo Friedrich der Große gewohnt, aber in all diesen ungeheuren Gebäuden hört man nichts als seinen eigenen Fußtritt und seine eigne Stimme, so öd und verlassen stehn sie da, ich kann Ihnen nicht sagen, wie wunderlich und betrübt einem das vorkommt. Die Gegend selbst ist nicht schön, Berlin liegt ganz in einer großen, flachen Sandebene und hat nur auf der einen Seite einen großen ausgehauenen Wald, welcher der Thiergarten heißt und worin es recht schön ist."

Am werthvollsten wurde für Wilhelm Grimm doch die Bekanntschaft mit den Männern in Berlin, auf die es ihm in Rücksicht auf die eigne Arbeit ankommen mußte. Er lernte durch Arnim und Brentano viele hervorragende Leute kennen, Adam Müller, die Schauspielerin Unzelmann-Bethmann, Franz Horn, Chamisso, von mehreren Verfassern den Roman Karls Hindernisse, Doctor Wolfart, Maler Bury, Buttmann, Hirt, Biester, Erduin Koch, Hitzig u. a. Ueber Heinrich von Kleist empfing er Nachrichten, die absichtlich irre führen sollten. Den genauesten Verkehr führte er mit Friedrich Heinrich von der Hagen, dem hauptsächlichsten Vertreter der älteren deutschen Literatur in Berlin. Er lebte dadurch beständig zwischen Fleiß und Flüchtigkeit. Dem Clemens war das Herumlaufen eigentlich gar nicht recht, zumal da sein Fuß noch schmerzte, allein bei Arnim half nichts dabei, er geleitete seine Gäste aus einer Gesellschaft in die andre.

Gleich Anfangs gingen sie zu Hagen, der sie, auch Clemens war dabei, recht gut und freundlich empfing. Er erwiderte den Besuch ungemein artig und wünschte von Clemens den Neidhart zu haben. Clemens wies ihn deshalb an Grimm, den Hagen bat, ob er und sein Bruder den Neidhart nicht in seinem Magazin erscheinen lassen wollten; das Honorar sei fünf Thaler für den Bogen. Er gab ihnen ein höchst kostbares Abendessen in seinen mehr als fürstlichen Zimmern, wohin sie erst des Abends nach elf Uhr gingen, nach der Vorstellung von Goethes Götz von Berlichingen, an der namentlich Wilhelm große Freude empfand. Er lebte mit Hagen auf das beste zusammen und erhielt von ihm, was irgend anging, auf das liberalste mitgetheilt. Am 12. November 1809 war Hagen zum letzten Male bei Arnim und dessen Freunden, und da hatten sie insgesammt einen merkwürdigen Streit: „Ich redete," erzählt Wilhelm Grimm, „von meiner Ansicht über die Entstehung des Nibelungenlieds, wie ich es in den Studien (Kl. Schr. 1, 92) kurz, ja compendiarisch ausgeführt. Da kam er mit seiner Meinung hervor, welche dies Resultat gibt, daß das Nibelungenlied eine Uebersetzung eines einzelnen Dichters aus einem lateinischen Gedicht mit künstlerischer Absicht und Ueberlegung gedichtet sei. Arnim nahm natürlich meine Parthie, und der Streit mußte damit aufhören, daß wir behaupteten, man fühle deutlich, wie in dem Nibelungenliede der Geist einer ganzen Nation, die Sprache nicht aber eines einzelnen Menschen, der nie mit solcher Allgewalt, in einem solchen Strom, der breit und rauschend die ganze Welt durchzieht, reden könne, Hagen aber dieses gänzlich leugnete. Brentano sprach stets dazwischen, ohne zu wissen, wovon eigentlich die Rede, gab jedem Recht und Unrecht, und eigentlich sei das Nibelungenlied Nachbildung Homers. Merkwürdig ist mir Hagens Aeußerung darum, weil sie ihn charakterisirt; fleißig, verständig, im Einzelnen scharfsinnig, hat er doch keine Ansicht von der Art, mit welcher sich die Poesie geschichtlich äußert, oder von ihrem Leben. Der Tristan ist ihm übrigens ebenso lieb als das Nibelungenlied." Es war das letzte Mal, daß Wilhelm Grimm und Hagen sich auf lange Jahre sahen und aussprachen.

Die Universität in Berlin entschied sich damals. Ende

October 1809 konnte Wilhelm Grimm seinem Bruder Jacob Clemens' Nachricht melden, daß Savigny aus Landshut berufen werde. Friedrich August Wolf, der berühmte, laborire leider an einer Krankheit, von der er schwerlich genesen werde. Auch Hagen wolle in Berlin lesen und wahrscheinlich Professor werden; zu dem Zwecke gedenke er den reinen Text der Nibelungen bei Hitzig abdrucken zu lassen, der zu Neujahr erscheinen werde. An eine Verwendung in Berlin konnte Wilhelm Grimm oder sein Bruder auf lange hinaus nicht denken. Ihre beginnende wissenschaftliche Arbeit richtete sich nach Heidelberg. In die Heidelberger Jahrbücher schickte Wilhelm von seiner Uebersetzung der Altdänischen Heldenlieder eine „tolle" Ankündigung, an der sie alle drei, er und Arnim und Clemens, gearbeitet und mancherlei Stil darin nachgeahmt hatten; der alte Bergriese darin, der Feuer ausathmet, war von Grimm und sollte nach Görres sein (Zeitschrift für deutsche Philologie 1896. 29, 195). Clemens arbeitete an seinen Romanzen vom Rosenkranz und wollte, wenn sie fertig seien, nach Hamburg reisen, um sich dazu von Otto Runge Zeichnungen machen zu lassen, eine Absicht, die nach Jahresfrist gänzlich schwand, als Runge in Hamburg starb und Clemens ihm in Kleists Berliner Abendblättern den Nachruf hielt (Heinrich von Kleists Berliner Kämpfe S. 285). Noch sandte Wilhelm an Jacob zur Ausfüllung einiger Citate eine Recension, die er von Clemens' Uebersetzung des Goldfadens, mit Bildschmuck von Ludwig Grimm, gemacht hatte und die in den Heidelberger Jahrbüchern ihre Stelle fand (oben S. 62).

Die Berliner Zeit strich den Freunden schnell dahin. Clemens wollte ursprünglich nur drei Wochen in Berlin zubringen, aber nach fünfwöchentlicher Unentschlossenheit nahm er sich vor, den Winter da zu bleiben, und Wilhelm Grimm mußte schließlich allein zurückkehren. An seiner lieben Mutter Geburtstage, 20. November 1809, den Clemens zwei Jahre zuvor in Cassel mitgefeiert hatte, reiste Wilhelm um 4 Uhr früh von Berlin ab. Brentano that am Morgen, als schliefe er noch. Arnim aber war, wie immer, sehr freundlich und gütig gegen ihn, begleitete ihn auch zur Abfahrt von Berlin, von wo er wieder in Halle eintraf.

Und wie urtheilten die Freunde über einander? Ein paar Tage später, am 25. November 1809, gab Arnim Bettinen nach Baiern folgende Nachricht (Arnim und Bettina S. 353): „Wilhelm, der allen Leuten, die ihn öfter sahen, gefallen, während alle beim erstenmale seine fremdartigen Späße mit Verwunderung hörten — er sprach nämlich mit uns im Schelmufskistyle usw. — ist fort. Der gute Junge ist bei recht kaltem Wetter von hier fortgereist (Arnim und die Brüder Grimm S. 45), es war noch dunkle Nacht, ich half ihm sein Bündlein schnüren, Clemens stellte sich, als wenn er tief schliefe mit ganz ernstem Gesichte; ob er glücklich in Halle angekommen, wissen wir noch nicht. Doch war er hier viel gesünder, als ich ihn in Cassel gekannt habe, hatte einen außerordentlichen Appetit, dem gemäß seine Lippen bei Annäherung der Speisen in Oscillationen kamen, worüber er viel von uns hören mußte, wackelte viel mit Händen und Füßen, schlug an alles mit dem Stock und excerpirte alles, war fleißig bis in die Nacht, stand spät auf, brach sein drittes Stück Zucker, eh er es in die Tasse warf, als wärs ihm viel zu groß, wenns auch noch zu klein war, brachte aus jeder Gesellschaft eine Caricatur nach Hause. An diesen Eigenschaften wirst Du ihn erkennen, wenn ich ihn jemals, wie ich ihm geschworen, in irgend einer Erzählung vorstelle[1]). Ich bin ihn so gewohnt neben mir zuweilen auf und niedergehen zu hören, daß ich in Ermangelung dieser Erinnerungen mir unbemerkt eine ganze Seite von ihm vollgeschrieben habe."

Wilhelm Grimm aber äußerte sich über die Berliner Freunde und Erlebnisse aus Halle an Louise Reichardt nach Hamburg, wohin sie ihren Wohnsitz verlegt hatte: „Von Berlin muß ich nun schreiben, und wie es uns (d. i. Clemens Brentano und mir) daselbst ergangen. Wir bewohnten das Erdgeschoß Pistors gegenüber und besaßen drei Stuben; eine vorne, gelb tapezirt, welche das Prunkgemach hieß, bewohnte Anfangs er, die zweite, Eck-Stube Arnim, die letzte, welche in den Hof ging, war mir angewiesen. Wie wir gleich bei unserer Ankunft fast zwei Stunden bis in die Nacht in den Straßen fahren mußten, wo ich jedoch den größten Eindruck von den prächtigen erleuchteten Häusern erhalten, so konnten wir uns auch Anfangs in die Stuben einrichten. Brentano klagte, daß ihm seine Stube zu hell und geräuschvoll sei; wenn er einen Brief schreiben wollte, müßte er beständig in ein ander Haus, zu Laroche etwa, gehn. Also tauschten wir gegenseitig, er nahm meine stille Stube, die mir sehr angenehm, und ich mußte das Prunkzimmer beziehen. Er richtete sich darauf die Stube so ein, daß das eine Fenster vollends zugehängt wurde, daß nur eine Scheibe offen blieb, darnach stellte er die Commode mitten in die Stube, ein paar Kasten darum, welche als Tisch und Stuhl dienen mußten, denn den einzigen Stuhl, der sich darin befand, hatte er zerbrochen und festgebunden,

[1]) Was aber nicht geschehen ist.

um bequem sitzen zu können, und so waren alle Geräthschaften zur Dichtung vorhanden. Die Pistor ist einmal, wie wir aus waren, durch die Stuben gegangen und hat über die unerhörte Unordnung niemals aufhören können zu räsonniren. Bei mir hatte es noch am besten ausgesehen, das war sehr natürlich und gar nicht meine Schuld, denn meine Geräthe waren ein Bett, ein Tisch und ein Sopha davor als Stuhl, weiter nichts. Alle Besuche mußte ich annehmen, Mangels an Stühlen halber, mein Sopha mußte Fronte machen und wir nahmen Platz darauf. Freilich beim Arnim wars am schlimmsten und so arg, daß Brentano, der doch eine gute Unordnung verträgt, es nicht mehr aushalten konnte und drei Tage lang an Ordnung der Bibliothek arbeitete. Allein Arnim klagte nun über die entstandene Unordnung, und wie er nichts mehr finden könnte. Die Commode war mit Röcken, Wäsche, Büchern pyramidenförmig aufgehäuft, alle Schubladen waren herausgezogen, in den Ecken waren Gewehre aller Art aufgepflanzt, die zwei vorhandenen Stühle waren besetzt mit Büchern, Briefschaften, Hausgeräth, z. B. Gläsern, Messern, wozwischen rothe Tücher als Friedensfahnen heraushingen und Ruhe unter dem verschiednen Zeug hielten. Der einzige Tisch war auf dieselbe Art versorgt, Arnim sitzt nie und schreibt an einem Pult, auf einem Brett, auf dem nichts liegen konnte, aber hier schreibt er mitten in dieser Unordnung die herrlichsten und göttlichsten Dinge.

Wir waren den ganzen Tag zu Haus und arbeiteten, Brentano ward es in der dunkeln Stube recht, und fing an zu schreiben. Am fleißigsten ist er an den Romanzen, und ich denke, er macht sie wohl fertig, ich versichere Sie, einige neuere sind wieder von unendlicher Anmuth und

Schönheit. Wie Sie an seiner Stimme ein Schwanken in dem Ton mit einer leisen, fortgehenden Klage bemerkten, so geht diese Klage auch in all seinen Gedichten fort, es ist etwas von dem Schrecken, von der Kunstbegeisterung drin, etwa wie in den Planetengenien auf Runges Bildern. Ich habe ihn so sehr gebeten, sein Leben zu schreiben, das durch die merkwürdige Zeit, welche hineingeflochten, und durch die seltsamen Abentheuer, die seine eigene bizarre Ansicht der Welt ihm zugezogen, eine eigne Bedeutung erhalten würde und ein Buch wie der ‚Meister', etwas ewig dauerndes sein müßte. Er hat mir versichert, daß der Anfang fertig sei, nähmlich es werde ein Mensch beschrieben, der auf einem Berg stehn und ein Schiffchen auf der Hand halte, es aber nirgends wohin aufs Wasser setzen könne. So sei ihm sein ganzes Leben vorgekommen, und weiter könne er auch nichts davon schreiben. Wenn er weniger reich an Poesie oder er selbst ein weniger poetischer Mensch gewesen, so hätte er gewiß mehr geschrieben, aber er schätzt immer eine Idee um einer darauf folgenden bessern nicht mehr, und die letzte kommt so wenig als die letzte Welle am Ufer an.

Uebrigens glaub ich, ist er ganz wohl in Berlin, was ich auch aus einem Brief Schleiermachers an Reichardt abnehme, denn er sagt, er höre ganz entgegengesetzte Urtheile über ihn, und Sie wissen, wie Brentano selbst in einem Brief an Sie klagte, daß ihn jetzt jedermann für gut halte.

Abends sind wir beständig ausgegangen, am häufigsten und liebsten hinüber zu Pistors. Ich will Ihnen von ihrer Freundlichkeit und Liebenswürdigkeit nichts sagen, die wohl jedermann, der sie kennt, auch anerkennt. Es war mir nirgends in Berlin so gemüthlich und wohl als bei ihr. Pistor hab ich ungemein auf eine ganz eigene Art lieb, er ist, wie man sagt, ein ungeschliffner Mensch, aber in allem sehr treu, brav, gutmüthig wie wenige, dabei geistreich und von Talenten. Er arbeitet jetzt vorne bei ihr in der Stube, und es ist eine eigenthümlich schöne edlere Bürgerlichkeit und Häuslichkeit in dieser Ehe. Sie hat mir selbst gesagt, er sei viel milder wie sonst nach dem Tod des Kinds geworden, und sie leben beide äußerst vergnügt und freundlich mit einander. Dabei haben sie das liebe Kind (Johann Wilhelm, von Schleiermacher 24. October getauft). Das Gerede in der Stadt, daß sie eine unglückliche Frau sei, die von dem groben Mann viel dulden müsse, hat ihnen Brentano selbst wieder erzählt, und wie er sie dagegen vertheidigt, daß sie viel gelacht haben. Dann waren wir viel bei Albertis, die sich sehr freundschaftlich und gastfrei gegen uns betragen: sie hat etwas sehr angenehmes in ihrem Wesen und macht eine besonders liebenswürdige Wirthin. Von der Zschock wurden wir auch etliche mal invitirt, sie sieht aus, als wenn sie an irgend einem alten Hof gewesen sei und nun in der Erinnerung daran lebe, so bedächtlich, vornehm und steif ist sie; übrigens hat sie viel jüdisches in ihrem Gesicht, wie wir auch immer ihre Gesellschaft halb von Juden zusammengesetzt fanden. Diesem fatalen Volk kann man gar nicht ausweichen, und es will ordentlich für gleich geachtet sein, sie würden sich längst alle in Berlin haben taufen lassen, wenn sie nicht hofften, es solle in Zukunft wohlfeiler geschehn; wer dann ein braver Christ ist, muß ein Jude werden, um nicht unter sie zu gerathen. Den Schleiermacher sah ich zuerst nach seiner Zurückkunft bei der Taufe (des kleinen Johann Wilhelm Pistor). Er war sammt seiner Frau und Schwester da.

Die erste hat ein etwas ausländisches, aber sehr gutes, einfaches Gesicht und ihr eines Kind, der Junge, ist sehr schön, ungemein artig durch eine schelmische Unschuld, die ich an wenig Kindern gesehn. Die Schwester hätt ich aus Ihrer Beschreibung erkannt, sie sieht aus, als ob sie einen geheimen Kummer hätt, wiewohl ich nicht das geringste weiß, ob es wahr ist. Schleiermacher, wie ich aus einigen Briefen gesehn, scheint empfindlich, daß ich ihn nicht weiter besucht, aber außer daß ich vor meiner Abreise in seinem Hause war, aber nur Nanny fand, hat er allein die Schuld. Ich ließ mich ihm vorstellen und fing mehremal ein Gespräch an, auf das er sich aber nicht das geringste einließ, sondern es ganz geschwind abschnitt, daß ich darin am wenigsten eine Einladung sehn konnte und ihm auch eigentlich auch nicht mehr hätte sagen mögen. Uebrigens machte er es Brentano nicht besser, der nun noch viel interessantere Dinge wußte und zu erzählen anfing, und es schien mir ziemlich deutlich, daß er eben nicht die beste Gesinnung gegen diesen habe. Hernach hat mir Arnim gesagt, daß er noch niemals habe ein ordentliches Gespräch mit ihm zu Stande bringen können, selbst wenn er es darauf angelegt. Die Herz sah ich mehrmals bei Reimer, deren schöner Kopf und deren verständiges Wesen mir schon auffiel und gefiel, eh ich wußte, wer sie war. Wie sie aber aufstand, bin ich ganz erschrocken, und wenn ich aufrichtig sein soll, muß ich auch noch dieses sagen: eine Frau, ganz unabhängig von ihrem Geist und ihrer Bildung, macht einen fraulichen Eindruck, dieser aber fehlt der Herz ganz und gar, ich sage auch nicht damit, daß sie unweiblich wäre oder etwa mit Gelehrsamkeit prange, was sie nicht thut, und ich glaube auch, daß Männer nur diesen Mangel fühlen. Brentano hat sie sehr gut gefallen, und immer bleibt sie eine ausgezeichnete Natur."

Aus Halle schrieb Wilhelm Grimm, 2. December 1809 an Arnim wie an Brentano die ersten Briefe. Der an Arnim ist in dem Bande „Arnim und die Brüder Grimm" S. 45 gedruckt. Der an Clemens lautet: „Lieber Clemens. Ich habe es mir angelegen sein lassen, Ihre Aufträge gleich auszurichten. Erstlich Beerens musikalische Discurse[1]) habe ich in der Reichardtschen Bibliothek, wohin sie behaupten, alles was in Giebichenstein gelegen, hingebracht zu haben, mit allem Fleiß, aber umsonst gesucht. Nun will sie (wohl Frau Reichardt) noch einmal hier nachsehn. Barthels sodann (der Pächter von Giebichenstein) läßt Sie grüßen, hat das Geld empfangen und mir die Anweisung zurückgegeben, welche ich nach Ihrer Anweisung zerrissen. Was endlich den Geibel betrifft, so ist das ein fataler Prinz, mit dem man nichts anfangen kann. Ich habe etliche mal Anlaß genommen und Kleinigkeiten bei ihm gekauft und wegen des Vorschlags gesprochen, da wollte er erst den Herrn Schimmelpfennig fragen, endlich hat er den Herrn Schimmelpfennig gefragt, da meint er, es sei jetzt noch nicht die rechte Zeit, man müsse es aufschieben; dann will er ihn doch noch einmal fragen usw. Jetzt hat er sich den Laden ganz voll von Spielsachen gekauft, durchaus für sich, denn es kauft sie niemand, und er spielt den ganzen Tag damit. Er hat sich Ihrer Freundschaft in der ganzen Stadt gerühmt, und darum ist er auch, glaub ich, so stolz gegen

[1]) Es ist gemeint: „Johann Beerens, Weiland Hochfürstl. Sächsisch-Weisenfelsischen Concert-Meisters und Cammer-Musici, Musicalische Discurse" usw., Nürnberg 1719.

mich geworden, daß er gar nicht recht Rede steht und Antwort gibt.

Steffens fand ich hier mit seiner Halskrankheit, die aber bald sich endigte. Lächerlich war mir, wie ich all seine guten und wunderlichen Eigenschaften beisammen fand, seine Geduld, Freundlichkeit, seinen lächerlichen Stolz, denn er war ganz entrüstet, daß die Redaction der Heidelberger Jahrbücher an ihn geschrieben und ihn zur Theilnahme eingeladen: an einen Mann wie ihn müsse der vornehmste besonders schreiben, wie Göthe ihn zu der Jenaischen Literatur-Zeitung eingeladen habe [1]). Uebrigens ist es gut, wenn Steffens etwa nach Berlin käme und von Reichardt getrennt würde; denn sie stehn sich so, daß es bald zu einem fatalen Ausbruch kommen muß, und die Frauen halten es nur noch hin. Sie, die Frau (Hanne Steffens), hab ich wieder recht schön, gut und liebenswürdig gefunden, es ist so hübsch, sie mit ihren Kindern zu sehen, die kleine Anna hat sich zwar ein wenig verändert und ist nicht mehr so ganz fein, aber noch immer ein höchst freundliches, liebes Kind. Ich habe von Ihnen viel erzählen müssen, wohl mehr als ich gewußt, ich habe gesagt, daß Sie ein so großer Schmecker geworden wären, und führe mich dabei sehr enthaltsam und mäßig auf, daß Sie es nicht leicht auf mich werden wälzen können. Die Steffens läßt Sie viel grüßen und hat mir auch ein paar sehr artige Worte für Sie gesagt, die ich aber wieder vergessen; mir däucht, sie sei bös, daß es Ihnen in Berlin so wohl gefalle, so etwas.

[1]) Dies ist ein neuer Beitrag zu den hundert „Zeugnissen zur Pflege der Deutschen Literatur in den Heidelberger Jahrbüchern", die ich in den „Neuen Heidelberger Jahrbüchern" 1902 (11, 180) veröffentlicht habe.

Arnims Brief ist auch für Sie geschrieben, ich danke Ihnen auch für alle mir erzeigte Liebe und bleibe Ihr getreuer W. C. Grimm. (Nachschrift:) Ich werde fast gewiß nach Jena gehen, und von hier in drei bis vier Tagen ab."

Ueber Weimar, wo er, von Arnim empfohlen, bei Goethe liebreiche Aufnahme fand (Goethe und die Brüder Grimm, 1892, Capitel 4), traf Wilhelm zu seines Bruders Jacob Geburtstage (4. 1. 1810) in Cassel ein, und der große Reisebericht, den er noch im selben Monate nach Berlin sandte, ist mit der Anrede „Lieber Arnim und Clemens" für beide Freunde bestimmt (Arnim und die Brüder Grimm S. 46 ff.). An Clemens besonders hatte Wilhelm tausend Grüße von Geisler in Gotha zu bestellen, und für ihn war auch eine Abschrift vom Politischen Maulaffen als Tausch für den Ungenähten Rock Christi angefertigt. Die Recension des Goldfadens erschien als literarischer Nachklang der Berliner Zeit, in den Heidelberger Jahrbüchern von 1810 (2, 285), möglichst nach Clemens' eigenem Geschmacke hergerichtet (oben S. 62). Und Jacob bemerkte am Schlusse seines Briefes an Arnim: „Da der Clemens doch diesen Brief lesen wird, so danke ich ihm tausendmal für Göthes Bild, womit er mir eine rechte Freude gemacht, auch die Geschichte des Ungenähten Rocks war mir äußerst willkommen."

Fünftes Capitel.

Berliner Nachklänge und Reise nach Böhmen.

Clemens Brentano blieb fast zwei Jahre bei Arnim in Berlin, bis zum Juni 1811; seine Correspondenz mit den Brüdern Grimm, von denen meist Wilhelm sein Partner war, lief daher ergänzend neben der Arnims her. Es kommt auf der ganzen Strecke das dritte Capitel von „Achim von Arnim und die Brüder Grimm" in Betracht.

Wilhelm hatte in Berlin fast alle Männer von Bedeutung und guter Gesellschaft kennen gelernt. Seine Urtheile über sie erscheinen ernst und sachlich, wie es Jacob liebte, an den sie Wilhelm richtete. In den Briefen an Arnim und Clemens dagegen schlägt er einen munteren Ton an, der wie eine Fortsetzung der fröhlichen Stimmung erscheint, die unter den drei Freunden in Berlin geherrscht hatte. Am ausgelassensten war Clemens, dem das abwechslungsreiche Leben in Berlin den Spielraum für die Bethätigung seiner Laune gab. Im Januar 1810 machte er sich an die witzige und zierliche Umarbeitung des wunderthätigen Puppenspieles von Cervantes, worin er eine Masse Berliner Späße hineinknetete, ohne daß es schließlich zu der Privataufführung, die im Freundeskreise stattfinden sollte, gekommen wäre (Arnim und die Brüder Grimm S. 54). Dieser Muthwille bricht auch in dem Briefe hervor, den Clemens in der zweiten Hälfte des Februar 1810 dem Briefe Arnims an Wilhelm Grimm (S. 53) mitgab, und in welchem er von dem inzwischen Vorgefallenen eine Reihe grotesker, phantastisch aufgestutzter Bilder entwarf. Er schrieb ihm:

„Lieber Grimm! Nichts hat mich je so verdrossen, als daß ich heute an Sie schreiben muß, da es mich zuerst in die völlige Gewißheit setzt, daß Sie nicht mehr in der Vorderstube sitzen, wo unser Briefwechsel doch viel commoder war. Der große Fabrikant in der Eckstube (Arnim) wird Ihnen schon gemeldet haben, daß er hinter Cardenio (Halle und Jerusalem) bereits wieder einen Roman (Dolores) von zwei Bänden, jeden von etwa 20 bis 30 Bogen, angefertigt hat, an welchem Reimer bereits druckt; es war Anfangs eine rührende Erzählung, für das Pantheon bestimmt, variirte und engrossirte sich im Abschreiben durch einige Blutschande, von der seine Werke nicht frei sind, zu einem dicken und reicheren Buch, als wir vielleicht je so schnell eines gewonnen haben. Sie werden hier den Hollin, große Parthien aus dem Tanner (Arnim und Grimm S. 50), die Poststazionen (2, 50) und Nonnenbriefe aus dem Einsiedler (1, 234) als Novellen wieder hören, aber untergehend in ungemeinem herrlichen Schatz ringsumher. Mir bleibt der erste Theil des Cardenio lieber, welchen er jetzt zum Druck bei Zimmer abschreibt, und auch schon stark umändert, aber ich schlage ihn eher tod, als daß er mir etwas störendes einmischen soll.

Unsre Tischgesellschaft hat sich jetzt sehr vermehrt. Der Poet Kleist, den Müller einmal tod gesagt, und nachdem er ihn hier wieder besucht und darauf aufs Land gegangen, mir als einen plötzlich mystisch verschwundenen angekündigt, ist frisch und gesund unser Mitesser, ein untersetzter Zweiunddreißiger, mit einem erlebten runden, stumpfen Kopf, gemischt launigt, kindergut, arm und fest. Von seinen Arbeiten habe ich im Phöbus mit ungemeinem Vergnügen die zwei ersten Akte des Trauerspiels Käthchen von Heilbronn und die Erzählung Kohlhaas gelesen, worin vieles sehr hart, vieles aber ganz ungemein rührend und vortrefflich gedichtet ist, es macht Ihnen gewiß Vergnügen. Was mich aber bei der Sache ängstigt, ist, daß er sehr schwer und mühsam arbeitet [1]).

Außerdem ist ein stehender fester Beisitzer unsres Freßcollegiums der alte Graf (Hans Moritz) Brühl, einer der anmuthigsten alten Charaktere, die vielleicht je gelebt haben; es ist derselbe der den berühmten sächsischen in Kupfer gestochenen Lustgarten Seifersdorfer Thal angelegt und hier zu Land Schauseebaudirektor war. Er ißt mit uns aus bloßer Feindschaft gegen die Hofetikette, kömmt in einem zerrißnen Oberrock und einem alten Pudel, der ihm gleicht in allem und ihm seine Tabackspfeife nachträgt, dafür trägt er dem Pudel sein Brod nach, das er ihm in die Suppe brockt. Er hat an vielen Höfen gedient, war lang in Malta und Corsika,

[1]) Wegen dieser ganzen Kleist-Stelle verweise ich auf mein Buch „Heinrich von Kleists Berliner Kämpfe" (1901, S. 12. 13. 442). — „aufs Land": nach Potsdam; vgl. meine „Neue Kunde zu Heinrich von Kleist" (1902, S. 6). — „todgesagt": das Gerücht war aus politischen Gründen ausgesprengt worden, um ihn für einige Zeit von der Bildfläche verschwinden zu lassen (vgl. meinen Aufsatz zu seinem hundertjährigen Todestage „Heinrich von Kleist als Politiker", Frankfurter Zeitung 1911, Nr. 316); auch der Königsberger Scheffner schrieb am 5. September 1809 dem Burggrafen von Schön: „Heinrich Kleist soll an den bei Wagram erhaltenen Wunden gestorben sein" (aus den Papieren Schöns 1875. 2, 242). — „Trauerspiel" Käthchen: Berliner Kämpfe S. 184, in der Beilage der „Täglichen Rundschau" zu Kleists hundertjährigem Todestage, 20./21. November 1911, steht von mir ein Aufsatz „Zu Heinrich von Kleists Bettelfrau und Käthchen".

ist bei Hof sehr geliebt und dennoch ohne allen äußern Verderb, ein geistreicher alter Plauderer, voll Anekdoten, Gesänge, Jagdstückchen, und hat so ganz und gar keine feine Weltfaçon, daß ihn jedermann für einen alten Oberförster oder Husarencorporal hält — dem Förster in Allendorf gleicht er — hat keine Haare als einen alten Schnurrbart, und hat neulich viel kluges über Somnambulismus und Geisterseherei mit mir gesprochen. Nach Tisch bleibt er sitzen und raucht und geht mit Reetzensteen, der ihn für noch amüsanter als mich hält, äußerst ironisch um, er hat ihn neulich zu dessen großer Angst magnetisiren wollen. Eine und zwar ganz unerschöpfliche Seite Reetzensteens hat sich erst nach Ihrer Abreise entwickelt und seitdem nicht mehr aufgehört, nehmlich Taschenspielerkünste und Kartenkünste ohne Ende nach Tisch; neulich fanden wir die Gesellschaft sehr bestürzt und sich aufziehend, weil den Abend vorher sie daselbst von der Polizei Faro spielend erwischt und um einige 20 Frd'or beraubt wurden.

Sodann ist an unserm Horizont aufgetreten der Lyricus mysticus — Graf Loeben — sonst Isidorus orientalis genannt, mit zwei ihm noch von Heidelberg anhängenden Freunden, zwei Herrn von Eichendorff, sämmtlich sehr gutmüthige, etwas sehr üblige gute arme Schlucker, sie stecken in einer kleinen Stube, haben abwechselnd das Fieber, daß immer einer zu Haus bleibt, ich möchte schier fürchten, weil die drei Leute nur zwei Röcke haben und gar keine Wollkooort-Hosen, wie Sie. Auf ihrem Tisch liegt Rosdorf Dichtergarten und Görres Schriftproben, und dazwischen brennen zwei Rauchkerzen, weil es so ungeheuer stinkt, daß selbst die Violen erster Gang des Dichtergartens nicht zu riechen sind; doch das sind ja Hundsviolen, die riechen nicht, und die Herrn von Eichendorff scheinen gute Baurenviolen herumzulegen. Der Graf Loeben ist ein so sächsischer Sachse, daß weder Reetzensteen noch der Schneider Jonas von der Funkenburg (edit. Finkii) es mit ihm aufnehmen können, er ist klein, und Wichmann und Malsburg sind Helden und Wüthriche im Ton gegen ihn, in Kassel würde ihn die Kahlenberg sehr interessiren, denn er liebt, was würklich sehr liebenswürdig in ihm erscheint, alle Menschen, ist überhaupt in sich unendlich glücklich und in seiner Seele wunderbar reich, wie er mir gesagt; alle seine mystische Poesie hat er plötzlich als einen Irrthum und Nachahmerei des Novalis erklärt und dadurch seine abwesenden Freunde, welche ihn noch hie und da, als des Novalis zweiten Theeaufguß, anbeten, treulos compromittirt. Er hat sich, seit vier Wochen, einen langen Bart wachsen lassen, so daß er jetzt eine Physiognomie hat, wie ein schimmlichter Limburger Käse; bei allem dem ist er ein sehr vortrefflicher, rührend guter Mensch, gegen dessen lyrische Liederproduktion der Arnim in der Menge, wie eine Sandbüchse gegen den ganzen Sand am Meere, einstecken muß. Seine Gedichte werden jetzt bei Sander gedruckt, er fürchtet aber, das Buch werde nie herauskommen, weil er stets mehr dazu macht [1]).

---

[1]) Ueber Graf Loeben und die Brüder von Eichendorff vgl. „H. von Kleists Berliner Kämpfe" S. 490 ff., und die von Wilhelm Kosch herausgegebenen „Tagebücher des Freiherrn Joseph von Eichendorff" (Regensburg 1908) nebst Minors Ausführungen in der „Zeitschrift für österreichische Gymnasien" 1909. — Eine Tagebuchnotiz des Grafen Loeben vereinigt bald darauf, am 23. Februar 1810, den Schauspieler Bethmann sowie Brentano, Siebmann, Römer, Kohlrausch, Arnim, Müller, Kleist, Theremin, Eichendorff, Loeben selbst zu einer Abendgesellschaft bei dem Dr. Wolfart (Euphorion 15, 575).

Zur großen Verwunderung und Gelächter ist Chamisso, Darkelion Kazzenmaul, vor drei Wochen hier herumgegangen, hat Abschied genommen und ist im Moniteur als professeur suplementair zu Napoléonville verkündet worden, er weiß selbst nicht, was er dort vortragen soll, ich habe ihm gerathen, über Wielands Suplementbände zu lesen, ich vergesse den Kerl nimmer mehr, er hat mich Montags 12 Uhr, als wir von Schede gingen, auf der Gasse umarmt und mir seinen mit Bratensauce grundirten, mit Tabacksöl ausgemalten und mit gefrorenem stinkendem Athem gefirnißten Schnurrbart wie ein nasses besch... s Vogelnest mit zerquetschten Eiern aufs Maul gedrückt. Apropos, der Herr von H. ist seit Ihrer Abreise nirgends mehr zu finden, haben Sie ihn dem Jacob mitgebracht? Proficiat.

Der dicke gute, alle Jahr einmal verrückte Buchhändler Sander hat mich vor sechs Wochen bei (Adam) Müller gesehen und sich leider so in mich verliebet, daß ich endlich seinen Einladungen schicklich nicht mehr widerstehen konnte, und neulich auf einem mir angestellten Abendschmaus bei ihm war, wo ich in der drollichsten Lage war und unaufhörlich lachte. Es befand sich dort Bernhardi, Fouquet, der Kapellmeister Weber, Pistor, Kleist, Golz, Müller 2c. Ich gab mich nur mit Sander ab, weil ich die Frau vermeiden wollte, dieser setzte sich mit mir und dem Kapellmeister Weber an einen Tisch allein, er selbst sieht aus wie ein geschwollener, begeisterter, ja enthusiastischer, ungeheurer A..., Weber ebenso dick wie ein dergleichen sentimentaler, im Matthissonischen Geschmack, dazwischen saß ich und sprach zu beider Zufriedenheit von Musik, von der ich nichts verstehe, und Sander, der der übrigen Gesellschaft drei

Bouteillen Medoc vorgesetzt, hatte für uns drei, sechs Bouteillen Rüdesheimer, den die andern, wie er sagt, nicht verstünden, aufmarschiren lassen, und wir soffen nicht schlecht; der andere Tisch kam hierüber in solchen Zorn, daß sie mit Händen und Füßen trommelten, und Alberti, der oben nicht schlafen konnte, wüthete drüber. Meine beiden A—trabanten wurden immer violetter, theils vor Wein, theils vor Begeisterung, Sander fraß ganze Semmlen und Schwartemagen in einem Bissen, und Weber stieß sechs Kelchgläsern stillschweigend die Füße ab, steckte sie in Sack und sagte vitrum est mortuum, und ich lachte mich heimlich nach Lust aus. Fouquet fragte mich, wie mir der Sigurd gefalle, und ich sagte ihm: recht sehr schlecht; der zweite Theil wird jetzt gedruckt. Er behauptet, Ihr (Grimm und Arnim) hättet ihn in der Rezension (Heidelberger Jahrbücher 1809. 2, 11, 121) nicht verstanden; ich erklärte ihm meine gänzliche Verachtung des Buchs, als eine mir selbst unerklärbare Erscheinung, da ich doch wisse, wie ernst ers meine und wie viel Mühe er sich gegeben. Ja, sagte er dabei, ja ich habe gebetet dabei und mit Gott gerungen. Er ist ein kurzer untersetzter Kerl, spricht seichter aber mehr und treuherziger als Hagen, und kann einen ungemein ennüyiren, er lacht auch so leer wie jener und noch öfter. Hagen hat jetzt von Kindlingers Auktion den alten gehörnten Siegfried in Versen, Druck 8. s. a., woraus das Volksbuch entstanden, es ist wie Ecken Ausfahrt eingerichtet. Zwischen Schleiermacher und mir herrscht fortwährend dieselbe Antipathie, wir weichen uns überall aus.

Imaginez vous, der süß versmolzene ist hoch am Brett, in allen hohen und höchsten Cirkeln wird er angebetet,

Grafen und Prinzen und =finnen und =zessen[1]) fragen einander nach ihm, er ist bei der gelehrten medizinischen Section angestellt worden, und hat neulich den alten Stadtarzt Formey folgendermaßen auf den Rückenstreicher herausgefordert. Er kam zu ihm und sprach, ein paar Pistolen auf den Tisch legend: Herr Geheimrath, man hat mir gesagt, Sie hätten gesagt, ich sei ein hergelaufener Ignorant, der in Rom mit Vögeln gefischt hätte und nun von einer laxirenden Engländerin unterhalten würde, drum müssen Sie sich mit mir schießen. Formey versicherte ihm aber, er sei übel berichtet, er sei im Gegentheil sein bester Freund, und invitirte ihn gleich zum Mittagsessen, welches Colrausch (Kohlrausch) annahm, und alles war wieder süß versmolzen, so hat er es selbst uns erzählt.

In Ihrer Stube baut Pistor jetzt eine große Elektrisirmaschine auf, die er in der letzten Zeit gemacht hat; Betty (Pistor) sagt noch immer: Grimm ist in Potsdam; Pistors und Albertis denken oft mit ungemeiner Liebe an Euch zurück. Es haben Euch wenige Leute außer wir so herzlich lieb, und wenn Ihr ihnen einmal schreibt, macht Ihr ihnen große Freude. Von Runge habe ich in dem Augenblick, als ich ihm einen großen Brief schrieb, einen sehr artigen, aber etwas philosophisch festgerannten Brief erhalten, indem er mich um Mittheilungen von Kunstansichten bittet (Brentanos Ges. Schriften 8, 143). Der Blasebalg der Liebe ist noch immer stark im Gang, und verfolgt alle poetische Jünglinge.

Daß Savigny höchst wahrscheinlich zu unsrer großen Freude an die Universität kömmt, hat Euch Arnim wohl

[1]) d. h. Gräfinnen und Prinzessen.

schon gemeldet, wir sehen dem Abschluß der Verhandlung ängstlich entgegen. Ich werde Anfangs Mai nach Bukowan gehen, wo Savigny auch hin will. Wenn Sie böhmisch könnten, könnten Sie wieder mitreisen. Schreiben Sie doch dem Christian (Brentano, der damals in Bukowan war) einmal wegen Aufsuchung böhmischer Sagen oder Empfehlung eines Prager Gelehrten oder Bibliothekars. Seine Adresse ist bei Hofrath von Altmann in Prag. Louis' Bettinensbild (Goethe und die Brüder Grimm S. 52) sieht aus, wie eine hochschwangere arme Sünderin, die im Block sitzt; gleicht es nicht der verruchten Mamsell Klein? mir ist es recht widerlich. Göthe mag sagen, was er will, denn es ist zu bedenken, daß er wenigstens ein halb Jahr dran gearbeitet. Er war in Landshut, um Savigny und Gundel auch zu machen. Ihr habt wohl gehört, daß Meline einen Frankfurter Senator Guaita geheurathet (am 8. Januar 1810), auf der Schule nannten wir ihn den Wonneschiffer, weiter weiß ich nichts von ihm, er kann den Engel sein Lebtage nicht verdienen. Herzlich bitte ich um ein klein Verzeichniß der Bücher, die noch bei Ihnen sind, machen Sie es mit Muße. Wenn Ihr einmal Frote dramatische Werke, hier übersetzt Nicolai 1796 4 Bändchen, erhalten könnt, so kauft sie, sie sind sehr originell. Grüß Euch Gott sämmtlich. Clemens Brentano."

Die scheinbar so unschuldige Bitte um ein Verzeichniß der noch in Cassel zurückgelassenen Bücher bürdete den Brüdern eine schwere Arbeit auf, die ihnen Zeit und Mühe kostete. Ich glaube, daß die Aufstellung, die sie machten und der Nachlaß heute nicht enthält, die wesentliche Grundlage des Auctionskataloges geworden ist, nach dem Brentano 1819 seine Büchersammlung in

Berlin versteigern ließ. Immer noch, bis in den April 1810, kam keine Antwort von Wilhelm Grimm. Da gab das Eintreffen Reichardts und die Besorgniß, die Februar-Sendung könne verloren gegangen sein, den Berliner Freunden Veranlassung, ein paar neue Zeilen nach Cassel zu richten. Auf Arnims Briefblatt (Arnim und die Brüder Grimm S. 56) schrieb Clemens am 4. April 1810: „Unser letzter Brief, den wir verloren fürchten, scheint uns so weitläuftig und erschöpfend gewesen zu sein, daß wir jetzt nicht mehr viel dran wagen wollen. Ich melde also, daß die Alte (Aufwärterin) Grimmen eben auf die Post will und diesen Brief mitnehmen, ich habe gestern gesehen, daß sie ein (Oster-)Ei in ihr Bett gelegt, worauf Dein Namenszug als Hahnenstich war, und das ist gewiß wahr. Du wirst doch bereits wissen, daß Savigny den Ruf auf die hiesige Universität angenommen, und daß wir eben auf seinen Brief warten, ob er schon Ostern seinen Abschied bekommen kann und gleich herkömmt, oder bis Herbst erst, Bettine kömmt mit. Bleibt er Ostern noch in Landshut, so gehe ich mit Arnim in einigen Wochen nach Landshut, sobald dessen Oheim (Graf Hans Schlitz) von Paris zurück ist und er seine Geschäfte, da die gute Großmutter (Frau von Labes) vor drei Wochen (10. 3. 1810) gestorben, mit ihm auseinander gesetzt hat; kömmt Savigny aber schon auf Ostern, so gehen wir ihm nach Bukowan entgegen, da hättest Du in einem Fall eine schöne Gelegenheit, zu Louis nach München zu reisen und viel abzuschreiben, äußre Deine Wünsche drüber an uns, und wir könnten Dich in Halle treffen. Reil kömmt auch Ostern schon hierher, Steffens hat auch Hoffnung[1]).

---

[1]) Ueber die sich anschließende Partheinahme der Berliner

zum Todlachen, aber zum bei Dir behalten ist, daß ich neulich zum Bierschwitzer (Hitzig) komme, der mir ein Packet Gedichte zeigt, die ihm eine anonyme Dame mit einem unendlich gezierten blüthevollen, eitlen Brief (gesendet); ich sehe hinein und sage: die sind von Caroline Engelhard. Er kannte sie nicht, und sieh da, er fragte mich: an wen soll ich die Gedichte zurückschicken? und zeigte mir den ausgestrichenen (von ihm selbst aus Discretion) von ihr angegebenen Namen eines Handelshauses. Wie groß war unser Gelächter, als ich ein daliegendes Päckel Gesellschaftsknaster von Richter und Nathusius vorzeigte und ihm diese Adresse rieth. Ist es nicht der lächerlichste Zufall, daß die Anonyme grad zuerst mir in die Hand fallen muß? Die Steffens hat hierher an die Alberti geschrieben, Du habest ihr gemeldet, Auguste sei wieder in Allendorf und denke wieder zu heurathen. Ist's Spaß oder Ernst? hast Du was dergleichen gehört? schreib, was Du weißt. Ich arbeite jetzt täglich einen halben brabänter Staab Romanzen. Werde ich das Verzeichniß meiner Bücher erhalten? Lebewohl und laß Dir's gut schmecken. Dero Clemens."

Am 12. April 1810 erfolgte nun von Wilhelm Grimm die Antwort, an Arnim (Arnim und die Brüder Grimm S. 57) sowohl wie an Clemens. An Arnim sachlich, literarisch; an Clemens persönlich, humorvoll. Er meldete, daß er durch Buchhändlergelegenheit ein Packet seltener Bücher für Arnim und Clemens absenden werde, und schrieb an den letzteren besonders: „Lieber Clemens. An der langen Verzögerung meiner Antwort hat nichts Schuld, als die Verfertigung des Catalogs Ihrer Bücher.

Abendblätter für Steffens vgl. Heinrich von Kleists Berliner Kämpfe S. 309, 311.

Mit dem Ferdinand, der oft in ein paar Tagen kein Wort spricht, ist gar nichts anzufangen, und weil die Bücher in der kalten Kammer stehen, so wollt ich mir einen warmen Tag machen, endlich folgt er nun hierbei. Also Ihren und Arnims Brief (vom Februar 1810) sammt den Einlagen hab ich mit großer Freude empfangen, recht lieb war mir Arnims Bildniß, das wir gern aufgehängt hätten, wenn es, ohne es zu verderben, hätte geschehen können[1]). Wie viele werthe Dinge hat es mir wieder vor Augen gestellt! Ich will nur das so vortreffliche Streichholz nennen und die Aussicht nach den Fenstern der Kirschenstein werfenden Mägdlein. Ach Gott! ich habe dich müssen lassen, Berlin, du wunderschöne Stadt, und den Läbensgenuß, der nun mit dem geistigen so schön verbunden ist, und mit dem kunstreichen des theuern Reetzensteen! Hier geht es still zu, wir haben kaum mit ein paar Orgelleuten, einem Kirchendiener, der jedermann und bei zehn Schritten oft zwanzigmal den Hut abzieht, und einem gegenüber wohnenden Juden unsern Spaß. Oefters als uns lieb werden wir von dem Engelhard besucht, der recht gut und gescheidt auch ist, der einem aber bei jedem Gespräch scharfe Degenspitzen von Grundsätzen und Meinungen entgegenhält, so daß man weder mit ihm reden noch angenehm sein kann[2]). Nach ihm gibt der Hundeshagen den Palast des Barbarossa in unserer Vatermörderstadt Gelnhausen für 9 fl. Subscription heraus. Zu der Lullu (Jordis) geh ich auch selten, wenn man hinkommt, sieht man in einem mit drei-

[1]) Dies Bildniß Arnims ist nicht erhalten.

[2]) Vgl. meinen Aufsatz „Daniel Engelhard, der Architekt der Wahlverwandtschaften", im Jahrbuch des Freien Deutschen Hochstifts zu Frankfurt a. M. 1912, S. 308.

fach seidenen Vorhängen drappirten, mit türkischen Teppichen belegten, und mit pariser Möbeln ausgezierten Zimmer eine Gesellschaft Franzosen vor einem ächt marmornen Camin sitzen. Der Jordis unterhält sich mit ihnen in einem satten, reizlosen Uebermuth oder in einer kriechenden Höflichkeit, etwa über seine neue Kugellampe, über die Bilder der Lichtschirme, und schüttet eau de Cologne auf heiße Platten. Wenn man Lust hat, kann man den Mahagony-, mit Goldborten besetzten Blasbalg ergreifen und das Feuer anblasen. Die Lullu sitzt in einem rothen Sammetpelz neben dem Feuer, packt mit der Kluft einen Grafen, der etwas eingeschlummert, an der Nase, erhält sich mit Witz, und scheint ebensowohl eine Verachtung als einen Reiz für dieses Leben zu empfinden. Gewiß aber ist sie unglücklich und dauert mich sehr; denn was ist trauriger als dies Aufrechterhalten durch blos den Witz. (Folgen Angaben über das schon der Frau Steffens mitgetheilte Gerücht, daß sich Auguste angeblich wieder verheirathen wolle.)

Als ich vor einiger Zeit bei der Eröffnung des Reichstags (am 28. Januar 1810; Westphälischer Moniteur Nr. 13) in den neuen prächtigen Ständesaal gehe, hängt sich auf einmal eine aus dem Wagen gestiegene, mit Blumen geputzte Dame an meinen Arm, sie hineinzuführen. Es war niemand als die Madame Engelhard, die ihre Balsambüchsen-Apothek früh in Ordnung gebracht und mit ansehn wollte. Auf dem kurzen Weg erhalte ich einen Auszug von ihrem seit meiner Abwesenheit erlebten Leben und geschlachteten Schweinen, den Anspruch mehr bei ihr zu Haus mir erzählen zu lassen, und ihre Gewogenheit aufs frische. Neulich ruft sie mich hinein, die Bilder ihrer Kinder zu sehen, die eben angekommen. ‚Das ist die

Nathusius mit ihrem Kind, so denke ich mir die Venus mit dem Amor!" spricht sie in voller Ueberzeugung. Da war nun auch die Caroline, die hatte sich heimlich malen lassen, und zwar wie folgt: sie steht in einem tiefblauen Kleide und stützt den linken Arm auf einen Anker, in der Hand hält sie eine Schlange, die sich in den Schwanz beißt, die rechte trägt emporgehoben einen Palmzweig, ihr Haupt aber und die Augen sind zum Himmel gerichtet. Hinten war ein Vers von Duldung, Glauben und Errungen angeklebt. Nichts ist toller, als das sinnliche, fleischliche Gesicht in den heiligen Umgebungen, und schon jedem der sie nicht kennt eine komplette Carikatur. Ich sagte ihr, es sei schlimm, daß sie das Bild nicht aufhängen könnte, denn wenn die Caroline wieder käm und unter dem Bild sich häuslich machte, z. B. durch Schönfärbereien, so müßte sie oder das Bild sich schämen, vielleicht wolle sie in dem Kloster, das Nathusius erkauft, ein Erziehungsinstitut anlegen, und die Palme sei symbolisch die Ruthe rc. Es ist jammerschade, daß der Hitzig (oben S. 93) ihre Gedichte nicht verlegt, welch ein schönes Titelkupfer hätte das Bildniß gegeben! wäre es denn sonst nirgends anzubringen?

Die Lullu sagt, daß Savigny schon Ostern abgehe, mithin wird aus Ihrer Reise nach München nichts werden. Mitzureisen würde freilich viele Wünsche von mir erfüllen, allein auch andere natürliche Gründe müßten es mir abschlagen. Wenn Sie Ihre Sachen von Landshut kommen lassen, so sein Sie doch so gut, nicht die Uebersetzung der italienischen Märchen von der Auguste zu vergessen, die Sie uns mittheilen wollten, es wäre mir ein gar zu großer Gefallen. Auf den Schneider Jonas von der Funkenburg (oben S. 87) bin ich sehr begierig; wenn das Buch nicht groß ist, so wäre wohl eine Abschrift möglich? oder ein Leihen auf einige Zeit? Wir haben dem Christian schon vor einiger Zeit nach Bukowan geschrieben wegen Volkssagen und -Bücher, wenn Sie hinkommen, grüßen Sie ihn und wiederholen Sie unsre Bitte, vielleicht hat er auch schon etwas. Ist nicht Ihres Bruders (Franz) Frau (Antonie, geb. v. Birkenstock) jetzt in Wien? Vielleicht machen Sie eine Reise dahin, wo viel zu entdecken wär, (Johannes v.) Müller hat behauptet, es sei ein altdeutsches Gedicht da: der Herzog von Aquitanien, das wäre vor allen wichtig. Ich freue mich sehr auf Arnims beide Bücher, lassen Sie Ihre Comödie (oben S. 83) nicht drucken? und Sie wollten ja auch nach Hamburg (zum Maler Otto Runge) wegen der Bilder zu den Romanzen.

Sie meinten, ich sollte Pistors und Albertis einen Gruß schreiben, so habe ich es der kleinen Betty (Pistor) aufgetragen, um an alle auf einmal zu schreiben, sonst weiß ich nichts zu sagen von meinem Leben, und was sie wissen wollen, das können Sie ihnen sagen. Ich wünsche sehr hier eine Bekanntschaft zu haben, wo es so gemüthlich, ungenirt und angenehm wäre, und denke immer mit herzlichem Dank an Ihre Freundlichkeit. Leben Sie wohl, lieber Clemens, und behalten Sie mich lieb. W. C. Grimm. Einen großen Gruß vom Jacob. (Am Rande:)

Der Herr von H. wird sich wahrscheinlich in der Zeit wieder gefunden haben, daß ich nicht zu sagen brauche, daß ich (ihn) nicht mitgenommen. Das Buch ist ebenso reizend als eine Anatomie."

Schon am 25. April 1810 hatte Wilhelm Grimm eine neue, eben durch einen Courier eingelaufene Nachricht über Auguste zu melden, worauf er fortfuhr: „Wir haben in diesen Tagen durch Steffens' Empfehlung einen Berliner zum Besuch gehabt, den Varnhagen, ein Mensch der mir aus allen Kräften zuwider ist, und auf dem Leben mit einer matten, geistlosen Frechheit steht. Stoll ist ihm sein Höchstes, der durch ein Mirakel seine Stimme über Nacht wieder erhalten und nun im tiefsten Baß redet. Auf Werner schimpft er dagegen unmäßig. Es scheint, nach dem was er spricht, als ob er seinen Lebensbaum, an dem auch nicht ein einziges frisches grünes Blatt hängt, mit allen möglichen Erfahrungen ausputzen wolle. Von Savigny haben wir gestern einen lieben Brief (vom 12. April 1810) erhalten, und daß er gedenkt in sechs Wochen in Berlin zu sein. Vielleicht sind Sie auch schon abgereist und der Brief trifft Sie nicht mehr. Ich hoffe, Sie haben mein letztes langes Schreiben richtig empfangen. Louise (Reichardt) schreibt mir, daß Runge eine gefährliche Brustkrankheit habe und man für ihn fürchte. Wie stehn Sie denn wegen der Zeichnung zu den Romanzen mit ihm (unten S.100)? Es wär doch ewig traurig, wenn Runge sterben sollte, von dem auch Louise nicht gut genug schreiben kann. Leben Sie wohl, lieber Clemens. Sein Sie und Arnim aufs herzlichste gegrüßt von uns beiden. Ihr getreuer Wilhelm."

Brentano war mit Arnim gerade in der Vorbereitung auf die Reise nach Böhmen, der Familie Savigny und Bettinen entgegen, als das Schreiben ankam. Rasch dankte er noch, am 8. Mai 1810, Wilhelm für die beiden letzten Briefe und die Nachrichten über seine Frau. Recht dringend bat er ihn, sich gegebenen Falls unter Umschlag sogleich an Pistors Adresse zu wenden, der ihm die Briefe besorgen würde, wenn er mit Arnim schon nach Bukowan abgereist sein sollte, und fuhr fort: „Bettine hat geschrieben, daß Savignys über Salzburg und Wien reisen und Ende Mai in Bukowan einzutreffen denken, wo wir auch in vierzehn Tagen etwa hinzureisen gedenken. Es hat einige Möglichkeit, daß ich auf einige Wochen von Böhmen nach Wien gehe; was ich dort für das Ihrige thun kann, soll so viel es meiner Natur nur irgend möglich ist, geschehen; wollen Sie mich in Ihrem ersten Brief näher darüber instruiren, so wird mir es sehr angenehm sein. Vielleicht wird aber auch nichts daraus. In Prag suche ich aber gewiß alles aus. Haben Sie Docen jemals über einen Band Volksbücher in München gefragt, ich glaube, es ist ungrisch oder böhmisch? Ich habe Ihnen, glaube ich, den Namen aufgeschrieben.

Arnims Roman (Die Gräfin Dolores), wo er am Ende wieder viel scherzendes Gemisch von der Nachahmung des Heiligen hat, wird in dieser Woche fertig, Sie erhalten Ihr Exemplar durch Buchhändlergelegenheit nebst dem Ayrer durch Reimer. Arnim wünscht, daß Sie das Buch sogleich für die (Heidelberger) Jahrbücher recensirten, damit kein Schuft drüber kommt. Es ist unendlich viel vortreffliches und originelles drin, nach meiner Meinung wäre es ganz vortrefflich, wenn ein Drittel eingeknüppeltes, störendes weggestrichen würde, sodann kann wohl kein Mensch Rechenschaft von der Lebenslänge der Personen drinne geben, und weiter ist kein einziger Charakter drin, der mich nicht etwas widerte, die Weiber aber sind mir sämmtlich ganz zuwider, die Episode von der Päpstin Johanna und das Puppenspiel finde ich das Vollendetste, was Arnim je geschrieben, die Einmischung des Hollin ist mir ganz zuwider und ekelig, der Ring ist verbessert (gegen Einsiedlerzeitung Nr. 17), und der Hylas recht schön, doch ist ein gewisses Ideen-Blüthenalter der Empfindsamkeit drin, das mich etwas widert, wie wenn ich viel süßen Kuchen esse, das Ganze ist ungemein originell und reich, hie und da aber über die Maßen leichtsinnig hingeschrieben [1]). Halle und Jerusalem ist der erste Theil beim Abschreiber, der zweite noch in der Feile, dann bekömmts Zimmer. Alles Dramatische ist vortrefflich bei ihm, und in der Erzählung ist er blos darum unvollendet, weil er häufig ins Dramatische fällt und alle Uebergänge vergißt.

Runge hat mir soeben geschrieben (Ges. Schriften 8, 158), daß er die erste Sendung meiner Romanzen erhalten, aber Krankheit halber noch nicht lesen könne, er versichert mich, daß er außer Gefahr sei, aber schreibt rührend von seiner Abspannung und dem Ekel vor allen Arbeiten. Von Halle haben wir vernommen, daß (Karl von) Raumer weitläufig geschrieben, Fritz (Reichardt) müsse das Institut (Pestalozzis in Yverdun) verlassen, denn er habe sich überzeugt, das Ganze sei elend und gar nichts werth, und er gehe selbst weg. — Hier ist alles beim Alten, Pistors grüßen herzlich, leben Sie wohl, von Böhmen ein Mehreres. Ich mahle jetzt noch geschwind das Schelmufski-Gespill aus, um den Christian zu erstaunen, dem Bauch der erscheinenden Charmante habe ich bereits Butschbacher Façon gegeben. Leben Sie wohl, gesegnet seien die Söhne Jacobs, grüßen Sie Lulu. Ihr Clemens Brentano. (Nachschrift:) Seit dem ersten Mai schreibe ich alle Morgen meine und Arnims Träume in ein großes Buch, es liest sich äußerst wunderbar nach, und ich denke, wenn es ein Jahr gedauert, einen großen Roman draus zu schreiben;

---

[1]) Die Gräfin Dolores habe ich, unter Ausscheidung des Ueberflüssigen und Entbehrlichen, in der Arnim-Ausgabe des Inselverlages, Leipzig 1911, herausgegeben.

schreiben Sie die Ihren und Jacobs doch auch auf, wir lesen es uns einmal vor, es ist ungemein lustig."

Es folgte noch aus Cassel vom 21. Mai 1810 ein an „Arnim und Clemens" gerichtetes Schreiben Wilhelm Grimms (Arnim und die Brüder Grimm S. 60), das eine Büchersendung begleitete und nach Reichardts Aufenthalt in Berlin fragte. Nachdem dann bei ihm Clemens' Brief vom 8. Mai eingegangen war, unternahm er einen Ausflug nach Allendorf und erfuhr, daß Auguste sich in Hof, drei Stunden von Cassel, bei dem Pfarrer Fenner aufhalte. Am 2. Juni 1810 gab Wilhelm dem Clemens nähere Nachricht, wie es mit ihr stehe, und schloß: „Von mir nun einige literarische Bitten, falls Sie nach Wien kommen. In dem obern Manuscriptenzimmer soll sich ein Manuscript vom Herzog von Aquitanien finden nach J. Müllers Angabe (oben S. 97), wovon mir eine Nachricht und, wenn es klein, eine Abschrift oder ein Stück davon höchst erwünscht wäre. Ferner von folgenden dort angeblich vorhandenen Manuscripten: Seyfried. Dieterich von Bern. Der Minneberg. Vom Ritter Constans und Riparosa. Sodann enthält Codex 6 (oder als cod. Ambras., d. h. von dem Schloß Ambras Nr. 426) Füttrers Werk, ein Cyklus, darin auch der Lohergrim. Codex 45 (cod. Ambras. 436) Anonymi fabulosum de Merlino. Codex 119 (Ambras. 428) eine Erzählungen-Sammlung vom Conrad von Wirzburg, collectio variorum poematum, Fol. 39. Das 20. Stück enthält die Geschichte des Tanhäusers, die ich gern hätte. Wenn eine Abschrift des ganzen Manuscripts nicht zu theuer käm, so nähme ich sie wohl gern, um einmal alle deutschen fabliaux zu ediren. — Ich bin sehr für Göthes Pandora eingenommen, es ist ein eigenes

Feuer darin, das nicht in allen spätern Dichtungen. Es ist ebenso wohl eine große Allegorie als eine zarte unschuldige Dichtung, dann sind wieder alle Richtungen der menschlichen Bildung dargestellt, und es ist eine poetische Culturgeschichte. Reizend ist die Elpore als Morgenstern. — Sind Sie bei Arnim, Savigny, Bettine, so grüßen Sie alle aufs herzlichste von mir und Jacob. Den Tod des Engels, der kleinen Anna (Steffens), werden Sie gehört haben, er hat mich gar sehr betrübt. Leben Sie wohl, Ihr Wilhelm C. Grimm. (Am Rande:) Arnims Buch (die Gräfin Dolores) hoffen wir bald zu erhalten." Auf der Rückseite fügte Jacob noch seine Grüße und Ansicht über die Möglichkeit einer Trennung zwischen Clemens und Auguste hinzu. Die Aufträge Wilhelms für Wien wurden hinfällig, da Brentano und Arnim diese Stadt nicht aufsuchten.

Den Brief empfing Brentano noch in Berlin, eben wie er mit Arnim (Arnim und die Brüder Grimm S. 63) nach Böhmen abreiste. Lange blieben die Brüder Grimm ohne Nachricht, obgleich in der Zwischenzeit einige Zuschriften und Zusendungen, unter der letzten die „Gräfin Dolores", hin und herliefen. Arnim und Brentano hatten die Familie von Savigny mit Bettinen, die in Wien Beethovens verehrende Freundin geworden war, wohlbehalten in Bukowan angetroffen und Savigny allein über Prag mit nach Berlin zurückgenommen, um eine passende Wohnung für sich und die Seinigen auszumitteln. Dann ging Savigny wieder nach Böhmen zurück und holte die Seinigen nach Berlin ab, unterwegs Goethe in Teplitz besuchend. Nun lebten die nah verbundenen Menschen wieder alle an einem Orte beisammen. Inzwischen war von Jacob Grimm am 1. August 1810 wiederum folgender Brief an Brentano aufgegeben worden: „Lieber Clemens. Wir hören seit dem letzten Brief an Sie, der schon lange fort ist (seit 2. Juni), auch gar nichts mehr von Ihnen; wenn Sie glaubten, wie oft wir an Sie und Ihre Angelegenheit denken, so vergäßen Sie nicht, uns mit wenigem davon zu berichten, es thut einem leid über etwas, wovon man acht Tage lang stündlich, untereinander geredet hat, hernach ein Vierteljahr keine Silbe zu hören. Vielleicht ist aber auch ein Brief verloren oder wo liegen geblieben.

Wenn das alles gut geht, so bin ich am meisten begierig auf die literarischen Ausbeuten in Böhmen und Oestreich, woran es Ihnen nicht gefehlt haben wird. Dem Christian hatte ich einmal geschrieben, um böhmische Volksbücher, haben Sie nichts von ihm gehört oder uns nichts mitgebracht? Neulich haben wir einen glücklichen Transport dänischer und darunter auch schöner Volksbücher erhalten; an den holländischen sind bisher alle meine Versuche gescheitert, und Sie wissen, daß ich wegen Ihres Abzugs von hier nicht einmal Zeit hatte Ihre Schätze durchzulesen, namentlich Margaretha von Limburgh und den Ritter mit dem Schwan. Nun habe ich vor einigen Tagen nochmals einen Brief und zwar in der Angst meines Herzens einen zierlich lateinischen an einen gewissen Henrik van Wyn abgehen lassen, der vielleicht schon gestorben ist und vor zehn Jahren ein nicht ungelehrtes, aber sonderbar dialogisirtes Buch über die altholländische Literatur geschrieben hat, unter dem Titel: hist. & letterkundige avondstonden. Es kommt darin eine Dame vor, die, da sie nicht selber in den gelehrten Dingen mit kann sprechen, einen großen Eifer gleichwohl durch Ausrufungen und Bitten zeigt, welches sich in dem verwünschten Dialect lächerlich ausnimmt, z. B. (über die Bardengesänge) o hoe staatig, hoe grootsch, hoe aandoenlyk, hoe roerend, hoe verrukkend, hoe onwederstaanbaarlyk zyn die gezangen! hoe verplaatst (versetzt, man denkt immer an zerplatzen) zig myn hart int midden der donkere wouden! ach! zeg my, zo gy kunt, Volkhurt (der angenommene Name des Verfassers) zeg my iets meerder van onze germanische barden! pp. Er antwortet, davon te zeggen, myne waarde, ist mir nicht doenlik pp. Das ist auch ein Bardenschauwerere.

Von Görres (8, 105) habe ich neulich einen angenehmen Brief erhalten, ich hatte ihm besonders wegen des koblenzer Manuscripts von Tristan, wovon Sie so oft erzählt, geschrieben, das wird aber von zwei alten Katzen und einem Kater so bewacht, daß es sogut wie verloren ist und Görres es nicht einmal hat ansehen dürfen. Uebrigens soll es bestimmt kein Manuscript, sondern ein alter Druck sein, schreiben Sie mir also doch, ob Sie es je selbst gesehen, oder nur davon gehört haben? so muß sich der Zweifel gleich entscheiden. Zwei altdeutsche Bücher, die Görres jetzt drucken läßt — in Coblenz den Lohengrin, in Hamburg bei Perthes die Haimonskinder, beide nach vatikanischen Gedichten — sind mir außerordentlich erwünscht, und es ist gut, daß so etwas außer der Hagenschen Sammlung geschieht. Görres' Mythengeschichte ist ein vortreffliches, schweres Buch, das durch ihn selber gewiß noch viel klarer werden wird.

Haben Sie der Polier Werk über die indische Mythologie noch nicht gelesen, so thun Sie es ja, es ist voll wunderschöner Sagen und Geschichten, die Ihnen großes Vergnügen machen werden. Wenn Sie hier wären, so könnten Sie uns eine Menge Plane zu unsern vielen machen helfen, wir wollen ein Haus bauen, wenn wir dazu den Platz kriegen, den wir wollen, das Geld wird geborgt, so versteht sich.

Denken Sie, Hundeshagen hat einen Fund gethan, das Gedicht von Alpharts Tod, das er seinem halben Namensverwandten (d. i. von der Hagen) zum Druck überlassen hat, welcher davon schreibt, es komme den Nibelungen am nächsten. Wenn Sie, Mann, Mann — wie immer der selige Weiß sprach, wenn Sie ihm eine gewisse Romanze singen sollten — dergleichen in Böhmen entdeckt hätten, so ließen Sie auch eher daran Leute Theil haben, die wie Sie ein ehrliches r im Namen führen, und keinen Hagen, Büsching, Docen. Leben Sie wohl, Ihr treuer Jacob Grimm." Und dazu die spaßhafte Nachschrift: „Kann ich auch mit getrocknetem Obst und etwas Zwetschen aufwarten, so will ich es auch gern thun. Wilhelm Grimm."

Am 26. August 1810 schrieb Wilhelm Grimm rasch noch einmal, was er weiter über Auguste gehört hatte, freilich ziemlich unbedeutende Nachrichten, die aber doch vielleicht für Clemens Interesse haben konnten, und fügte daran das Folgende: „Vor etwa vier Wochen ist ein Paquet Geld auf der Post für Savigny nebst Briefen an Arnim abgegangen, wir hoffen, daß es richtig angelangt ist. Die Gräfin Dolores haben wir noch immer nicht erhalten, kein einziger der hiesigen Buchhändler und Dieterich in Göttingen wahrscheinlich auch nicht hat sie erhalten: Arnim sollte einmal Reimer fragen, ob er das Buch nicht richtig überall hin versendet hat. Eine elende Recension davon hat in der Zeitung für die elegante Welt (No. 148) gestanden, wenn ich mich nicht sehr irre, so verräth der Styl und der seltsam verdrehte geflickte Witz darin den jungen Voß, von dem auch die Recension des

Wintergartens in den Heidelbergern war, und welche, wie ich mich doch nun überzeugt, Spott vorstellen soll. Eine Recension von dem Roman (Dolores) werde ich gern schreiben, um solche Elendigkeiten abzuhalten, sonst weiß ich wohl, daß ich aus keinem anderen Grund ein Recht dazu habe. — Görres' Buch (Mythengeschichte der asiatischen Welt) ist ungemein geistreich, herrlich in der Idee und in mancher Ausführung: so etwas vollkommen auszuführen, dazu ist mehr als ein Menschenleben nöthig, und darum ist mancher Irrthum im Einzelnen verzeihlich, z. B. wenn er auf eine mit Runen geschriebene nordische Sage baut, von der man weiß, daß sie gemacht ist, da Runen nie zur Schrift sind gebraucht worden. Von Creuzers Mythologie hatt ich mir eine andere Idee gemacht, sie ist hin und wieder etwas steif und ungleich geschrieben, daß es aber doch ein sehr vorzügliches Buch, versteht sich von selbst. Creuzer hat mehr von der Gelehrsamkeit, Görres mehr von der Natur. — Sein Sie herzlich von uns beiden gegrüßt, wie Arnim, Savigny und Bettine. Ihr getreuer W. C. Grimm."

Die beiden Freunde Arnim und Brentano schrieben jetzt auch wieder nach Cassel; Arnims Brief ist gedruckt (Arnim und die Brüder Grimm S. 69), Clemens schrieb aus Berlin, 3. September 1810: „Herzliebster Wilhelm & Jakob! Ihren ersten Brief über Augusten (vom 2. Juni) erhielt ich in dem Augenblick, als ich mit Arnim in die Kutsche stieg, nach Bukowan zu reisen, und ich las ihn vor dem Thor im Sand sehr bequem und mit großer Rührung über Ihre thätige Theilnahme. — Daß Ihnen bis jetzt noch nicht auf diesen, noch Ihren späteren mit dem Geld, das Savigny empfing (oben S. 105), geantwortet ist, darin liegt keine Art von Undank, sondern viel

Unruhe in der letzten Zeit[1]). In Böhmen war ein so wüstes Treiben, an keine ruhige Minute zu denken; dann ging Savigny allein mit uns her und wohnte auf Ihrer Stube (oben S. 75) und richtete sich erst eine Wohnung ein. Nach drei Wochen reiste er weg, und nun kamen meine Bücher hier an, und ich kramte den ganzen Tag. Jetzt aber kam Savigny mit allen wieder, und da war auch einige Zerstreuung. Doch lag in den letzten Tagen meine Schuld schon stark auf meinem Gewissen. (Folgen Mittheilungen über den Stand der Scheidungsangelegenheit.)

Nun hätte ich Euch noch vieles zu erzählen, was mündlich freilich besser ginge, vor Allem aber, daß Eure Hoffnungen von mir, in Hinsicht litterarischer Ausbeute in Wien, blos durch meinen Willen, nicht hinzugehen, gänzlich vereitelt worden, ich habe einen ganz eignen Widerwillen, in irgend einem neuen Kreis aufzutreten, denn ich habe mich bereits zum Ekel in der Welt explizirt. In Bukowan ist eine wilde, wunderbare Gegend, das ganze Terrain liegt so hoch, daß zehn Minuten hinter dem Schloß auf einem Berg, Ptetsch genannt, ein Panorama von dreihundert Stunden im Umkreis zu sehen ist, eine Stunde von uns berührt unser Terrain die Moldau mit einem Dorfe in tiefem Felsengrund, und wenn wir

[1]) Savigny, Berlin 1. October 1810: „Ich erzähle Ihnen erst jetzt, lieber Grimm, den Empfang Ihres Briefes und des Geldes, weil ich bisher durch vielfältige häusliche Einrichtungen beständig gestört und zerstreut worden bin. Ich bin ganz Ihrer Meinung, daß es gut sein mag, den Ludwig noch einige Zeit in München zu lassen. In Wien wird die Akademie als Lehranstalt vorzüglich gerühmt, und wenn diese Zeit kömmt, wovon Sie mich nur vorher benachrichtigen müssen, kann ich ihm auch durch Addressen dorthin behülflich sein. Schwerlich wird er sich dort so an Einen menschlich binden, wie jetzt an Heß, schon deshalb weil sich so etwas schwer wiederholt."

hin wollen und immer bergab gegangen, treten wir endlich in ein kleines romantisches Jägerhaus, auf der Spitze eines steilen Felsens, von dem etwa acht Minuten herab wir auf unsere Dorfs Tiechnitzsch Dächer und die wunderbar gekrümmte wilde Moldau sehen. Uebrigens ist außer dem Erstaunen an der Natur keine Freude dort zu holen. Die Böhmen, welche kein Wort deutsch können, sind ein ganz unbeschreiblich häßliches, boshaftes, dummes und diebisches Volk, wir können kaum die Räder am Wagen behalten und die Pflüge werden oft gestohlen; auf dem Schlosse ist täglich Execution, und Knechte und Mägde gehen in Eisen auf den Acker, die östreichische Justiz ist die elendeste und niederträchtigste, und ich habe besonders durch meinen Aufenthalt in Böhmen einen solchen Widerwillen gegen diesen Staat gekriegt, daß ich nicht nach Wien mochte. Christian ist dabei in einen traurigen Zustand von Hoffahrt, Faulheit und Bizarerie gefallen, daß schwer mit ihm umzugehen ist, und daß er einem innerlich leid thut, ohne daß man es sagen darf; und wenn ich wieder einmal bei Euch theuern Freunden bin, kann ich Euch die tollsten Geschichten erzählen. Das ganze Land ist eine wunderbare Abwechselung von reichen neuen Schlössern, ungeheuren Kirchen, Berg und Thal und Teichen, Wallfahrten begegnen einem von allen Seiten, alle Bauern küssen einem den Rock, und die Kinder knien nieder, wo man vorüber fährt. Es ist oft so schön hier, daß man den Rhein vergißt, und doch mag ich nicht da leben, denn die Zigeuner sind alle zum Galgen reif und gar nicht romantisch.

In einem Wallfahrtsort habe ich Ihnen auf der Rückreise zwei Dutzend Volksbücher nicht ohne Mühe gekauft, erstens weil ich kein Wort von der Sprache verstehe, zweitens weil mit Arnim auch gar nichts bei solchen Gelegenheiten zu machen ist, der sich die Mühe nicht gibt, sich um dergleichen zu bücken, und ohne Ursache weiter trieb. Sie erhalten sie, nebst zwei Büchern des Dobrowsky über Slavische Literatur nur für Sie gegeben mit dem Postwagen. Dobrowsky ist ein guter alter gelehrter, verwirrter, ungemein dienstfertiger, zu Zeiten mit Geisteszerrüttung geplagter Hannepampel, der eine schöne Bibliothek hat, worin manches altteutsche sein mag, die ich aber nicht gesehen, da er im Begriff war zu verreisen. Er sagte mir, daß er alte böhmische Volksbücher habe, und Sie können sich förmlich in gelehrten Briefwechsel mit ihm einlassen; er ist gar gutmüthig[1]). In Nickols-

---

[1]) Jacob Grimm an Josef Dobrovsky, Cassel 20. 3. 1811: „Ich bin, verehrter Herr, halb beschämt, daß ich erst jetzt an Sie schreibe und meinen großen Dank abtrage für Ihren Slavin und Glagolitica, welche Sie voriges Jahr meinem Freunde Brentano für mich geschenkt haben, und die mir freilich erst, ich weiß nicht aus welchen hindernden Ursachen, vor einigen Monaten zugekommen sind. Beide haben in mir mehr Lust zu der slavischen Sprache und Literatur erregt, als es vorerst mit meiner anderwärts besetzten Zeit vereinbar ist, aber aufgeben werde ich das Vorhaben nicht, um so weniger, als mir Brentano eine Anzahl böhmischer Volksbücher gekauft hat, welche doch nicht alle aus dem Deutschen übersetzt sind und für das Studium der Poesie des Mittelalters nicht ohne Bedeutung sein können. — Ich wende mich zu einer großen Bitte. Nachrichten, selbst ganz kurze von altdeutschen Handschriften, bloße Angabe des Hauptnamens darin, des Anfangs und Endes wären mir höchst erwünscht und bedeutend. In Nicolsburg sollen mehrere unbekannt liegen. Ihre allgemein bekannte Liberalität und Gefälligkeit verbürgen einander. Brentano theilt mir ein Blatt mit, worauf Sie selbst aus einem Catalog (der Fürst Dietrichsteinischen Bibliothek zu Nikolsburg) .. Nummern angeben rc." Sauer in den „Prager Deutschen Studien" 1908. 8, 4. — Noch vor den Anmerkungen zur Gründung Prags (1815, S. 412) stattet Brentano dem „Herrn

burg in Mähren, sagt er mir, seien auf der bischoflichen Bibliothek viele altdeutsche Gedichte im Manuscript; da ihn nur das Schlovakische interessirt, habe er sie nicht notirt, doch kann er Ihnen, wenn Sie ihm sehr anmuthig und gelehrt schreiben, vielleicht Nachrichten verschaffen, seine Adresse ist einfach an ihn in Prag, wo er bekannt wie ein bunter Hund. Ich war nur drei Tage und zwar im größten Trubel in Prag, Volksbücher wollte ich noch kaufen, deren unzähliche da waren; Arnim aber, der unsre Kasse führte und das Geld in der Tasche hatte, spazirte in Gedanken weiter und ich konnte nicht kaufen, da ich ihn ganz verlor, die andern Tage war Feiertag, was es schier alle Tage dort ist. Die Stadt ist die herrlichste, größte, die ich je sah, doch ziemlich jesuitisch modern. Ich wollte, Sie wären mitgegangen, gekostet hätte es Sie höchstens 40 Thaler, und Sie hätten viel gelernt.

Arnim hat auf den Tod der Königin (Luise, 19. Juli 1810), aufgefordert von einem ganz unendlich elenden Musikanten (Schneider), in aller Eile eine Kantate geschrieben, die vortrefflich ist, sie ist componirt und aufgeführt worden, die Musik war für jeden Vernünftigen zum Todlachen[1]). Ich habe auch eine geschrieben für mich, um zu sehen, wie wir divergirten, und das ist ziemlich, er endigt mit Halleluja und ich mit: ‚meine Seele ist betrübt bis in den Tod‘, doch ist mir meine ganz lieb und die seine gefällt mir ungemein. Er schickt Ihnen

Abbe Dobrowsky, dem genialen slavischen Sprachforscher" ungeheuchelten Dank ab.

[1]) Vgl. meine Hundertjahrserinnerung „Berlin in Trauer um die Königin Luise" (Deutsche Rundschau, Augustheft 1910); die Cantate findet sich in meiner Arnim-Ausgabe des Inselverlages 3, 281.

einen Abdruck der seinen [1]). Halle und Jerusalem wird jetzt hier für Zimmer gedruckt. Hagen läßt jetzt sein Heldenbuch drucken, Dietrich Bern, der gereimte Siegfried sind schon abgedruckt, Alfart kommt auch hinein, Hundeshagen schrieb ihm, er habe ihn am Todestage Johannes von Müllers in einem alten Schranke seiner Familie gefunden!!! Der Band, woraus er den Seifried abdruckte, ist ein Miscellenband, den ihm Kiefhaber von Nürnberg verschaffte, er enthält außerdem noch eine Menge der schönsten alten Volkslieder. Die Bergkreyen weltlich, und ein Büchlein in Reimen, Historia Peter Lewen von Hall, des zweiten Kalenbergers, den ich angefangen für Sie abzuschreiben, ob ich ihn zu Ende kriege? es ist mir eine entsetzliche Arbeit. Den alten ersten Kalenberger hat Clamer Schmidt, Hagen hofft ihn nächstens von ihm zu erhalten. Wenn Sie nur irgend Etwas herausgeben könnten, was Ihnen einen so lauten Namen wie Hagen machte, so würden Ihnen gewiß alle Manuscripte ebenso zufließen und Ihre Untersuchung erleichtern. Hagen quält mich sehr um den Neidhardt, ich habe ihm aber gesagt, Ihr hättet ihn noch, weil ich weiß, daß Ihr ihn abgeschrieben, und Ihr ihm daher besser mittheilen und dadurch ein Honorar verdienen könnet, schreibt mir darüber, was ich thun soll. Louis' treffliches Portrait der Gundel und mißlungenes Savignys, beide herrlich radirt, wird er Euch gewiß geschickt haben, er ist mit

[1]) Die „Cantate auf den Tod der Königin Luise von Preußen, gedichtet von Clemens Brentano, componirt von Reichardt", wurde in Diel-Kreitens Lebensbild Brentanos (1, 427) aus der Handschrift veröffentlicht; sie endigt aber nicht mit der Bibelstelle „Meine Seele ist betrübt bis in den Tod", die allerdings in den gestrichenen Strophen vorkommt; die Aussage über Arnims Schluß stimmt.

Savigny und mehreren Studenten bis Salzburg gereist, und hör ich lauter Gutes von ihm. Ich wollte, Ihr wäret recht gesund, so wollte ich mit Euch und Louis zu Fuß durch die Welt reisen, und wir wollten zeichnen und abschreiben, ich wollte Euch gern alles geben, was ich habe. Das neueste, was ich weiß, ist, daß Bethmann eine schöne siebzehnjährige, reiche Holländerin, Mademoiselle Bauté, geheurathet hat.

Dieser Brief ist beinahe acht Tage alt, Arnim schiebt das Schreiben immer auf, er verhindert mich eigentlich, weil er immer mitschicken will; ich schließe übrigens heute ab, vieles was ich Euch hätte schreiben können, muß ich ihm übrig lassen. An Halle und Jerusalem wird hier gedruckt. Jean Paul ist nach den neusten Nachrichten so herunter, daß er schier alle Abend betrunken aus dem Wirthshaus getragen wird, und Morgens kann er niemand sprechen, ohne zwei große Gläser Arrac getrunken zu haben. Er hat Arnim für Dolores schriftlich gedankt (Arnim und Brentano S. 360) und darin, ohne es zu wollen, mir ein Kompliment gemacht, indem er den Bernhäuter für das trefflichste Werk erklärt, den er immer wieder läse, obschon er und Cotta drin mitgenommen würden, und von diesem kommt er auf den Schluß, auch in der Dolores sei dasselbe große Talent bewiesen, ho ho! Herr Criticus. Ich habe jetzt angefangen, Kindermärchen zu schreiben, und Ihr könnt mir eine große Liebe erweisen, wenn Ihr mir mittheilt, was Ihr derart besitzet; da ich sie ganz frei nach meiner Art behandle, so entgeht Euch nichts dadurch, und Ihr kommt mir dadurch zu Hilfe. Sendet mir doch, was Ihr habt. Runge ist sehr schlecht, er hat mir den Wunsch geäußert, ihn zu besuchen, was vielleicht geschieht, vielleicht, denn ich bin etwas sehr arm geworden, und wir können uns ziemlich messen. Savigny ist hier der einzige Jurist, alle haben es ausgeschlagen, für Steffens ist wenige Hoffnung hier, Raumer sucht auch hier Brod für Rieckchen. Lebet wohl, Euer Clemens Brentano. (Nachschrift:) Dobrowskys Geschichte der böhmischen Sprache, Prag bei Calve, ein klein Buch, ist mir auf der Reise gestohlen worden, es war für Euch und enthielt Notizen über alte Gedichte."

Brentanos und Arnims Briefe trafen Jacob in Cassel allein zu Hause, da Wilhelm Ende August 1810 eine Reise nach Marburg, Hersfeld, Fulda unternommen hatte, die ihn erst Ende September über Allendorf zurückführte. Jacob beantwortete also die Briefe der Freunde am 24. September 1810 allein; der an Arnim ist gedruckt (Arnim und die Brüder Grimm S. 71), der an Brentano lautet (24. 9. 1810): „Lieber Clemens, für Ihren Brief, worin mich jedes Wort lebhaft an Sie erinnert hat, herzlichen Dank, besonders lieb war mir die Beschreibung von Böhmen, denn nun konnte ich mir Ihr, Arnims und Savignys Leben in der ersten Hälfte des Jahrs deutlich denken; die Freude an dem erworbenen Gut muß Ihnen freilich durch die Leute versalzen werden, ich möchte auch nicht dort sein, so wie mir ein Sommeraufenthalt auf dem Land schon darum lästig ist, weil man, sobald man ein Fenster öffnen will, die schöne Gegend zu genießen, die Stube voll Fliegen und Wespen bekommt. Savigny wird doch die alten Güter bei Hanau behalten? Denn auf den Fall haben wir uns guter Durchreisen zu vertrösten, und Sie, lieber Clemens, wann werden Sie wieder einmal hierher kommen? In Ihrem Leidenshaus (oben S. 7) passiren jetzt keine solche Strohverschüttungsscenen, sondern die Generalstudiendirection hat sich daselbst aufgeschlagen, der alte Lederhose mit seiner ganzen Bibliothek hat müssen ausziehen. Wir wohnen noch immer so (in der Margasse), wir wollten ein Haus bauen, woraus aber zum Glück nichts geworden ist, wir hätten auch alles Geld borgen müssen, allein der Plan war gar nicht übel. Jetzt hat der Wilhelm eine Äpfel- und Birnenborte oben an unsere Tapete zu sinnigem Ersatz angeklebt — d. h. blos in die Ecken, wo keine Schränke stehen, hinter diesen ist sie gleich gespart, woran man gewohnt sein muß; der Ferdinand hat eine lebendige Taube gefangen und die fliegt in der Schlafkammer, aber ohne aus einem gewissen Kreis je zu gehen, herum und ist recht hübsch, außer dem garstigen Schnabel, den alle Tauben haben. Ein katholisches schönes Mädchen wohnt uns gegenüber, dem ich durch seine kleinen Geschwister, die herüber kommen und unglaublich viel Quetschen und Birnen in sich essen, ein Nadelbüchschen und Blumen geschickt habe, die es auch vorgesteckt hat. Es ist eben aus einem Kloster zu Cöln gekommen, lustig und voll rheinischer Complimente; neulich als es bei meiner Schwester war, sagte es beim Weggehen zu mir: es freut mich, daß ich die Ehre gehabt habe, Ihre Bekanntschaft zu machen. Es ist ein Unglück, daß es hierher gekommen, unter hier den Mädchen wird es das alles verlernen. Seine Stiefmutter ist nur zwei Jahr älter, ein blasses, einnehmendes Gesicht, aber doch wie eine schöne Blume, die giftig riecht; der Vater ist ein allerwärts fataler Mann. Hier haben Sie nun eine Localbeschreibung, ich wohne aber, wie ich dem Arnim geschrieben, schon drei Wochen nicht zu Haus (Arnim und die Brüder Grimm S. 71).

Die böhmischen Volksbücher werden begierig erwartet, ich habe mir schon eine Grammatik und das verlorene Buch von Dobrowsky wieder bestellt und dann soll es ordentlich angehen; sobald ich daraus einige Faden ablösen und in einen Brief knüpfen kann, will ich dem Dobrowsky wegen der deutschen Manuscripte schreiben (oben S. 109), aber nur um alles sagen Sie dem Hagen nichts davon, in zufälligem Gespräch, sonst kommt der, schon der Nähe wegen, leicht zuvor, nicht sowohl sein schriftstellerischer Ruf begünstigt den, sondern das Geld, das er für die Manuscripte bietet. Er hat mir eben sehr dringend um den Neidhart geschrieben, ich glaube, er traut nicht recht, denn dabei steht: ‚wir möchten doch neben der Abschrift das Manuscript selbst mitsenden, es ließe sich so leichter und sicherer nachcorrigiren'. Nun schreiben Sie mir doch, mit welcher Lüge ich aushelfen soll, ohne Sie und mich zu compromittiren; aber bald, wenn ich bitten darf. Könnte man nicht sagen: das Manuscript sei Ihnen längst nach Baiern adressirt worden und müsse dort liegen? Uebrigens versteht sich, wenn er das Manuscript bezahlt, daß das nach Recht und Billigkeit Ihnen gehört, ich möchte das Original jetzt selbst zur Hand haben, um manche zweifelhafte Stelle der vor zwei Jahren und länger genommenen Abschrift nachzusehen. Der Hagen verwickelt sich in so viel Unternehmungen, daß er einige davon wird müssen fahren lassen, und keines wird recht gründlich ausgeführt, sonst spreche ich ihm den Beruf dazu gar nicht ab. Das Lied von Alphart ist wirklich vortrefflich und den Nibelungen am nächsten, sonst nimmt Görres die besten Sachen von Glöckle vorweg. Dieser fodert unmäßiges Geld für seine Abschriften, wäre ich in Rom, so wollte ichs wohlfeiler geben.

Wissen Sie, daß Tieck einige der allerschönsten Minnelieder des Ulrich von Lichtenstein in einer eigenen Bearbeitung herausgibt? Ich überzeuge mich täglich mehr, welche herrliche, engelsreine Poesie in den Minneliedern liegt und begreife wohl, daß man Lust hat, sie zu erneuen, um sie verständlich zu machen, nicht aber, wenn man meint, sie zu verschönen oder zu vermehren.

Im Vaterländischen Museum, einem brav gesinnten, aber breiten Journal, steht eine Probe aus Alphart (S. 216, von Hagen). Aber sagen Sie nur, wie kommt es, daß zwei dänische Uebersetzungen von der Vogelfängerin Maria (S. 211), die Wilhelm dem Arnim fürs Pantheon geschickt und dieser auch dahin gegeben zu haben schrieb (Arnim und die Brüder Grimm S. 59. 60), auf einmal nach Hamburg (Kleinere Schriften 1, 245) gerathen sind?

Die Kindermärchen, die wir gesammelt, sollen Sie kürzlich erhalten, ich hätte sie schon abgeschickt, wenn sie nicht der Wilhelm mit nach Marburg genommen, um sie bei der bewußten, alten Frau (oben S. 68) suppliren zu lassen. Ich höre aber, daß es ihm schlechter geht, als meiner Schwester vorm Jahr, die Alte meint, das mache ihr schlechten Ruf in der ganzen Stadt. Wird was aus Ihrer Hamburger Reise, so sehen Sie doch dort zu, die Niederdeutschen wissen, glaub ich, viel gemüthlicher und besser zu erzählen. Ich mache Sie auch auf ein Buch aufmerksam, worin einige gute Mährchen stehen: Feenmärchen, Braunschweig 1794 oder 1795. — An Savignys und Bettine sagen Sie hundert Grüße, ich höre ja, daß Savigny zwei Bücher herausgeben will; Sie schicken uns Ihre Trauercantate doch auch mit? denn Sie haben sie auch nach Halle gesendet, wie Friederike schreibt [1]). Adieu, von ganzem Herzen. Jacob."

---

[1]) Friederike Reichardt an Wilhelm Grimm, Giebichenstein 19. September 1810: „Brentano hat eine wunderschöne Trauer-

Die Märchen sandte Jacob mit folgenden Zeilen, aus Cassel 17. October 1810, an Brentano ab: „Lieber Clemens, hierbei erhalten Sie versprochenermaßen alles, was wir von Volksmärchen gesammelt, zu beliebigem Gebrauch. Nachher senden Sie uns wohl gelegentlich die Papiere wieder. Wie Sie sehen, hat der Wilhelm in Marburg wenig bekommen, nur die zwei letzten, worunter doch das vorletzte sehr hübsch und merkwürdig. Nicht schicke ich Ihnen eine von Arnim genommene Abschrift des so schön durch Runge aufgeschriebenen Märchens vom Fischer und seiner unersättlichen Frau, desgleichen von Mäuschen und Bratwurst aus Sittewald, sowie auch eine Geschichte vom Sperling, die der Wilhelm selbst in Berlin aufgeschrieben. Geht seitdem noch was weiter ein, so solls nachkommen. Antworten Sie mir doch auf den Punct bald, wie ich mich gegen Hagen mit dem neidhartischen Manuscript soll halten? Ihr Jacob Grimm. (Nachschrift:) Nr 1, von einem König, Schneider, Riesen, Einhorn ꝛc., behalte ich auch hier, weil es der Wilhelm aus Berlin mitgebracht; es steht Wegkürzer Bl. 18—25 und existirt auch dänisch unterm Titel: de tappre Skomagersvend, d. i. der tapfere Schuhmachergesell“ [1]).

---

cantate auf den Tod der Königin an Vater geschickt, die er gleich angefangen in Musik zu setzen, und die sie vielleicht im Winter, wenn Vater dort ist, in Berlin aufführen werden. — Eine Originalschrift der Cantate sandte Clemens Brentano an seine Schwägerin Antonie nach Wien für Beethoven (Gesammelte Schriften 8, 163). — Auch Adam Müller besaß die Cantate, nach den Tagebüchern des Freiherrn Joseph von Eichendorff, zum 5. August 1811 (Kosch S. 285): „Müller giebt uns Brentanos .. Ode auf den Tod der Königin mit“.

[1]) Die von Jacob Grimm benannten Märchen finden sich

Jacob Grimms Brief ging erst mit dem folgenden von Wilhelm aus Cassel, 25. October 1810, nach Berlin ab: „Lieber Clemens! Die Sendung der Märchen ist etwas durch meine Reise verzögert worden. Ich wollte mir in Marburg von der alten Frau (oben S. 116) alles erzählen lassen, was sie nur wüßte, aber es ist mir schlecht ergangen. Das Orakel wollte nicht sprechen, weil die Schwestern im Hospital es übel auslegten, wenn es herumging und erzählte, und so wäre leicht alle meine Mühe verloren gewesen, hätt ich nicht jemand gefunden, der eine Schwester des Hospitalvogts zur Frau hat und den ich endlich dahin gebracht, daß er seine Frau dahin gebracht, ihre Schwägerin dahinzubringen, von der Frau ihren Kindern die Märchen sich erzählen zu lassen und aufzuschreiben. Durch so viele Schachte und Kreuzgänge wird das Gold erst ans Licht gebracht. Einiges davon bekommen Sie schon; was noch mehr anlangt, soll gleich an Sie gefördert werden. Der Mann ist ein Mathematicus und hat einen frühern Brief, der deshalb an ihn geschrieben war, wie er endlich gestand, für einen ‚beliebigen Scherz' an ihm gehalten. Ich habe ihm gesagt, daß diese Volkstraditionen tief in die Mythologie und Geschichte eingingen, und davon überzeugt, und weil er gern seinen frühern Fehler verbessern will, hat er mir seinen ganzen Eifer versprochen.

---

sämmtlich in der Urausgabe der Märchen 1812: „Fischer" Nr. 68 (Archiv für das Studium der neueren Sprachen 1901, 277 und 1903, 8), „Mäuschen" Nr. 23, „Schneider" Nr. 20, „Sperling" Nr. 35 (nach Schuppius, vorher in Arnims Gräfin Dolores 2, 172). Vgl. darüber meine Hundertjahrserinnerung „Die Kinder- und Hausmärchen der Brüder Grimm", in Corniceliusʼ Internationaler Monatsschrift für Wissenschaft, Kunst und Technik 1912, Sp. 1540.

Die Professoren in Marburg habens jetzt am guten Leben: in einem Garten an der Barfüßer Allee mit reizender Aussicht haben sie ihren Clubb, wo sie jeden Abend fast alle zu finden, trinken und spielen. Ich habe auch die Ehre eines freien Zutritts genossen. Wachler führt da gleichsam das Commando, hält privatim ein Zeitungscolleg und übt sein ganz eigenes Talent mit einer gewissen guten Art zu schwadroniren. Dabei ist er äußerst freundschaftlich und gefällig. Sein Hauptkniff besteht darin, daß er thut, als habe er noch etwas ganz besonderes in der Tasche, wovon er nur einen Zipfel sehen läßt, wie Leute, die sich einen solchen von seidnem Zeug festnähen lassen, daß man immer meint, es stecke ein ganzes Tuch inwendig. In dieser Gesellschaft ist auch ein Herr von Moltke, ein Kerl, der wie ein Daumen aussieht, der in der Schraube gewesen, und nun unförmlich aufgeschwollen. Er war unter der vorigen Regierung Oberhofmeister, kroch gewaltig bei der neuen, und war eine kurze Zeit Gesandter in München: weil er aber auch dazu noch zu albern war, wurde er zurückberufen und lebt nun in Marburg. Mit diesem hat Wachler öfter seinen guten Spaß. So fragte er ihn einmal: was trinken denn Ew. Excellenz Morgens? ‚Ei, einen Krug Brunnen.' — zu Mittag? — ‚Auch einen Krug Brunnen.' — aber Nachmittags? — ‚Einen Krug Brunnen.' – aber zu Abends, da werden Sie sich stärken? ‚Nein, da trink ich auch einen Krug Brunnen.' Nun, sagte ein Holländer, der dort ist, fast laut, so wunderts mich, daß ihm die Brunnkirschen nicht zum Hintern herauswachsen. Der Professor Rommel geht nach Rußland, weil er glaubt, daß hier im Land doch nichts mehr mit Gelehrsamkeit und guten Ideen könne ausgerichtet werden. Das hat er mir selbst gesagt, so ist er zum Theil voll von dem lächerlichsten Hochmuth, zum Theil so demüthig, daß er die ärgsten Grobheiten verträgt. Er ist eigentlich wie der Herr Bezzenberger, ein sonst ganz bescheidener kleiner Mann, der sich nur immer damit rühmt, es habe ihm einmal geträumt, er sei vor das Himmelsthor gekommen, habe angeklopft und alsbald gehört, daß deutlich herein gerufen worden; wie er nun eingetreten, hätte da eine so große Gesellschaft gestanden, daß er nichts vor ihr sehen können, aber der liebe Gott habe gleich die Leute heißen Platz machen und gerufen: ‚Treten Sie doch ein wenig näher, Herr Bezzenberger!‘ Der Erxleben lebt wirklich noch, aber es passirt weder weltlich noch geistlich etwas mehr, er ist lahm an Händen und Füßen, und sieht ganz albern im Gesicht aus.

Auf meinem Weg von Marburg nach Hersfeld war ich eine Stunde zu Allendorf bei dem Mannel, er wußte gar nichts von der Auguste, sie war mit allem abgezogen[1]). — Ich weiß nicht, ob Sie einmal den Weg von Ziegenhain nach Hersfeld gekommen sind, es sind da sehr schöne Gegenden, etwas ernsthaft, aber sehr reizend. In Hersfeld steht eine prächtige Ruine, eine alte Basilika, von alter Poesie aber ist kein Buchstaben aufzutreiben. In Fulda hab ich Graf May und Beaflor gefunden, es ist ein schönes Gedicht und enthält die Historie von der schönen Helena, nur einfacher und besser erzählt. In Fulda ist es still, aber gar nicht heilig, so habe ich keinen Protestanten über katholische Geistlichkeit und über

---

[1]) Dies war, nach einem Briefe des Pfarrers Mannel an Wilhelm Grimm, schon am 23. Juli 1810 geschehen.

Gottesdienst reden hören, wie dort Leute an der Tafel im Gasthaus. In dem Dom, einem modernen, aber nicht schlechten Gebäude, das bekanntlich seinen Effect thut, war eine Verordnung des Fürstbischofs angeschlagen, daß junge Leute beiderlei Geschlechts nicht so gottlosen Verkehr hätten beim Weihkessel, und blos in die Kirche gingen sich zu besuchen: was die Hunde betreffe, so bleibe es beim Alten.

Sie sind recht gut, wenn Sie den Calenberger für uns abschreiben wollen (oben S. 111). Er gehört auch zu der Sammlung altdeutschen Scherzes, von dessen Herausgabe wir einmal sprachen. Sie müssen Theil am Honorar nehmen, aber auch Ihren Namen geben. Wollten Sie einmal bei Zimmer fragen, ob er das Buch verlegen will, oder wissen Sie sonst einen, ders annähme, so könnte ich Frühjahr anfangen, es auszuarbeiten. Gesammelt hab ich bald alles und in Ordnung liegen; nur erwarte ich noch das dänische Lalenbuch. Unter den Volksbüchern, die ich erhalten, ist es gerade nicht gewesen. Ueber den Plan müßten wir uns noch näher verabreden. Schreiben Sie mir doch auf, was Sie meinen, wenn wir die Minnelieder, die in demselben Codex stehen, worinnen der Neithart, drucken ließen?

Von hier weiß ich niemals was zu schreiben. Ich freue mich, daß es ordentlich Winter ist und die Stuben warm sind. Wir wohnen jetzt vorne, die Stube ist mit unsern sämmtlichen guten Bildern geschmückt und ist hell und freundlich. Sonst leben wir ganz still und einsam, und da ich mit niemand umgehen kann, so hab ich nichts zu thun als fleißig zu sein. Die Leute sind hier entweder ohne irgend ein Interesse für etwas gescheidtes, oder hoffährtig oder albern 2c. Unsere Dichterin vor dem Thor, Caroline Engelhard, bringt den Musen wohl manches stille Opfer, äußerlich treibt sie eine Hecke mit weißen Mäusen, doch auch dabei hat sich ihr zartes Gemüth nicht verläugnet, denn sie schneidet ihnen allen die langen unanständigen Schwänze ab. Ich adressire das Paquet an Pistor, weil ich nicht weiß, wo Sie oder Savigny jetzt logiren; ich denke, in der Lindenstraße. Leben Sie wohl, lieber Clemens, und behalten Sie mich lieb. Ihr Wilhelm C. Grimm."

Sechstes Capitel.

Ueber Arnims Gräfin Dolores und Kleists Berliner Abendblätter.

Inzwischen hatte, angeregt durch Jacob Grimms freimüthige Aussprache über die Gräfin Dolores (Arnim und die Brüder Grimm S. 72), die große fruchtbare Auseinandersetzung zwischen den Freunden begonnen, die freilich nicht zu gegenseitiger Ueberzeugung und Einigung führte, aber Standpunkt und Auffassungsart eines jeden von ihnen klärte. Wilhelm, heimgekehrt, verfaßte seine für die Heidelberger Jahrbücher bestimmte Anzeige der Gräfin Dolores, um die ihn Clemens und Arnim gebeten hatten, und die er seinem Briefe an Arnim vom 25. October 1810 beilegte. Clemens las diese Discussion der Freunde wie an sich gerichtet mit und griff dann auch seinerseits in sie ein. Er schrieb, gleichzeitig mit Arnim aus Berlin, 2. November 1810:

„Sehr liebenswürdige Freunde! Gestern erhielt ich die Mährchen, das Buch und die Briefe, womit jedermann, wie durch alles Eurige stets, erfreut wurde. Arnim, der durch Jacobs Urtheil (über die Gräfin Dolores) mehr, als durch irgend ein früheres, niedergeschlagen worden war, weil es traf, ist durch Wilhelms Recension hinreichend erquicket, ich unterschreibe Jacobs Urtheil ganz, bei Wilhelm ist der tadelnde Theil vortrefflich, wie das Ende. Die Einleitung und Umsicht ist schön, aber mir ganz entbehrlich, ich meine, wenn tüchtige Leute recensiren, müssen sie nur mit dem Buche von dem Buche sprechen, das andere zerstreut. Wenn ich Arnim recensirte, würde ich sein Talent an die Sterne erheben, ich würde alle Ansprüche, die man machen kann, an ihn machen, und würde ihn bitter und scharf strafen, daß er nicht klassisch ist, daß er nur theilweise ehrlich arbeitet, daß er es ungemein ernst meint, und ebenso leichtsinnig arbeitet. Dies scharf und ernst ausgesprochen, ist die einzige Art, die ihn gewiß zum höchsten Ernst bringt und zu jener leichten Bemühung, die Sachen nicht zusammenzuflicken; diese Unordnung in seinen Büchern ist dieselbe, wie in allen seinen Geschäften, wie in seiner Stube, und könnte er sie überwinden, so stände er unter den höchsten, durch die er jetzt blos durchspazirt. Die Dolores wäre eine vortreffliche Erzählung, was sie war, für das Pantheon geschrieben, nun ist sie ein reiches, mit fremden Geschichten, die schöner sind als sie selbst, erdrücktes Buch, die schönen Minuten drin, die points d'orgue, wären mir als Fragmente lieber, die Novellen als Novellen, die Nebenpersonen als Portraits; so ist der Meister, so sind die mir zwar langweiligen Wahlverwandschaften, so ist mein Titan und sieben fromage[1]) und der göttliche Donquixote nicht geschrieben, obschon in diesem Buche vieles eben so herrlich gedichtet ist. Arnim hat bis jetzt nur für die Erzählung Ruhe genug gezeigt, im Lied kann er sich oft selbst kaum halten, im Drama, zu dem er oft gleich Shakespeare Talent hat, ist er manchmal zum Widerwillen lüderlich, und dies, wie in der Correctur. Die Poesie steckt bis

---

[1]) „mein" Titan soviel als: mein vielgepriesener Titan, ebenso der Siebenkäs, beide von Jean Paul.

dato noch viel mehr in ihm, als er sie von sich gegeben. Da ich weiß, wie er arbeitet, da ich das einzelne als schön und vollendet kenne, so finde ich es weder rührend noch recht, sondern unbillig, wenn es ihn kränkt, daß die Leser es zusammengeflickt finden, wo er es zusammenklebt, und daß sie das empfinden, ist ja grade nur dadurch möglich, daß das einzelne für sich so vortrefflich war. Daß Arnim über das Urtheil hinaus sei, ist keineswegs der Fall, es lebt vielleicht kein Dichter, den würdiges Lob so entzückt, würdiger Tadel so erzieht, und wer es nicht im höchsten Grade streng ohne Unbilligkeit über ihn ergehen läßt, thut nicht sowohl ihm Unrecht, als er die Nation dadurch zu Schaden bringt. Mir ist nur der erste Theil recht und besonders der Anfang, das ist sehr wahr; als die Mädchen aus einander gehn, wird mirs, wie die ganze italienische Wirthschaft der Klelia, langweilig, nur zu einer sinnlichen Güte kann es die Dolores bringen, deren Schuld mir mehr in ihren kleinen Niederträchtigkeiten, als in ihrem Ehbruch liegt, bei dem die Umstände, wie der ganze Markese, mir papieren erscheinen. Was Arnim Ihnen heute zur Entschuldigung dieses trocknen Kerls schreibt (Arnim und die Brüder Grimm S. 85), ist mehr eine schöne Stelle aus irgend einer neuen Dolores, als eine Entschuldigung. Die Klelie schießt ganz ins Kraut, und die Dolores ins Fleisch, beide zusammen wären sie gut, das entsetzliche Kindbetterwesen ist widerlich, wie auch, daß der Johannes gleich als Subdiaconus auf die Welt kommt; wer den Bauch immer voll hat, kann auch mit leerem Herzen femme sage werden, wie einer, der die Tonsur mitbringt, leicht ein Heiliger. Die Fürstin ist mir immer wie die alte Schütz vorgekommen, und mir ganz zuwider. Eine Recension dieses Buchs müßte in drei Theilen bestehen: der erste aus einer mit den Handlungen schier ohnmöglichen Chronologie des Alters der Personen und mit einer Auseinandersetzung aller bei dem Anspruch der Möglichkeit gewaltsam unwahren und -scheinlichen Ort- und Sittenschilderungen, der zweite aus einer Rüge aller den Gang störenden mit Gewalt hingeflickten Unterbrechungen, z. E. Hollin, der dritte aus einer unendlichen Lobpreisung des Stils, der Gesinnung, des Talents, der Behandlung, des Geists, der Tiefe und der ganzen Herrlichkeit des einzelnen.

Herzlich danke ich Ihnen für die Mittheilungen einiger Ihrer Reiseeindrücke. In Fuld sind die Tafel d'hôte-Gespräche also noch wie vor sechzehn Jahren, da ich sie hörte, alle geistlichen Höfe und Domstifte tragen diesen Charakter, nur in den Klöstern und in dumpfer Vergessenheit, wie z. B. in Cölln, erhielt sich eine äußerliche Reputation, dort guckt der frisirte Teufel zum leeren Fenster hinaus, hier ist das antike Heiligthum voll Mäusedreck. Was Augusten anbetrifft, steht die Sache so: vor ungefähr zwei Monaten schrieb Bethmann an Arnim, der kürzeste Weg zur Scheidung sei, wenn Auguste zu Aschaffenburg aus desertio malitiosa gegen mich klagte. Ich erklärte, sobald keine Art von Oeffentlichkeit statt finde, wäre es mir recht; er erklärte mir hierauf, die Klage solle mir blos von den hiesigen Gerichten zugestellt werden, und ich hätte nur zu schweigen. Dies erwartete ich nun, aber vor acht Tagen erscheinen im Hamburger Correspondent die Edictales[1]), und ich bin nun gezwungen,

---

[1]) Dieses amtliche Schriftstück, das ich in damaligen Zeitungen gefunden habe, lautet:

Edictales.

Es hat die Ehegattin des Bürgers Clemens Brentano von

dies als eine ehrenrührige gerichtliche Lüge erst zu Aschaffenburg, dann öffentlich niederzuschlagen, sodann werde ich hier in Berlin, wo jetzt mein Forum ist, eine neue Scheidungsklage eröffnen.

Hier geht es närrisch zu, die Minister spielen Kämmerchen verwechselns, die Universität ist mit der goldnen Ueberschrift Universitati litterariae Fridericus Wilhelmus III. eröffnet, sie hat übrigens noch keine Fußböden, und wird nur in einzelnen Stuben gelesen. Savigny liest Institutionen und Rechtsgeschichte verbunden täglich zwei Stunden, und wöchentlich Pfandrecht. Ganz großartig liest Niebuhr, ein Wunder von Gelahrtheit und edler Liebenswürdigkeit, Römische Historie publicum, Hagen habe ich noch nicht gehört, Studenten sind etwa 210 da, Savigny hat 40. Alle Studirende klagen, daß Steffens nicht gerufen wird, selbst Schleiermacher bedauert es überall, doch hat er ihm vor kurzem geschrieben, es sei kein Geld hier, während er es in derselben Zeit dahin zu bringen wußte, daß er sich auf 4000 Thaler

---

Frankfurt a. M., Magdalena Margaretha Auguste, geborne Bußmann daselbst, bei unterzeichneter Stelle angezeigt, daß ihr genannter Ehegatte sie im März 1809 böslich verlassen habe, und daß, ungeachtet aller geschehenen Erkundigung, ihr dessen Aufenthaltsort unbekannt sei. Dieselbe hat mit dieser Anzeige die Klage auf Ehescheidung vom Bande der Ehe vereiniget; und desfalls wird der Bürger Clemens Brentano hiermit vorgeladen, um sich binnen einer peremptorischen Friste von 3 Monaten, worin die gegenwärtig laufende Ferien mit einbegriffen sind, auf die erhobene Klage vernehmen zu lassen: widrigenfalls nach fruchtlosem Ablaufe dieses Termins gegen ihn wird erkannt werden, was Rechtens.

Aschaffenburg den 29. Sept. 1810.

Erzbischöfliches geistliches Gericht.
J. F. Lack, Sekretarius.

steht. Die Berliner wollen noch immer nicht an die Universität glauben, und besonders, man sollte es nicht glauben, wüthet eine Parthei gegen sie, weil, um das akademische Revier zu reinigen und den Studenten Platz zu machen, alle H— nebst Madame Bernard über die Spree ziehen sollen, man spricht laut und öffentlich, wie man so unsinnig sein könne, 600 H—, die dem Staat, den Hausbesitzern mehr eintrügen und den jetzt nicht heurathen könnenden eine nützliche Ableitung wären, auch in den Kriegszeiten so manche Unschuld gerettet hätten, indem sie vor den Riß traten, gegen 200 Studenten aufzuopfern; der Theil der Stadt aber, dem sie entgegenziehen, jubelt und klagt nicht, das ist merkwürdig, und das merkwürdigste, daß die H— wahrscheinlich triumphiren werden.

Wolf (Friedrich August), der wieder hier angekommen, ist der lächerlichste Kerl, er will keinen Antheil an der Universität haben, er geht mit offner Hosenklappe herum und sagt, er habe sich 3500 Thaler blos geben lassen, um auf keine Art wirklich zu unterrichten, blos für seinen Namen. Die lächerlichste Erscheinung war diesen Sommer der hallische Pavian und Nothzüchtiger Rüdiger, er lief hier in langen blauen Hosen und Schuhen, einem Patenthut und schwarzen Rock herum zu den H—, ein Kerl an die sechzig Jahre alt; unter dem hallischen Regiment hatte er mehrere Irländer sich zugelegt, die er Barden nannte. Er klagte im Wochenblatt, drei seien ihm bei der Jenaer Schlacht abhanden gekommen, einer desertirt, und einen habe er noch, welchen er in beikommender Ankündigung[1]) aufführen will, er

[1]) Die Ankündigung liegt nicht mehr bei.

hat ihn schon in Leipzig tanzen lassen. In seiner ersten Vorlesung saßen unter andern Damen da Kölls, Geraddebrechtcher[1]); er begann mit einem Briefe seiner Frau, die ihm den Barden nicht schicken wollte, er koste dort zu viel, sodann sprach er einige gallische Worte, sodann fing er an zu deklamiren: ehret die Frauen, sie flechten und weben. Als er in der Mitte war, kam Madam Sander, er sagte daher, da sie auch eine Dame sei, müsse er nochmals anfangen, und that es, sodann zog er ein Viertel Rothwein und Brodkruste aus der Tasche und sagte, es werde ihm sonst schwach 2c. Beikommende Gedichte sind auch von ihm[2]).

Elise Bürger, der finnige Sausack, gab hier Vorstellungen wie die Händel, und zwar plastische, im ägyptischen, griechischen 2c. Stil. Da ein Zeitungsrecensent sie beschuldigte, ihre Figur sei zu klein, ihre Deklamation zu eng, gegen die der Händel, jetzigen Frau des jungen Schütz, worauf sie in einer langen Abhandlung antwortete, wenn die der Händel hinreichend sei, so werde niemand, der sie gesehen und Kenner sei, der ihrigen absprechen können, daß sie groß und weit sei, ja da sie die ganze Gattung erfunden und früher ausgeübt, könne die Händel es ihr an Biegsamkeit und Weichheit nicht gleichthun. Als sie bei ihrer ersten Vorstellung niemand als die Musikanten und Rüdiger fand, fiel sie in Krämpfe, letzterer machte ihr dafür ein Gedicht, in welchem er ihr folget, wie ein Hund vom Belte bis zum Sund.

Adam Müller, welcher im Kling Kling-Allmanach (S. 71) nicht ohne Unrecht Kalmäuser genannt wird, ein

[1]) Der Allgemeine Straßen- und Wohnungs-Anzeiger für die Residenzstadt Berlin, 1812, ergibt nur: Köls, Geh. Kriegsrath.

[2]) Fehlen.

Mensch, der mit ungemeinem Scharfsinn eine angewöhnte Fuchsschwanzstreicherei, mit einer Art Tiefe dreierlei Arten von Hohlheit verbindet, und sonst unser sehr guter Gönner ist, führt hier eine eigne Staatsoppositionsklique an, und ein Universitätskriterium, weil man ihn bei beiden übergangen, da die meisten praktischen Männer ihn wegen seinem Achseltragen nicht wollen (Heinrich von Kleists Berliner Kämpfe S. 292). Der Phöbus Kleist, ein sehr kurioser, guter, grober, bornirter, dummer, eigensinniger, mit langsamem Consequenztalent herrlich ausgerüsteter Mensch, dessen treffliche Erzählungen — bei Reimer, und schön hölzernes Käthchen von Heilbronn — Sie lesen müssen, gibt bei Hitzig Berliner Abendblätter, täglich ein Blatt heraus; wenn uns was begegnet, geben wir es ihm, es steht viel Langeweile und Müllersches vornehme Wesen, und manche gute Anekdote drin.

In den letzten sechs Wochen hat uns und die ganze Stadt die Ausstellung der Gemählde dieses Jahres hier unterhalten. Buris Bilder und die Zeichnungen der Kurprinzessin waren alle da, zugleich eine Menge Portraits vom jungen Schadow, welche jung und bunt und besoffen gegen die Burische Kälte, Größe und Steifheit die Leute sehr einnahmen und daher eine lächerliche Opposition erregten (Kämpfe S. 256). Kohlrausch, der Geh. Obermedizinalrath ist und in der Charité wohnt, hatte alle seine Zeichnungen hingeschickt. Von Kügelgen in Dresden waren fünf Bilder da, große und kleine, nach meiner Empfindung schlecht. Von Friedrich seltsame graue Winterkirchhöfe im Nebel, Mondschein mit Kapuziner, keinen Kapellen, Leichbegängnissen, vortrefflich ꝛc.[1]) Auch

[1]) Vgl. Arnims und Brentanos, von Kleist für seine Berliner

Tiedgens und Frau von der Ecks (von der Reckes) Büsten, Marmor, colossal, von Thorwaldsen in Rom, vortrefflich, wenn man sehr häßliche und dumme Leute schön und colossal machen kann; beide sind hier, zugleich auch eine sehr treffende Satire auf Tiedgens Urania: Rhinozeros, bei Carl Stein in Nürnberg; sie ist von Wetzel in Dresden. Tiedge hat eine sehr große Nase, und in dem Gedicht wird Zweifel und Ueberzeugung derselben grade so durchgeführt, wie in Urania die Unsterblichkeit [1]). Er hat eine Cantate auf die Königin, wie die Damen sagen, voll Natur, Phantasie, Wahrheit und Liebe geschrieben, die Himmel componirt.

Reichardt ist hier und (Karl von) Raumer; ersterer, um seine große Oper nach Schillers Taucher von Bürde, worin alle Meergötter und die Fata morgana vorkömmt, aufs Theater zu bringen [2]), er hat meine Cantate auf die Königin componirt, und mir bereits vorgesungen und genasenschniebt, das Ganze wird einen großen Effekt machen, obschon einiges ungemein elend ist, anderes recht gut, nichts wie ich es gedacht. Sobald

---

Abendblätter zusammengezogenes Gespräch vor Friedrichs Seelandschaft: H. v. Kleists Berliner Kämpfe S. 262.

[1]) Ueber diese Berliner Anwesenheit Tiedges und der Frau von der Recke sowie über Wetzels Satire Rhinoceros handle ich in dem Jubiläumsaufsatze „Friedrich Gottlob Wetzel als Beiträger zu Heinrich von Kleists Berliner Abendblättern", im Archiv für das Studium der neueren Sprachen und Literaturen 1911. 127, 25.

[2]) Miscelle in Kleists Berliner Abendblättern, 7. November 1810: „Herr Kapellmeister Reichardt wird, im Laufe dieses Winters, die Oper: Der Taucher (der bekannte, alte, sicilianische Stoff) von Hrn. Bürde bearbeitet, auf die Bühne bringen. Das Publicum von Berlin, das diesen Gegenstand schon, aus der Ballade von Schiller, kennt, ist mit Recht auf diese poetische Erscheinung begierig."

sie gedruckt ist, erhalten Sie dieselbe; ich habe sie aus Curiosität, wie ich mich bei gleichem Stoff von Arnim unterschiede, in der Hinterstube mit ihm zugleich geschrieben, und es gibt vielleicht kein besseres Beispiel, zu zeigen, wie sehr wir divergiren, er so freudig, rührend, tief und hoch, ich in armer ebner dunkler trüber Bahn. Er, der in der zweiten Edition eine Menge zusetzte, ich, der nichts mehr zu sagen hat; doch ist mir wunderbar, daß ich sein Gedicht nicht laut lesen kann, und das meine mich sehr bewegt. Ich sende Ihnen das Gedicht von Arnim, wie es zuerst war, auch mit; es ist mir sehr interessant gewesen zu sehen, wie man etwas verbessert, was an sich schon vortrefflich ist.

Haben Sie den schönen (Otto) Rungeschen Umschlag zu Beckers diesjährigem Taschenbuch gesehen? Luise ist krank gewesen, Runge ist es noch. Ich arbeite an meinen Romanzen fort, dies Gedicht, dessen Lohn seiner Natur nach und nach aller Billigkeit und wenn ich es von einem andern läse, auch von meiner Seite Undank sein wird und würde, wird seiner Schwierigkeit halben mich vielleicht bis ans Grab begleiten, und ich muß, da ich es begonnen, mit verbundenen Augen die blühenden Ufer des gegenwärtigen Lebens ohne Gesang und Gruß hinabschiffen. Gut, daß mein Bündel, mein Herz bereits geschnürt, daß ich alles vergessen kann, weil es sterblich ist und einen vergißt, drum ne vous gênez pas und liebet mich, so lange es geht, ich muß ewig, und das Muß ist kein Verdienst. Ihr erhaltet hier mein universitati litterariae, nehmt vorlieb, ich konnte in der Eil nicht besser. Ich hatte zugleich ein anderes recht braves Gedicht ‚der 14. und 15. Julius‘ in Hans Sachsischer Manier geschrieben, aber der Esel, Schuft und Windbeutel Herr

Hitzig rümpfte die Nase, und ich lasse es liegen. Dieser aufgeblasene Bierschwitzer, dem ich die Cantate geschenkt, hat die Unverschämtheit, zehn Groschen Courant dafür zu fordern. Er hat ein äußerst liberal scheinendes Circular von einer zu errichtenden Sortimentshandlung für die Universität nebst dem Plan eines Lesezimmers, wo alle, welche die Bücher von ihm nehmen wollen, zwei Treppen hoch in einer leeren Stube hinter der Katholischen Kirche die Bücher ansehen können, die er nicht hat, und steht nicht mehr als fünfmal mit dieser edlen Aufforderung, verschieden stilisirt, am schwarzen Brett.

Die Abschrift des Peter Leu habe ich noch nicht vollenden können, da mir Hagen das Buch zurückgefordert, ich kann es aber bald wieder kriegen, es stehn außerdem noch viele Volkslieder und der gereimte Siegfried und Dietrich Bern drin. Den ächten Kalenberger hat Klamer Schmidt. Mit dem Niedhardt und Minneliedern von mir haltets, wie Ihr wollt; wenn Ihr sie Hagen nicht geben wollt, so sagt ihm, daß Ihr sie einzeln herausgeben wollt, Ihr könnt ja den Beaflor dazuthun. Hier erwähne ich noch etwas delikates, Schnepfendreck aber wäre mir doch lieber, nehmlich ich bin dermalen sehr arm, mein jetziges Einkommen beläuft sich jährlich auf 800 Gulden, davon gehen 200 an Mlle. Rudolphi (in Heidelberg, wo Hulda Mereau erzogen wurde) ab, und wenn ich nicht freie Wohnung hier hätte, müßte ich, um nicht Schulden zu machen, in Bukowan am Käsekorb nagen. Dabei ist das lustige, daß ich dem Arnim doch immer vorschießen muß, dem trotz der Erbschaft der Großmutter der Landreuter mit Executionsandrohung bereits auf der Stube war. Die böhmischen Güter haben erstens im Krieg nichts getragen, sind zweitens, wo allein was zu verdienen gewesen wäre, schändlich entholzt, sind drittens von Christian äußerst eigensinnig bewirthschaftet; das tollste ist, daß dieser böhmische Edelmann, bei dem man sein ganzes Hab und Gut hat, einem auf keinen Brief antwortet. Als es hieß, ein Engländer sei in der Gegend von Bukowan, um Vieh zu kaufen, glaubte er, er könne vielleicht auch nach Bukowan kommen, und weil wir kein Silber dort haben, schickt er aus Ostentation einen Courier zwanzig Stunden nach Prag, ein Dutzend Löffel und Gabel zu kaufen; der Engländer existirte nicht. Mitten unter einfallende Ställe läßt er, statt sie zu repariren, eine Schmiede, die nicht gebraucht wird, nach seiner Erfindung in griechischem Stil, den er ausrechnet, bauen und mauert selbst mit, hier ist sie:

Notabene, über die Thüre soll ein Vers aus dem Virgil und hinten drauf das Schmiedelied aus dem Wunderhorn; mit diesem brachte er schier den ganzen Sommer zu, und alles ist aus Lehm zusammengeklatscht und bereits vom Regen halb zusammengestürzt, wird nie gebraucht, die Hühner haben die Spiegelscheiben schon wieder zusammen gestoßen, und die 800 fl. sind in Dreck geworfen. Dahin bringt einen Einsamkeit, Hoffahrt, Geist, unterdrückter Geschmack und Laune, es ist herzzerreißend. Ihr seht daraus, lieben Freunde, daß ich ein ziemlich armer Teufel bin und zusammenhalten muß, umsomehr, da meine langsame Schriftstellerei mir nichts einträgt, mein Reisen und Bücherkaufen mich viel kostet, und besonders, da ich seit längerer Zeit die Bücher, so wahr Gott lebt, blos für meine Freunde und im Gedanken, daß Ihr sie brauchen könnt, kaufe; denn ich kann sie nicht brauchen. Ist es daher möglich, daß wir bei dem jetzigen Zustand des Buchhandels irgend einen Verleger bekommen, wornach ich mich auch umthun will, so bin ich herzlich bereit, das Honorar zu theilen, bei Herausgabe der Minnelieder ꝛc. und der alten Anektoden.

Was die letzteren betrifft, müßte ich einen Plan von Euch in seinem ganzen Umfange haben, um ihn den Buchhändlern vorlegen zu können. Bestünde das Ganze aus mehreren Theilen und erschiene nicht auf einmal, so ist sehr zu bedenken, die Sache so einzurichten, daß der Buchhändler das erste absetzt, damit er die Folge annehmen kann; vielleicht wäre darum besser, es in drei einzelne Werke zu vertheilen, die man an verschiedene verkaufen könnte, etwa eine gute Ausgabe des Lalenbuchs, eine des Eulenspiegels, eine der Anekdoten, die letzten müßten einen ziehenden Titel haben — und hic Rhodus, hic salta. Sollen sie ganz bleiben, wie sie sind, oder etwas deutscher, etwa wie der Goldfaden, damit der Buchhändler nicht angeführt wird? Die Titelkupfer könnte Louis liefern, mir ist übrigens alles ganz recht, was Ihr für dienlich haltet, schreibt mir ausführlich darüber. Dann will ich Euch für Euren Bezirk einige Buchhändler nennen, an die Ihr Euch wenden könnt, und ich will es für den meinigen thun. Wollt Ihr noch Bücher gesendet haben, etwa den Codex der Minnelieder, so schreibt. Ein Buchhändler, auf den ich ein besonderes Augenmerk habe, ist Perthes in Hamburg, er ist voll

Sinn und gutem Willen. Die beste Art, ihn für die Annahme der alten Schwänke zu gewinnen, wäre vielleicht, wenn Wilhelm einen schönen Aufsatz über altteutsche Sitte und Scherz in sein (Vaterländisches) Museum verfertigte, der ohne größere Litteratur ihm gefiel, und den er nachher wieder in seine Vorrede zum Buch brauchen könnte. Diesen müßte er mit dem Antrag zugleich an ihn absenden; wollte er mir denselben zuerst senden, so lasse ich denselben etwa durch Runge übergeben, vielleicht kann ich auch Claudius, seinen Schwiegervater, mit ins Spiel bringen, Wilhelm ist ganz im Stand, so etwas recht würdig und reizend zu schreiben. An Zimmer will ich desgleichen thun, auch an Göschen. Dieser Aufsatz könnte bald geschrieben werden, das Ganze muß etwas edel piquant gegen unsre jetzige Zeit polemisiren ꝛc. Uebrigens noch folgendes: Erstens ist Euch der Birkenstockische Catalog nicht von Wien aus zugesendet worden? so lege ich ihn bei, es sind ungeheure Sachen drin, den starken Gemähldecatalog halte ich zurück, um den Pack nicht schwerer zu machen, die infame Toni hat den armen Franz, der ohnedies an eine halbe Million reich ist und in der herrlichen Kupfer-, Gemälde- und Originalzeichnungs-Sammlung ganz berauscht war, beschwätzt, alles zu verkaufen; dies ist die Hauptursache, warum ich nicht in Wien war. Schreibt mir Eure Commissionen sogleich, daß ich sie nach Wien sende, ich kann hier etwas mehr bieten, weil ich es später zu bezahlen brauche, ich warte auf Eure Aufträge, um nicht mit Euch zu collidiren; bemerkt das altteutsche Manuscript ꝛc.[1]).

[1]) Der Frau Franz Brentano, gebornen Antonie von Birkenstock, Vater besaß eine der bedeutendsten Kunstsammlungen, die Bettina in ihrem Briefwechsel mit Goethe (3. Auflage, S. 314)

Als ein besonders herrliches Buch ist mir verrathen worden Auli Apronii Reisebeschreibung, Villafranca 1723. 8°, ich habe es nie gesehen. Zugleich fordre ich Wilhelm oder Jacob auf, wer kann, den Frühling mit mir nach Böhmen zu reisen. Dort im Land ist es ungemein wohlfeil, und wir können alles theilen; wenn Ihr Euch den Winter etwas in das Böhmsche einarbeitet, können wir gewiß Schätze finden, wir können von da nach Oberschlesien, wo eine Tante von mir zwölf Stunden von Krakau wohnt, die uns hinfahren will und mich eingeladen hat, und dann über Breslau zurück, es wäre mir sehr, sehr lieb, und läßt sich machen, wenn wir sparsam sind. In Böhmen kostet es uns sehr wenig, und die ungeheuren Prager Bibliotheken wollen wir durch den Burggrafen von Stadion (Arnim und Bettina Brentano S. 348) schon sprengen — bis Wiedersehen, Adieu. Euer treuer Clemens. (Nachschrift:) In irgend einem Buch, Tiroler Ehrenkränze genannt, steht ein altes schönes Lied, das ich irgendwo angeführt las. In Oelrichs Historisch-diplomatischen Beiträgen zur Geschichte der Gelahrtheit in Pommern, Berlin 1767, stehn kurze alte Schullieder. Die Bücher sind auf die Post seit einigen Tagen, ich schicke diesen Brief ab, Arnim hat zwar gestern schon geschrieben, da er aber wieder bald einen dicken Roman, mit dem er noch sehr heimlich thut, fertig hat, so zögert er; von Halle und Jerusalem sind noch etwa zehn Bogen zu drucken."

Es ist dies der Brief, von dem Arnim bemerkte

---

beschreibt. In den Jahren 1810—1812 wurde die Sammlung, zu Clemens Brentanos Verdruß (vgl. auch Gesammelte Schriften 8, 162), versteigert. Die zurückbehaltenen Gemälde und Kupferstiche sah Goethe in Frankfurt bei Franz Brentano und rühmte sie in seinen Schriften und Briefen.

(Arnim und die Brüder Grimm S. 84): „Von allem Uebrigen, was unsre Stadt neues trägt, versichert Clemens Euch vollständig berichtet zu haben; und ich weiß, er sagt über die Tagesverhältnisse lieber etwas, was noch keiner weiß, als daß er etwas vergesse, was alle wissen." Es ist auf diese Weise gar launig der fortgesetzt zwischen Wirklichkeit und Phantasterei hin und her springende Charakter auch dieses Schriftstückes bezeichnet.

Unmittelbar darauf kam nun in Berlin Wilhelm Grimms Brief für Brentano an, Cassel 6. November 1810, der eigentlich schon durch Clemens' voraufgehendes, wenig älteres Schreiben beantwortet worden war. „Lieber Clemens," schrieb Wilhelm, „Sie werden durch die fahrende Post, und durch Pistor, weil ich Ihr jetziges Logis nicht weiß, ein Paquet mit den Märchen und Briefe darin erhalten haben. Wir hofften, durch die Leipziger Messe ein Paquet von Ihnen und darin auch die böhmischen Volksbücher zu erhalten, allein es ist an Thurneißen nichts überliefert worden, und weil ich denke, es könnte Nachlässigkeit von dem Berliner Buchhändler (sein), wie ja auch Reimer die Dolores ein halbes Jahr hat liegen lassen, so benachrichtige ich Sie davon und bitte, Anfrage zu thun, ob es richtig abgegeben worden. Auf den Fall aber, daß Sie die Bücher noch dort haben, sein Sie so gut, solche uns bald hierherzusenden auf der fahrenden Post mit der Bemerkung, daß Bücher darin: das Porto ist seit dem 1. November bedeutend verringert worden. Wir denken uns die böhmischen Volksbücher recht interessant und haben ein großes Verlangen darnach.

Wir hoffen auch Ihre Cantaten zu erhalten, auf die ich mich freue. Denn daß Sie eine zweite auf die Eröffnung der Universität (gemacht), habe ich aus dem Abendblatt (13. October) gesehen. Die Zeitung ist recht vernünftig gedacht, und dabei nicht wie andere Theatermäßig herausgeputzt. Nur die Polizeianzeigen nehmen sich hier oft lächerlich aus: es ist als ob jemand, der uns raisonabel unterhalten, auf einmal mit seltsamer Vertraulichkeit seine Taschen herauszög, die Brodkrumen herauswischte und die Löcher zeigte, die geflickt, und die Flecken, die müßten herausgewaschen werden. Einem dabei stehenden Schneider wär das unstreitig das interessanteste an dem ganzen Mann, und so mag es vielen dort, besonders rechten Hausricken das liebste sein, mithin hat es einen Grund auch wieder, daß es da ist. Daß in der Beurtheilung der Seelandschaft (13. October) etwas von Ihnen sei, hat ich schon früher gedacht, als ich zu der sich pulsternden Krähe im Sand kam, welches Bild schwerlich ein anderer in der Welt gehabt hätte. Wie erklär ich mir Kleists seltsame Erklärung darnach über den Aufsatz (22. October)? Die Anekdoten von Kleist sind sehr gut erzählt und sehr angenehm, der Tambour, der sein Herz nicht zum Ziel will geben (20. October), hat aber ins Schwarze getroffen.

Ich habe über die Dolores eine Recension geschrieben und sie Arnim geschickt (Arnim und die Brüder Grimm S. 80. 85). Sagen Sie mir doch, was Sie davon halten, wenn Sie etwas gelesen. Sie ist freilich zu lang, als daß ich es Ihnen zumuthen sollte, sie ganz zu lesen, allein ich konnte mich nicht kürzer fassen, und habe noch eine Menge übergangen, was ich gern gelobt hätte: mit welchem Gefühl ich sie geschrieben, ist darin ausgedrückt. Ich halte das Buch für durchaus trefflich im Ganzen, ich lese eben wieder darin und erstaune über seinen innern Reichthum. Am schwächsten ist es mir da, wo sie nach dem Unglück der Dolores nach Italien ziehen, alles vorhergehende hat man ganz ruhig in seinem Fortgang betrachten können, da aber flackerts einem vor den Augen, als wenn man grellgefärbte Blumen ohne rechte Harmonie zusammengestellt ansähe: damit will ich auch ausdrücken, daß jedes einzelne an sich ausgezeichnet und glänzend ist. Das Ende, mein ich, müßte näher zusammengerückt sein, die Fürstin ist zu breit darin. Ich sehe aus Arnims Brief an Jacob, der ein paar Tage, nachdem meine Recension abgeschickt war (Arnim und die Brüder Grimm S. 80), ankam, daß dieser sehr hart darüber geurtheilt. Ich hatte nur weniges mit ihm darüber gesprochen, weil wir ganz verschieden gleich anfangs dachten, und ich nicht gern mit ihm streite. Ich erkläre mir seine Ansicht recht gut, da er selten die innere Wahrheit, die in jedem poetischen Charakter liegt, ohne daß sie empirisch sich also gezeigt, anerkennt: er mag nur das Poetische, das auch historisch sich gezeigt, noch lieber das er erlebt, und dafür hat er einen sehr reinen, tiefen und poetischen Sinn. Es hängt auch damit seine Lust zusammen, sich einsam zurückzuziehen und das Leben historisch zu betrachten: es ist ihm noch keine Gesellschaft ganz recht gewesen. So hält er ja auch die meisten Bücher von Jean Paul, als etwas Ganzes betrachtet, für todt. Er will die Historie, nicht die Menschen betrachten. Bei dieser Lust an Einsamkeit ist doch eine sehr herzliche Liebe, ein rechtes Gemüth in ihm, welches ich täglich fühle im Zusammenleben mit ihm, und warum ich ihn so liebe.

Ich möchte gern mehr schreiben, aber ich kann nicht, da ich halb krank bin. Im Herbst wird immer stark an mir geschüttelt, ich denk aber, es geht vorüber. Leben Sie wohl, lieber Clemens. Wilhelm C. Grimm. (Nachschrift:) Ich muß doch eine straßenpolizeiliche Anekdote von hier fürs Abendblatt schreiben (die aber nicht hineinkam). Hier wird das Straßenpflaster nach Ruthen accordirt, und nun hat jemand, ders übernommen, also quittirt: für 1 Thaler 6 Groschen die Ruthe bekommen."

Wie gegen Arnims Einwendungen wahrte Wilhelm auch gegen den Einspruch Brentanos seinen eigenen Standpunkt, am 15. December 1810: „Lieber Clemens. Ihren Brief (oben S. 123) mit den vielen schönen Nachrichten haben wir mit großer Freude erhalten: so lang ich ihn lese, hab ich immer das Glück nach Berlin versetzt zu sein, wo sich doch ganz anders lebt als hier. Daß Ihnen einiges in meiner Recension (der Gräfin Dolores) recht gewesen, freut mich ungemein, da ich Sie nun einmal für einen der größten Critiker halte, ob Sie's gleich nicht zugeben wollen. Ich habe darüber gedacht, ob ich die Einleitung weglassen sollte, ich habe aber nicht Gründe genug dazu gefunden. Es war darin zweierlei berührt, erstlich das Verhältniß, worin dieser Roman zu der Poesie der Zeit steht; denn es hat jedes Gedicht außer seinem Himmel auch seine Erde, die Umgebung, in welcher es aufgewachsen ist, und die gerad jemand, den die Geschichte der Poesie interessirt, nicht übersehen konnte; zweitens, wie wichtig und selten ein Roman sei, in welchem die Zeit so ergriffen, in welchen ein Stück derselben ordentlich eingewebt sei: es ist viel leichter, in irgend eine beliebige Zeit zurückzugehen und seine Gedanken darin laut werden zu lassen, man spricht da allein, es hallt besser und die Lügen können nicht so leicht controllirt werden. Beides würd ich für Sie nicht bemerkt haben, weil Ihnen Arnim als großer Dichter nichts neues ist, ebensowenig, welche Wahrheit und welches Hinweisen zum Leben diesen Roman auszeichnet, allein denen, für welche die Recension geschrieben war, mußte es gesagt werden, daß hier etwas anders sei, als was sie in den Producten der neuen Schule finden, die im Eingang charakterisirt sind, denen ja Talent und Geist nicht abgesprochen wird, umsomehr weil Arnim ohne allen Stolz und Eigendünkel benutzt, was rechtes darin ist. So meine ich nicht, daß etwas zerstreuendes in diesen Bemerkungen gewesen. Was das Lob in der Recension betrifft, so mag das freilich schlecht ausgedrückt sein, weil ja nichts schwerer ist als loben, allein es war doch herzlich gemeint, und das wird nicht ganz zu verkennen sein, wenns auch nicht zierlich ist. Ich kann nicht glauben, daß eine bittere, scharfe Critik etwas rechtes gewesen wäre: ich habe ganz redlich gethan und gar nichts verschwiegen, einigen Tadel habe ich noch deutlicher gemacht dadurch, daß ich die Worte unterstrichen, in welchen er liegen soll. Arnim ist gewiß nicht über das Urtheil hinaus, aber am meisten steht er doch unter dem seinigen, d. h. er weiß gewiß, wie alle Menschen, am besten, wo der Schuh ihn drückt: den Vorwurf der Nachlässigkeit im Zusammensetzen hat er sich ebenso gemacht, wie er ihn schon genug gehört hat, in der Recension ist er ausgedrückt, ihn aber besonders scharf und streng hervorzuheben, sehe ich daher nicht, was es gefrommt hätte. Man darf wohl fragen, ob Arnim eine so große leichte, freie Poesie würde zeigen können, wenn er im andern sich Gewalt anthät, und ob ein so großer Ernst diese Leichtigkeit nicht wieder nöthig habe? Wo uns Gold gereicht wird als Geschenk, da sollen wir nicht mit der Wage es nachwägen, am Ende ist doch alles, was wir Kunstregel nennen, vergänglich und verfliegt wie die Mittel, womit die Juden das Gold für ein paar Tage vollwichtig machen. Was auf die Zukunft übergeht, das ist die innere Herrlichkeit der Dichtung: sagen Sie doch selbst, ob Sie nicht mit dieser Gesinnung die alten Romane, den Simplicissimus lesen. Mein anderer Grund, warum ich keine übermäßig strenge Critik recht finde, ist mein Glauben, daß die moderne Kunst niemals absolut vollkommen sein kann. Es wird immer an einer Stelle hapern und geflickt werden müssen, oder geleimt nach Göthes Ausdruck. Nur die Nationaldichtung ist vollkommen, weil sie ebenso wohl wie die Gesetze auf dem Sinai von Gott selber geschrieben ist, sie hat keine Stücke, wie ein Menschenwerk. Ist denn der Mittler in den Wahlverwandtschaften, wenn wir auf solche Art urtheilen wollen, nicht eine ganz eingeflickte Nebenperson? oder kommen die beiden Engelländer nicht blos, um ihre Novellen anzubringen? Das Tagebuch der Ottilie nicht zu erwähnen. Ist nicht im Siebenkäs sein Tod das Flickwerk der Geschichte, etwas so grausames und unnatürliches, daß in der Folge es auf mancherlei Weise zu entschuldigen versucht wird? Man darf, wenn wir uns noch über etwas freuen wollen, dem Gold nicht vorwerfen, es sei kein Diamant, dem Diamant nicht, daß er kein Stern am Himmel, den Sternen nicht, daß sie keine Engel, die Engel sind aber immer noch etwas geringer als Gott. Ich kenne Jacobs Urtheil nicht genau, das Sie unterschreiben, aber ich fühle, daß es die größte Ungerechtigkeit ist das Ganze todt zu nennen, oder den Charakter des Grafen schlecht zu finden, und den des Eduard in den Wahlverwandtschaften gut, wie der Jacob thut. Der ganze erste Band ist gut, fest zusammengehalten und untadelhaft; nach der Verführung der Dolores kommt der Ort, wo es hapert, der Markese ist mir ohne Gestalt; ihre Rückkehr zu einem bessern Leben, ihre Heiligung ist nicht gerathen, ebenso wenig die durch ihren Sohn, ein anderer Versuch, die Sache zu zwingen, die letzte Hälfte des Buchs ist auseinander getrieben durch zu viele schöne Einzelheiten. Der Schluß wieder vortrefflich. Das ist ganz kurz meine strengste Critik.

Soweit hatte ich gleich nach Empfang Ihres Briefs geschrieben. Es ist liegen geblieben, weil wir erst das Paquet erwarten wollten, welches gestern Abend zu großer Freude angelangt ist. Werden Sie über die Langweiligkeit des vorher geschriebenen, das Sie besser wissen als ich, nicht bös, ich wollte meiner Meinung nur einmal ihr Recht anthun, sonst fällt mir ein, daß ich Ihnen das schon hinter Treuenbriezen (oben S. 70) gesagt, als wir in dem Sand fuhren, da wo Sie bald die Geschichte: das ist von dem Gegohrenen ne! ne! das kümmt vom Noppen, erzählten. Nun zum Dank für alles überschickte: wenn nur das Böhmische erst erlernt wäre. Halle und Jerusalem freue ich mich wiederzulesen, so viel ich aus dem Blättern darin gesehen, ist doch mancherlei verändert worden: ich glaube, daß sich in diesem Werk Arnims Eigenthümlichkeiten am klarsten zeigen, also auch seine Herrlichkeiten. So z. B. die Lust, nach der ganzen Welt hinzureichen, hat etwas von den tausendarmigen indischen Göttern, die in jeder irgend ein Symbol halten. Ihre Cantate auf die Universität (Arnim und die Brüder Grimm S. 77) hat vortreffliche Stellen, aber die auf die Königin (oben S. 111. 116) haben wir vergeblich gesucht[1]). Arnims ist sehr schön. Runges Tod (2. 12. 1810) werden Sie wissen, Louise (Reichardt, in Hamburg) hat mir sehr niedergeschlagen geschrieben, sie muß viel schweres ertragen und lebt nun

[1]) Sie blieb ungedruckt.

dort eigentlich einsam und in mühseliger Arbeit: es hat mich recht betrübt.

Mit mir geht es wieder gut in der Gesundheit, ich erhole mich ebenso leicht, als ich krank werden kann. Für den Winter hab ich mir einen eigenen Arbeitsplan gemacht, und wenn ich ihn zum Theil ausführe, so bin ich zufrieden. Was die Abhandlung über das Lalenbuch und die Herausgabe desselben betrifft, so muß ich die wohl auf das Frühjahr aufschieben, weil ich das eigentliche, nämlich den ersten Theil, oder das Volksbuch, gar nicht habe. Das könnten Sie mir zwar leihen, aber ich erwarte erst noch das dänische, das ich immer noch nicht bekommen habe, aber nach neuen Anstalten, die getroffen sind, diesen Winter kommen muß. Hab ich alle Quellen beisammen, so send ich Ihnen einen Plan zu und schreibe etwas für das Museum. Es scheint mir auch gut, drei einzelne Werke zu machen, und es läßt sich leicht einrichten. Wir können diesen Winter recht ungestört arbeiten, da unser einziger Besuch, der Engelhard (oben S. 94), in diesen Tagen abreist und zwar nach Italien. Er hat auf acht Monate Urlaub und seinen Gehalt bekommen, und will sich nun dort zu einem perfecten Baumeister machen. Ich hoffe, daß diese Reise ihm zuträglich ist, und daß er ernster gesinnt wird für seine Kunst. Denn es ist merkwürdig, daß von allem dem, was in den Wahlverwandtschaften von ihm gesagt wird, auch gar nichts wahr ist. Statt eines stillen ruhigen fleißigen Fortarbeitens, das ihm gerade nothwendig wäre, ist eine unfruchtbare Planmacherei in ihm, die ihn gar nicht dazu kommen läßt etwas auszuführen. Im Anfang hab ich mich für manches interessirt, das er vorzuhaben schien, als ich aber sah, wie liederlich er alles wieder hinwarf, ist mir das Wesen zuwider geworden: ich hab ihm gesagt, ein Wohnhaus allhier wär mir lieber als ein Chateau en Espagne. Dazu kommt, daß er in einigen Dingen geradezu verwirrt ist. Sonst hat er manches Gute und ist auch brav, und ich glaube, daß er jenen Fehler wieder ablegt, wenn er einmal zu einer Erkenntniß von sich und seinen Kräften gelangt, wozu diese Reise behilflich sein kann. Die Dolores hatte ich ihm geliehen, und er machte ein großes Wesen davon, wie er sich daran erfreut, und wie herrlich das Buch sei. Nach vier Wochen frag ich zufällig ihn über etwas darüber, so wußte er von einer Menge Dinge daraus gar nichts und meinte, die Päbstin Johanna wär etwas nach dem Faust gemacht; ich sagte ihm aber, der Arnim hätte sie auf seine eigne Faust gemacht: was solche Bemerkungen meinen, ist mir das schlechteste, was über Poesie kann gesagt werden. Ein angenehmes Buch hab ich in dieser Zeit gelesen, den A.B.C.Schütz von Ernst Wagner, es ist nichts Großes damit gemeint, aber es enthält allerlei gute Dinge, Kinderjahre, Volksglauben, Volkssitten, aufrichtig erzählt[1]). Bei dieser Gelegenheit muß ich Sie bitten, den Quintus Fixlein von Jean Paul zu lesen, er ist mir nach dem Siebenkäs sein liebstes Buch, den Savigny aber bewegen Sie, daß er die Reise des Schulmeister Fälble liest, das macht ihm gewiß Vergnügen; sie ist ein Anhang von dem Fixlein.

Ich sehe, daß der Jacob schon geschrieben, wie lieb uns der vorgeschlagene Reiseplan ist, das wär mir eine große Freude. Im Herbst käm ich dann mit einigen

---

[1]) Von Wilhelm Grimm in den Heidelberger Jahrbüchern 1810. 5, 2, 371 recensirt; die seinen Kleineren Schriften fehlende Recension habe ich in der Zeitschrift für deutsche Philologie 29, 212 nachgewiesen und mitgetheilt.

Kasten Herrlichkeiten angelangt. Wir haben jetzt die Zeit unserer Familienfeste, d. h. die Geburtstage fallen ein: sie werden gewöhnlich mit einem delikaten Frankfurter Kuchen und einem allgemeinen Kafee zum Frühstück gefeiert. Meine ächten Cooord sind nun, nachdem das Kollern nichts mehr hat helfen wollen, auch geschwefelt worden, und ich nehme mich propre darin aus. Bei dem Anblick von Quetschenmus und Buttermilch, als beides an einem Herbst-Sonnabend fertig geworden, soll ein hessischer Schulmeister im Gefühl seines Glücks ausgerufen haben: Herz, was verlangst du nun? Leben Sie wohl, lieber Clemens, und bleiben Sie mir geneigt. Viele Grüße an Bettine, Savigny, Frau und Kind. Von Herzen Ihr Wilhelm C. Grimm. (Nachschrift:) Noch eine Bitte: wollten Sie uns nicht den alten Liedercodex, worin auch Nithart ist, schicken? Ich habe darum an Sie geschrieben in einem Brief, der in einem an Hagen eingelegen, und auch einen Vorschlag: hat er ihn nicht abgegeben? Ich muß auch noch fragen, ob es denn wahr, daß der sinnig versmolzene (oben S. 89) wirklich Vorlesungen hält, und wie ist es möglich, da er ja keinen Perioden je zu Ende hat bringen können."

Daran reihte sich auch Jacob Grimms Brief, aus Cassel 15. December 1810: „Lieber Clemens, gestern Abend endlich ist das längsterwartete Bücherpaquet von Ihnen eingetroffen, wir hatten darum von einer Post zur andern unser Schreiben aufgeschoben und vielleicht unsern Bücherauctionsartikeln zu großem Schaden. Noch eh ich zu diesen komme, erst tausend Dank für alles, was uns große Freude gemacht hat, für Halle und Jerusalem (an das Lesen hab ich noch nicht kommen können, weil es der Buchbinder erst geschwind in der Eile heften soll, gewiß aber ist es gar herrlich, weil hier Arnim in so wahrem Wesen ist, wie jeder geistreiche Mann unter den Modernen, der sich nicht an die Regel unser schlechten Bücher kehrt, als welches Göthe fast zu viel gethan hat), für Ihre Cantate, (aber Ihr Trauergedicht auf die Königin haben wir vergeblich gesucht), für Arnims Trauergedicht (beide haben mir recht wohl gefallen, doch gehört dazu, wie ich meine, daß man selbst in Berlin gewesen und durch die Gegenwart der Dinge ergriffen worden sei) und endlich für die böhmischen Bücher. Unter diesen sind selbst die gerade aus unsern deutschen übersetzten mir jetzt die liebsten, weil sie die beste Sprachübung gewähren, da ich bis jetzt weder Grammatik noch Wörterbuch erhalten habe und doch gestern Abend in der schönen Magelone alle Wörter und Wendungen herausgebracht und manche gelernt habe. Die Titel werden Ihnen selbst schon verständlich gewesen sein, wie Melusine, Magelone, Rübezal, Reinold das Wunderkind, nach Musäus, Griseldis, Genovefa, das Gartenbuch u. a., doch hätte ich gewünscht mehr original böhmische Stücke zu finden, als es der Fall ist, namentlich solche, die meiner Vorstellung nach Hageks böhmischer Chronik zum Grund liegen müssen. So von der bekannten, aber äußerst merkwürdigen Geschichte des Ritter Eginhart. In dem vielleicht interessantesten Buch der ganzen Sammlung fehlt leider ein ganzer Bogen, vielleicht ist er dort liegen geblieben, ich schreibe Ihnen daher den Titel ab, damit, wenn er Ihnen in die Hände komme, Sie daran denken, ihn nachzuschicken. Dwe Kronyky. Prwnj o Stylfrydowi, Knizeti o Panu ceskym. Druha o Bruncwjkowi, Synu geho, tez Knizeti o Panu czeskym (d. h. Zwei Geschichten. Die erste von Stylfried, böhmischem Fürsten und Herrn. Die zweite von Brunzvik, dessen Sohn, auch böhmischen Fürsten und Herrn). In der zweiten tritt ein König Olibrius, eine Frau Affrion pp. auf [1]).

Dobrowskys Slawin ist vorerst wenig brauchbar, seine Grammatik habe ich längst bestellt, und sobald ich sie ein wenig angesehen, werde ich ihm einen Brief schreiben, vorzüglich wegen der altdeutschen Handschriften (vgl. oben S. 109 und unten).

Die von Ihnen aufs Frühjahr vorgeschlagene Reise nach Böhmen und Krakau ist ein werther Plan, und würde uns sicher groß nutzen, deswegen sehen wir gern mit der Ausgabe zu und müssen uns anders einzuschränken suchen. Leider wird es mir aber nichts davon tragen und der Wilhelm dran müssen, meine Anstellung ist so, daß ich mir ohne eine Veränderung, die gleichwohl über lang oder kurz erfolgen muß, gar nicht einbilden kann, auf so lang Urlaub zu bekommen. Doch habe ich ja am Erfolg fast so viel Nutzen als der Wilhelm, weil wir alles zusammen arbeiten und haben und gewiß auch immer haben werden. Unsere große Sagengrundlage ist diese letzte Zeit sehr angewachsen, so daß ich damit fast jedermann die Spitze zu bieten denke, jedoch fehlt noch viel, bis an eine eigentliche Verarbeitung gedacht werden kann, während dem sich schon einzelne Vergleichungen und Resultate genug geben ließen, es ist mir aber sehr zuwider, damit hervorzurücken, weil das Zeit wegnimmt und in ein paar Jahren doch besser werden muß. — Auch zu den lustigen Sagen von Eulenspiegel, dem Lalenbuch halte ich eine solche Vorarbeit für nöthig, ehe man an die Ausarbeitung eines solchen Buchs geht, wovon

---

[1]) Vgl. Aus Jacob Grimms Briefwechsel mit slavischen Gelehrten, von August Sauer, Prager Deutsche Studien 1908. 8, 4.

Sie in Ihrem letzten Brief (oben S. 135) sprechen. Soll etwas vorher geschehen, so wäre es ein bloßer, reiner Abdruck des Lalenbuchs, wogegen ich nichts einwende, hingegen vom Eulenspiegel müßte man erst den ältesten Druck haben, den Sie wohl auch noch nicht gesehen. Das letzte und allerschwerste bleibt die Sammlung aus den vielen Büchern des 16. und 17. Jahrhunderts und das Ausmachen des rechten Tons dafür. — Das mitgesandte Albertätenbuch ist gar nicht übel, und weist wenigstens auf manche Quellen hin.

Die hier beifolgenden Auctionscommissionen, lieber Clemens, müssen Sie so gut sein, gleich nach Wien zu befördern, weil es sonst, fürchte ich, zu spät wird. Ich habe alles in Frankfurter Gulden und Creuzergeld angesetzt, wonach man sich leicht richten wird. Finden sich einige Bücher darunter, worauf Sie oder Arnim bieten, so stehen wir nach. Die meisten unter beikommenden Aufträgen sind nicht für mich, sondern für einen Bekannten, doch alles auf meinen Namen. Für den spanischen Amadis habe ich wohl zu viel angesetzt, allein die Ausgabe wäre mir auch sehr lieb, da sie, soviel ich weiß, die älteste und einzig ächte ist. Kaufen Sie oder Arnim die Liederbücher, so ist es ebenso gut, da Sie uns demnächst doch die Benutzung davon erlauben.

Wissen Sie mir etwas von dem Herausgeber altdeutscher Gedichte zu sagen, der sich soeben zu Wien erhoben und dem Hagen, wie es scheint, den Lanzilot entrissen hat, Namens Probst Hofstätter? Ich bin froh darüber und möchte ihm wohl einmal schreiben; sonderbar ist es, daß man sich vom Lexicon altdeutscher LiteraturGelehrten in Zukunft nur den ersten Band, welcher bis zum Buchstaben H. einschließlich geht, zu kaufen brauchen wird, Arnim und Brentano eröffnen bekanntlich das Alphabet, und der Hagen hat uns auch in hinlängliche Sicherheit gebracht.

Meine schon im September an Dieterich übersandte Meistersingerabhandlung ist immer noch nicht gedruckt, ob ich mir gleich die Beschleunigung ausbehalten hatte. So ärgerlich das ist, so sehr hoffe ich, daß das Buch endlich einmal fertig wird, ein anderer hätte es vielleicht gar nicht verlegen mögen, der Dieterich gibt mir noch 5 rx. für den sehr eng bedruckten Bogen, es sind wohl über hundert Seiten. Das Buch ist mehr gelehrt, als gut, doch hoffentlich ersteres so, daß es auch noch einmal letzteres werden kann. Vieles war, des Polemischen wegen, nicht anders thunlich, und hätte ich es im berliner Museum erscheinen lassen, wie erst meine Absicht war, so wäre es gar zerschnitten und mit Hagens Anmerkungen ausgestattet worden, auf die er es hätte können liegen lassen. Ueberhaupt ist das der Tod seines Museums, daß er eigentlich keine freie Concurrenz zuläßt und die Aufsätze anderer hinlegt, bis er etwas daran besser machen kann. Die Stückelmanier, welcher er und Docen sich ergeben haben, ist mir höchst fatal; entweder bloße Sammlung, ohne Noten, oder tüchtige Arbeiten. Ihre jetzigen erfordern jedes Vierteljahr eine verbesserte Auflage. Büsching hat noch gar nichts, als Schlechtes geliefert, wer mag etwas unternehmen, wie sein armer Heinrich, mit den geleckten, aber elenden Bildern.

Mit Görres sind wir in fleißigem Briefwechsel, ich möchte wissen, ob der selige Runge, über dessen Tod wir erschrocken sind, noch die Umrisse zu den Haimonskindern zu Stande gebracht hat? Die Zeichnungen zu Ihren Romanzen sind dadurch auch gescheitert, aber das Buch doch nicht? das nun vielleicht desto eher erscheint? Ich weiß nur noch das Wenige daraus, was Sie vor Jahren vorgelesen zu Marburg oben auf Ihrer grünen Stube, neben einer geschickten ovalen Landschaft, während der Savigny rothen Wein in den Thee schenkte, was ich in meinem Leben nicht getrunken hatte, Ihr schönes Vorlesen gefiel mir außerordentlich, doch hatte ich immer eine Art von Angst, wenn ich zu Ihnen und zu Savigny kam, ich dachte, man dürfe das nicht zu oft genießen, und niemals bin ich so von einem Besuch erschrocken und hernach so vergnügt geworden, als wie einmal Savigny zu mir in Heckmanns Haus kam, um mich zu einer Excerpirlust aus Panzers Annalen einzuladen, wozu Sie Sich Abends auch einstellten und der Weiß immer plagte: ach bester Mann, Mann, nur noch das Stück vom König oder Schäfer David, und dann wieder die Feder nahm und schrieb: Infortiatum. (s. l. & a) Maittaire I. 20. Panzer X. 118. — doch davon aufzuhören. Ich denke oft daran, wie wir wohl geworden wären, ohne die Bekanntschaft mit Savigny und Ihnen; sicher viel anders, und der Louis wäre auch nicht nach München gekommen u. s. w.

Hierbei folgt ein inzwischen eingegangenes Mährchen, was meinen Sie, ob man nicht ein Journal eröffnen könnte, unter dem Titel: altdeutscher Sammler, worin man nichts aufnähme, als mündlich aufgenommene Sagen der gemeinen Leute, ohne alle Anmerkungen? Es kann sein, daß das Journal keinen Beifall findet, aber traurig ist es, wie viel Vortreffliches durch längeres Warten und das Absterben unserer Generation verloren gehen muß.

Nächstens schreibe ich Ihnen von einem mit Görres verabredeten Plan, die Herausgabe eines alten vom

Glöckle im Vatican gefundenen Gedichts betreffend, das weitere. Sonst hätte ich nicht übel Lust, wo mir Zeit dazu bleibt, eine Sammlung aller Wächterlieder, und das recht schöne Lied vom Ungenähten Rock herauszugeben. Ein Gefallen geschieht uns, wenn Sie uns Ihren alten Druck des rom. de Giglan & de Geoffroi di Mayence auf kurz schicken wollen, Sie wissen, daß wir angefangen hatten, ihn abzuschreiben, ob ich gleich das jetzt nicht noch einmal thäte, so fehlen mir doch nur ein paar Bogen, die ich auch noch haben möchte. Ich bin ewig ó Pany mily, das heißt auf böhmisch lieber Herr, Ihr treuer Jacob. (Am Rande:) Sie haben uns ja Ihr Lied auf die Königin doch nicht mitgeschickt."

Siebentes Capitel.

Grimms Plan zur Sammlung deutscher Poesie und Geschichte.

Der Abschluß des Jahres 1810 brachte den nahverbundenen Freunden die Verlobung Arnims mit Bettina, die in der Obhut der Familie von Savigny nach Berlin übergesiedelt war. Die größeren Arbeiten Arnims stockten, weil die politische Entwickelung Preußens unter Hardenbergs Staatskanzlerschaft alle Kräfte für oder gegen die neue Finanzgesetzgebung einspannte. Arnim lieh seine Feder den Abendblättern, Brentano, zwar auch hineingezogen, hielt sich doch mehr zurück und gedachte zu ausgreifender literarischer Arbeit überzugehen. Er dichtete an den Romanzen vom Rosenkranz weiter und begann mit der Niederschrift seiner Märchen: beides Werke, die, vor der Vollendung abgebrochen, erst aus seiner Hinterlassenschaft herausgegeben worden sind. Als dritte Arbeitsaufgabe hatte er in ähnlicher Art, wie er beim Wunderhorn und beim Goldfaden verfahren war, die Sammlung und Veröffentlichung weiterer Volksüberlieferungen und älterer Schriftwerke ins Auge gefaßt, und dabei wollte er sich der Sachkunde und Rührigkeit der Brüder Grimm bedienen.

Diesen Zweck verfolgte Brentanos Brief vom Anfang Januar des neuen Jahres 1811, erst allgemein die früheren Gesprächsstoffe beilegend, dann gerade auf das

Ziel losgehend: „Meine geliebten Doppelhaken! Beiderseitige Briefe haben mir ungemeine Freude gemacht. Wilhelm hat mich in dem seinen vornherein etwas stark mitgenommen, und hat sodann am Ende derb herausgesagt, was er eigentlich von der Dolores hält, und das ist grade, was ich davon halte, und Jacob wohl auch, nur ist er galanter. Ich lege Eure Briefe nicht vor mich, um nicht zu weitläuftig drauf zu antworten, erstens weil es mir Mühe kostet schöne Gedanken zu haben, und zweitens weil ich keine Freude an meinen eignen Gedanken habe. Ich gehe schier gar nicht mehr aus, etwa die Woche zweimal zu Savigny, dessen Kinder, besonders der Junge, sehr liebenswürdig sind; der Junge hat eine ganz wunderbare Aehnlichkeit in seinem ganzen Wesen mit Savigny. Die Gundel ist nach wie vor etwas stark und viel kränklich, und wirkt auf alles wie Seemasblätter und Bitterwasser, doch auch viel Gutes. Arnim und Bettine haben sich endlich (4. 12. 1810) auf der Straße mit einander versprochen und Weihnachten sich Ringe bescheert. Arnim ist zärtlicher, als sie, vielleicht weil er wahrhaftiger, gesunder und freudiger ist. Es freut mich im Stillen, daß ich diese Leute doch gewissermaßen zusammengeführt. Sophie (die erste Frau) hat mir einigemal, wenn ich traurig war, daß mir nichts gelänge, gesagt, daß ich doch manche gute Leute zusammengeführt und manches erweckt, nun bin ich zwar sonst oft betrübt gewesen, daß der erweckte mich nicht zuerst, sondern den Himmel ansah, jetzt freut es mich, und ich denke bei den meisten, die an mir vorübergehn: gehe hin in Gottes Namen. Diese Verbindung kann uns viel Gutes hervorbringen, sie bringt kein fremdes Element in unsre Freundschaft und verbindet uns alle näher, darunter verstehe ich Euch und uns. Wenn Hulda (Sophiens Tochter erster Ehe) einmal ein paar Jahre älter ist, so will ich ihr den Jacob freien und Euch zu meinen Erben einsetzen, denn wir sind Euch in Gnaden gewogen, Euer wohl affektionirter. Hier war bei Savigny Weihnachten, und ich habe mich auch stark angegriffen und jedem irgend ein sinnreich Mirakel übergeben, dagegen ist mir beiliegende Winterweste zu Theil geworden, die ich Euch zur Ansicht, Benutzung und Erinnerung übersende, da mir dergleichen Eitelkeit nicht gebührt, sie ist ziemlich weit, und Ihr könnt drum losen, drum prügeln oder beide hineinkriechen,

ich schicke sie ohne zu wissen,
wem ich sie geben soll. Göthe[1]).

Den Gauvin schicke ich auch mit und das Liedermanuscript. Zimmer will die alte Novellensammlung drucken, worüber ich Wilhelm das letztemal geschrieben. Dieser gute Buchhändler hat eine besondere Liebe zu mir, er schrieb mir, er wolle alles drucken, was ich ihm empfähle und wozu ich meinen Namen mittheile. Was nun die Art angeht, diese Schwänke mitzutheilen, so stimme ich zu einer mäßigen Veränderung in der Orthographie, da das Buch doch mehr ein Lesebuch als ein gelehrtes würde. Uebrigens seid Ihr Herr und Meister, wenn Ihr etwan meine Minnelieder und den Neidhardt abdrucken lassen wollt, so bin ich es von Herzen zufrieden, und ist es mir lieber, als wenn es in irgend ein Journal kömmt. Wenn Ihr den Ungenähten Rock dazu thut, wird es schon ein ganz artig Buch mit einer Einleitung; die Mörin, die ich noch habe, ist wohl nicht der werth? Ihr

---

[1]) Die beiden Zeilen nach Schäfers Klagelied, von Goethe; Brentanos Beziehung dazu gab ich im Euphorion 2, 813.

könnt mich als Herausgeber mit anführen, ich habe doch auch manche Freunde, und es verkauft sich vielleicht dadurch besser. Wir nähmen dann mit einem mäßigen Honorar vorlieb und legten es zum Grund einer Kasse für Ankauf und Beförderung ähnlicher Unternehmungen. Das Journal, der altdeutsche Sammler, der nicht sowohl philologisch als mündlich sein würde, ist ein pium desiderium, das ich längst schon gehabt, aber dergleichen ist bis zur Unmöglichkeit schwierig, wenn ich bedenke, daß ich bei allem Lärm, unendlichem Schreiben, zum Wunderhorn kaum zehn Einsender gehabt, und unter diesen etwa vier bis fünf brauchbare. Stellen Sie sich vor, was dazu gehört, nur zu verstehen, was Sie wollen. Dazu gehört nicht sowohl wahre Einfalt, als vielmehr eine Bildung, die die Einfalt würdigen kann. Weiter, wie viele Menschen würden Ihnen dasselbe schicken, und dann das ungeheure Porto, welches der Ertrag gewiß nicht decken würde. Der einzige Weg, wodurch es möglich, ist eine förmliche Eintheilung von ganz Deutschland in Kreise, in jedem muß ein verstehender Freund sein, der seine Unterarbeiter unterrichtet, eine Anzahl gedruckter Cirkulare erhält, vertheilt und sammelt und von Zeit zu Zeit einsendet, es muß wie eine Weinlese getrieben werden. Was aber kann den Einsendern zur Belohnung gegeben werden? ist es ein Exemplar? Nein, denn wir müssen mehr oder doch schier ebensoviele Mitarbeiter haben, als Exemplare gedruckt werden. Der größte Verlust für das Unternehmen ist der Tod (Johannes von) Müllers; hätte er seinen Namen mitgegeben, so wäre es halb gemacht und, gleich unverstanden, doch gewürdigt worden. Die Hauptsache ist mit, unter die Cirkulare einige bekannte Namen setzen zu können, Arnim, Sie,

Görres, ich ist wohl nicht genug. In Baiern, Tirol, am Konstanzer See habe ich Leute, denen wir den Plan mittheilen können. Görres muß am Ueberrhein die Sammlung unternehmen, Sie müssen sich in Westphalen umthun und Hannover, im Preußischen und Mecklenburg Arnim, in Schwaben und Breisgau ist noch zu wählen. Vor allem bitte ich mir einen Plan von Ihnen aus, was es eigentlich sein soll; ich meine eigentlich Tradition und Volkssage. Sobald Sie mir diesen mitgetheilt, doch so umständlich und einfach großsprechend, daß er den verständigen erfreut und den aufgeklärten verführt, so schlage ich Ihnen vor im Reichsanzeiger eine Anfrage zu thun, wer dabei mitarbeiten, sammeln will, und wer darauf subscribiren will. Es muß bekannt gemacht werden, daß man dabei keinen Heller gewinnen und nur den Druck decken will. Dieser muß so eng und wohlfeil als möglich geschehen, der Ueberschuß aber berechnet und den Unterstützern nach der Zeilenzahl ersetzt werden; deswegen ist jeder eingesendete Aufsatz von den Herausgebern, Euch, in die gehörige Kürze zu ziehen. Ob es nun ein Journal wird oder ein fortwährendes Buch, das ist zu bestimmen. Ich bin für das letzte: alle Messe, was da ist; wir finden eher ein Publikum und einen Buchhändler, und noch ehe wir beides haben, ist dennoch die Sammlung und Einrichtung zu beginnen. Ich erwarte daher bei Ihrem nächsten Schreiben eine Erklärung über meinen Vorschlag. Zu meinen Kindermärchen habe ich das Einleitungsmärchen, worin Ihr beide auch erwähnt seid, geschrieben[1]); es ist die Veranlassung, wegen welcher alle übrigen erzählt werden.

---

[1]) In Brentanos „Märchen von dem Rhein und dem Müller

Ich werde alle die ähnlichen Märchen immer mit Wahl zu einem einzigen machen, um nicht zu einerlei zu werden. Die Bilder entwerfe ich selbst dazu und sende sie sodann an Louis, um sie zu korrigiren und zu radiren. Ich arbeite sie zur Abwechselung mit den Romanzen, die mir eine fatale Mühe machen. War denn noch keiner von Euch in Göttingen, die Wolfenbüttler Sachen zu untersuchen? Was die Birkenstockische Auction betrifft, so kommen wir eher zu früh als zu spät. Franz hat sie wegen schlechtem Cours zurückgesetzt, ich habe wenig committirt, von dem Eurigen schier nichts; doch finde ich, daß Ihr nicht eben zu hohe Commissionen gegeben, da die Wiener auf alte Drucke und auf Birkenstock Narren sind. Soeben geht die Post ab, und Nikolai stirbt (8. 1. 1811). Euer Clemens. (Nachschrift:) Ich höre, Ihr besitzet die frischen Liedlein in allen Stimmen; wenn Ihr sie mir einmal wegen der Musik senden könntet, wäre es mir sehr angenehm."

Freilich so rasch, wie Brentano sich die Sache dachte, vermochte Grimms wissenschaftliche Gründlichkeit nicht zu arbeiten. Eine Ausgabe des Nithardt konnte auch nicht zu Stande kommen; die Handschrift Brentanos, die nachher der Freiherr von Meusebach besaß, befindet sich heute auf der Königlichen Bibliothek Berlin, und in Haupts Ausgabe Neidhardts von Reuenthal wird sie in der Vorrede S. VII aufgezählt und beschrieben. Dagegen ver-

---

Radlauf" (3. Auflage 1, 95), wo von den vier alten Greisen die Rede ist, welche um den Nibelungenhort sich bemühen, heißt es:

Der dritt' und viert' sitzt an der Fuld,
Grimm heißen sie, doch voll Geduld
Studiren sie an einem Pult.

Mit Recht hat H. Cardauns (Köln 1895, S. 6) den Beginn der Ausarbeitung der Rheinmärchen etwa in diese Zeit verlegt.

anlaßte der beifällig aufgenommene Vorschlag der Begründung eines Journals, das „der Sammler" heißen sollte und vielleicht schon in der Casseler Zeit Brentanos gemeinsam in Erwägung gezogen worden war, Jacob Grimm zu dem Entwurfe eingehender Pläne, die er niederschrieb. Diese Bemühungen haben, innerhalb der literarischen Wirksamkeit und Entwicklung der Freunde, ihre eigne Geschichte[1]).

Je tiefere Einblicke in die Jugendgeschichte der Brüder Grimm uns die Briefwechsel mit Arnim und Brentano gewähren, desto deutlicher wird es, daß ihre Anfänge durchaus von den Bestrebungen der beiden älteren Freunde abhängig sind. Namentlich gilt dies für die Sammlung und Erhaltung aller Art von Volkspoesie. Des Knaben Wunderhorn, wie der erste Band 1805 hervortrat, war noch wesentlich das Ergebniß eigner Arbeit Arnims und Brentanos. Wenn sie auch für die weiteren beiden Bände das Entscheidende selbst zu leisten hatten, so begannen sie doch schon dafür die Mithilfe des Publicums anzurufen. Die Aufforderung Arnims im Gothaer Reichsanzeiger Nr. 339 vom 17. December 1805, ferner Brentanos gedrucktes Formular in Quart 1806, sodann die von ihm und Arnim im November 1807 in den gelesensten Blättern erlassene Erklärung über die Fortführung des Wunderhorns, die das Circular z. Th. wieder in sich aufnahm (Arnim und Brentano S. 150. 177. 225), haben uns als die ersten Versuche zu gelten, die volksthümliche Sammelarbeit zu organi-

---

[1]) Vgl. meinen Aufsatz „Jacob Grimms Plan zu einem Altdeutschen Sammler", in der Zeitschrift des Vereins für Volkskunde 1902, S. 129.

siren. Von diesen Bestrebungen wurden auch die Brüder Grimm beeinflußt.

Am 22. Januar 1811 schon schrieb Jacob auf Brentanos Aufforderung zurück: „Lieber Clemens, gar lieb und erfreulich ist mir der Beifall und die Aufmunterung gewesen, die Sie meinem Plan, wegen Herausgabe eines altdeutschen Sammlers, der allerdings auf nichts als mündliche Tradition ausgehen soll, gegeben haben. Sogleich bin ich her gewesen und habe einen näheren Entwurf gemacht, den ich Ihnen hier mitschicke, er ist fast zu weitläufig gerathen, indessen kann man davon abthun, und schreiben Sie mir, wo? So geht es mir, wenn ich in das Zeug komme; es ist mir so natürlich das auszudrücken, was ich von Herzen glaube, inzwischen haben Sie mir schon einigemal zu verstehen gegeben, daß ich nicht galant schreibe. Ihren vortrefflichen Rath zu der Ausführung des Plans, durch Eintheilung Deutschlands in gewisse Sammelgegenden, habe ich benutzt, es ist der einzige Weg gewiß, worauf wir zu etwas in dieser Sache kommen. Ich bitte Sie nun, zu dem ausführlicheren Plan mir auch noch genauere Zusätze und Rathschläge weiter zu geben, besonders lieb ist mir alles, was die Idee eines Journals entfernt, namentlich das Erscheinen eines Bands auf die Messen und der unansehnliche Druck, den ich alsdann auch desto wohlfeiler zu erhalten hoffe, aber sehr correct wünsche. Auch wird es Ihnen gefallen, daß die einzeln eingegangenen guten Sachen hintereinander, ohne andere Gesuchtheit, abgedruckt werden, blos mit vorgesetzter, laufender Nummer, und am Ende ein Register dazu. Gut wäre es wohl, zum Anfang ein Rungesches Mährchen oder einige andere Muster, die verständlicher machen, was die simpelste Auffoderung nicht vermag, einrücken zu lassen; sollte Ihnen oder dem Arnim der Zimmer nicht ein oder zwei Dutzend Exemplare davon verabfolgen, um sie dem Circular beizulegen, so wäre es noch besser [1]). Kriegen wir das ganze Jahr nur allein zehn solcher Mährchen geschickt, so wäre es schon der Mühe werth. Für Verschmelzung mehrer Recensionen in Eins, oder gar für Restauration mangelhafter [2]) bin ich einmal durchaus nicht, Sie wissen meinen Glauben darüber, und wenn uns das Publicum hier seine innersten Quellen öffnet, so steht uns gar kein Schalten und Walten darüber zu, weil wir hier blos Material sammeln und noch an keine Critik kommen dürfen.

Ein Hauptpunct ist, unserm Plan Gönner und Beförderer zu schaffen, sonst geht es nicht ein. Sprechen Sie doch einmal mit Arnim und Savigny über die beste Art und Weise. Dürfen wir beide hier noch Ihren und Arnims Namen unter den Plan drucken lassen, so wäre das schon etwas sehr Gutes. Görres steht uns gern bei; auch an Villers will ich mich wenden [3]), der bei einem uns vermuthlich ungefälligen Theil des Publicums in Gewicht und Ehre steht. Sollte man sich an Jean Paul machen

---

[1]) Jacob Grimm meint wohl diejenigen Nummern der bei Zimmer erschienenen Einsiedlerzeitung, in denen Runges Märchen „Vom Machandelbohm" abgedruckt war; über die beiden Rungeschen Märchen, Machandelbohm und Fischer, habe ich in Brandls und Toblers Archiv für das Studium der neueren Sprachen und Literaturen 107, 277 (1902) und 110, 8 (1904) gehandelt.

[2]) Das erstere that Brentano damals bei der Bearbeitung der Märchen, die er sich von Grimms erbat; das letztere war im Wunderhorn geschehen.

[3]) Den von Isler 1879 herausgegebenen Briefen Grimms an Charles de Villers ist zu entnehmen, daß es nicht geschehen ist.

dürfen? Ja wenn Göthe irgendwo nur ein paar Zeilen zur Empfehlung schreiben wollte, so wäre uns gleich geholfen, allein ich fürchte, der Erfolg ist ihm nicht sicher genug vorauszusehen, bevor er dergleichen thun mag. Haben wir erst einmal ein paar große Namen für uns, so muß es schon in Gang kommen und dann macht sich die Unteraustheilung tausendmal leichter, wozu sich in meiner umliegenden Bekanntschaft bereits einige brave und gewogene Leute finden, unter der Ihrigen noch viel mehr. Den Westenberg, der ohne Frage die besten Stücke ins Wunderhorn zugeschickt hat[1]), müssen Sie ja nicht vergessen, weniger ist wohl mit dem Heidelberger (Alois) Schreiber anzubinden, eher noch mit unserm dortigen Namensverwandten (Albert Ludwig Grimm), dessen gedruckte Kindermärchen freilich gar schlecht sind. Doch eh wir daran sind, müssen wir erst das Circular auf feines Briefpapier eng abdrucken lassen, die Redacteurs der beliebten Zeitungen werden sich doch wohl schämen und die unten angetragene Ehre ohne Bezahlung einrücken, denn sonst müßte man sich auf weniges einschränken, was nicht gut ist. An Hagen mag ich mich nicht wenden, noch an Tieck werdet Ihr mögen, der, wie jener schreibt, wieder nach Ziebingen ist. Auf andere können wir uns noch besinnen.

Von den übrigen Plänen ein andermal, lieber Clemens, dieser eine hat mir diesmal alle Zeit weggenommen, da wir das Paquet erst vorgestern erhielten und doch die Glückwünschungsschreiben nicht bis auf einen

---

[1]) Die Lieder des Wunderhorns 2, 285. 294. 298 haben den Vermerk: „mitgetheilt von H. v. Westenberg in Constanz". Die Schreibung des Namens ist irrig; es ist der Freiherr Heinrich von Wessenberg (Goedeke, Grundriß, 2. Auflage 6, 358) gemeint.

Posttag weiter verschieben wollten. Die Weste (oben S. 156) ist dem Wilhelm zugefallen, aus dem Grund, weil ich mir diesen Winter ein Paar himmelblaue Hosen habe machen lassen, käme nun das Gelb hinzu, so sähe ich wie ein ehmaliger Hessenhusar aus. Leben Sie wohl, das andere will der Wilhelm zuschreiben, tausendmal gegrüßt, und antworten Sie bald Ihrem treuen Jacob."

Die von Jacob ausgearbeiteten Pläne haben folgenden Wortlaut:

Aufforderung
an die gesammten Freunde deutscher Poesie und Geschichte erlassen.

Die Erkenntniß, welche sich endlich wie ein langverhaltener Regen auf den Garten altdeutscher Poesie ergossen, hat nicht blos an dieser ihre Wirkung eingeschränkt, sondern, wir wagen es zu sagen, einen frischenden Geruch über das ganze Feld unserer Geschichte und Literatur verbreitet. Still und rein steht das Wesen unserer Vorfahren hinter uns, in Unscheinbarkeit der Aeußerung, in Unwandelbarkeit eines innerlichen, warmen Reichthums; seit wir es so recht empfunden haben, ist uns gleichsam ein Aug mehr für die treue Natur deutscher Begebenheit aufgegangen, und dadurch, daß wir sie sehr lieben gelernt, lieben wir uns desto unverbrüchlicher auch einander. Mit dieser Gesinnung ist es jetzo, wenn jemals, thunlich geworden, eine Geschichte unserer Poesie zu bereiten, dergleichen keine noch geschrieben worden ist, entweder weil es an durchdringender Achtung fehlte zu des eigenen Volks Alterthum, oder weil schon die Gegenwart alles Band der Vorwelt abgerissen hatte, das abgerissene nicht wiederum anknüpfen konnte. Wir aber stehen noch in der Mitte, die freilich schlechter als der Anfang, hoffentlich schlechter als die Zukunft, in keinem Fall jedoch unglückselig zu nennen ist, da sie so trostreich; noch reicht uns die vergangene Zeit die Arme herüber, noch mögen wir sie fassen und im Druck der Hand die leisen und leiseren Schläge altes Blutes fühlen. Später könnte es immer zu spät geworden sein und die Critik am Vorrath zerstreuter Materialien zwar Uebung, allein nicht die Nahrung finden, woraus das historische Bild der Vergangenheit erzeugt und geboren werden muß. Auf hohen Bergen, in geschlossenen Thälern lebt noch am reinsten ein unveralteter Sinn, in den engen Dörfern, dahin wenig Wege führen und keine Straßen, wo keine falsche Aufklärung eingegangen oder ihr Werk ausgerichtet hat, da ruht noch an vaterländischer Gewohnheit, Sage und Gläubigkeit ein Schatz im Verborgenen. Wir Unterzeichnete haben seine Wahrheit vielfach erfahren, aber auch wie schwer es, ihn zu heben, nunmehr geworden; es gehört dazu nicht nur unschuldige Einfalt, um ihn selbst zu fassen, sondern auch wieder Bildung, um jene Einfalt zu fassen, die ihrer ganz unbewußt ist, vor allem gehört dazu strenge Treue und dagegen milde Freundlichkeit, welche sich an ihrem Geschäft selber nicht nur wollen freuen, aber auch ehren.

Erfüllt von solchen Gedanken und währenddem die Herrlichkeit alter Gesänge wieder aufsteigt, durch Druck und fleißige Bearbeitung gesichert wird, auch auf der andern Seite zu retten suchend, was zu retten ist; ermuthigt durch den schönen Fortgang, welchen das Sammeln der Volkslieder bereits gehabt hat, halten wir nicht länger zurück, unsern Plan allen Freunden der Literatur ans Herz und hiermit vorzulegen. Er kann kein anderer als folgender sein:

1) wir gehen aus, alle mündliche Sage des gesammten deutschen Vaterlandes zu sammeln, und wünschen nur in dem nachstehenden die Allgemeinheit und Ausgedehntheit des Sinns, worin wir die Sache nehmen, nicht verfehlt zu haben. Wir sammeln also alle und jede Traditionen und Sagen des gemeinen Mannes, mögen sie traurigen oder lustigen, lehrenden oder fröhlichen Inhalt haben, auch aus welcher Zeit sie seien, mögen sie in schlichtester Prosa herumgehen, oder in bindende Reime gefaßt sein (ja es scheint uns die erstere in so fern wichtiger, als sie reichhaltiger verspricht), mögen sie mit unserer Büchergeschichte übereinstimmen, oder ihr (was der häufige Fall sein wird) stracks zuwiderlaufen und gar in einem andern Sinn sich als ungereinigt darstellen. Gegen das vornehme Absprechen über die Sage brauchen wir blos die Beispiele edler, wahrer Geschichtschreibung von Herodot an bis auf Johannes Müller zu setzen. Ist nicht die Volkspoesie der Lebenssaft, der sich aus allen Thaten herausgezogen und für sich bestanden hat? und es so thun müßte, weil anders keine Geschichte zum Volk gelangen und keine andere von ihm gebraucht werden könnte? Und diese Volksgeschichte ist wahrhaftig Bienenlauterkeit, keine Spinne hat dazu gesogen und keine Wespe papieren daran gearbeitet; ihr Geist aber von jeher ist allzu flüssig, rührig und bewegig gewesen, als daß er sich von Namen oder Zeiten hätte binden lassen, darum ist er doch unerlogen geblieben, ja äußerlich fast niemal gefälscht worden, obwohl er sich unaufhörlich von innerhalb neu gestaltet und wiedergeboren hat. Wenn wir also hiermit ganz besonders die Märchen der Ammen und Kinder, die Abendgespräche und Spinnstubengeschichten gemeint haben, so wissen wir zweierlei recht wohl, daß es verachtete Namen

und bisher unbeachtete Sachen sind, die noch in jedem einfach gebliebenen Menschengemüth von Jugend bis zum Tod gehaftet haben. Sodann aber denken wir uns, daß auch in der abgeschlossenen Kraft der besonderen Stände wie unter kühlem Baumschatten die Sagenquelle nicht so versiegen können, während was in die Mitte, in die allgemeine Sonnenhitze geflossen, längst vertrocknen gewußt; gewiß, unter ehrsamen Handwerken, still wirkenden Bergmännern, den grünen freien Jägern und Soldaten hat sich manche Eigenthümlichkeit und damit eigenthümliche Rede und Sage, Sitte und Brauch forterhalten, welche zu versammeln hohe Zeit ist, bevor völlige Auflösung erfolgt, oder neue Formen jener Traditionen Bedeutung mit sich fortgerissen. Dieses alles nun wünschen wir höchst getreu, buchstabentreu aufgezeichnet, mit allem dem sogenannten Unsinn, welcher leicht zu finden, immer aber noch leichter zu lösen ist, als die künstlichste Wiederherstellung, die man statt seiner versuchen wollte. Worauf wir durchaus bestehen zu müssen glauben, ist die größte Ausführlichkeit und Umständlichkeit der Erzählung, ohne alles Einziehen eines noch so kleinen gehörten Umstandes, ob wir uns gleich da, wo jene Genauigkeit der Tradition ausgeht, lieber noch mit dem bloßen Verlauf der Begebenheit begnügen, als auch seiner entbehren. Sowohl in Rücksicht der Treue, als der trefflichen Auffassung wüßten wir kein besseres Beispiel zu nennen, als die von dem seligen Runge in der Einsiedlerzeitung gelieferte Erzählung vom Wacholderbaum, plattdeutsch, welche wir unbedingt zum Muster aufstellen und woran man sehen möge, was in unserm Feld zu erwarten ist.

2) unser weiteres Absehen ist auf Localität der Niederschreibung. Bei der Allgemeinheit, worin wir ganz

Deutschland umfassen, wird es andererseits möglich für die einzelnen Länder eine besondere Austheilung des Plans zu machen und zu vollführen; überzeugt, daß an Ort und Stelle es sei, wo die Pflanze am höchsten gewachsen, und am tiefsten eingeschlagen hat. Aus diesem Grund nun machen wir zum Gesetz oder Anliegen, daß die Aufzeichnung in Mundart, Redensweise und Wendung des Erzählenden geschehe, selbst wo solche fehlerhaft und sich gegen die Regeln versündigend erschienen, welche zum großen Glück unseres freien Sprachstammes selber noch keinmal festgestanden haben. Wie denn ferner alle Namen der Länder, Städte, Leute ganz gerade aufzunehmen und etwa untermischte Reime und Sprüche genau beizubehalten sind. Wer die Wichtigkeit unseres Unternehmens einsieht, dem sind alle deutsche Dialecte werth und heilig, wie denn auch jede Auflösung (Uebersetzung) derselben keineswegs als nur gewaltig und mit Schaden vor sich gehen könnte, da wir außerdem durch unsere Genauheit selbst in diesem Stück der Geschichte unserer Sprache förderlich zu werden hoffen.

3) das schwierigste scheint und ist auch in der That die Bewerkstelligung des Einsammelns. Ob wir gleich in manchen deutschen Gegenden Freunde, durch diese anderweite Bekannte zählen, so wünschen wir doch eigentlich in jeder Provinz einen verständigen Mann für unsere Absicht zu gewinnen, wodurch wir ein Doppeltes bezwecken. Einmal, was zwar die Hauptsache, daß dieser nunmehr seinerseits fortgehe und sich an eigene Freunde wendend, diese für sich oder uns zu gewinnen wisse. Sodann aber, daß sie an ihn als unsern Mittelsmann die gehabte Ausbeute übersenden, indem wir anders bei dem jetziger Zeit unerträglichen Porto die Kosten nicht auf-

bringen würden, auf dem vorgeschlagenen Weg hingegen unser Vermittler das Eingelaufene nach bestimmten Fristen und mit Buchhändlergelegenheit an uns Herausgeber befördern könnte. Anlangend jenen ersten Zweck, so rechnen wir auf die Beihilfe rechtschaffener und einsichtiger Pfarrer und Schullehrer, auf die treugehaftete Erinnerung des Alters, am meisten aber doch auf den einwärts gewandten Sinn deutscher Frauen, wogegen wir der Männer Feder, welche jene zu führen scheu und ungewohnt, desto mehr in Anspruch nehmen.

4) so wie unsere Unternehmung durchaus kein sogenannt unterhaltendes Buch liefern soll, vielmehr ein gänzlich gelehrtes ernstes Ziel vor Augen hat, das sich nichts destoweniger von jedermanns Ergötzlichkeit nicht entfernen wird, so haben wir auch dabei auf irgend andern Vortheil nicht die mindeste Hinsicht. Wir wollen Materialien zusammentragen zu einer Geschichte deutscher Poesie, wie diese Poesie eine solche Geschichte verdient, die Ausarbeitung bleibt hernach andern Werken, überdem ist ohne eine gewisse erst zukünftige Vollständigkeit daran nicht zu denken. Was wir bei der Herausgabe zu thun haben, ist leicht zu sagen. Alles Eingehende lassen wir, wofern es den Stempel der Aechtheit an sich trägt, abdrucken, und das wörtlich, wofern es mit jener Ausführlichkeit der Umstände, worin die Sage leibt und lebt, gezeichnet ist. Beides zu prüfen, so wie zu unterscheiden, setzt uns ein mehrjähriges mit Vorliebe und Fleiß getriebenes Studium der Mythen und Sagen, nicht blos der deutschen, in Stand. Durchaus wollen wir nichts aufnehmen, was schon in Büchern, selbst seltenen, gedruckt zu lesen ist, es sei denn, daß wir es etwa in neuer Abweichung besser mittheilen könnten, aus welcher Ursache

auch zwei oder mehr abweichende Recensionen derselben Sage mit einander gegeben werden müssen. Noten sollen keine hinzukommen als hinweisende, berichtigende und weiter nachzuforschen auffordernde, nicht aber erklärende noch untersuchende.

5) die einzelnen Aufsätze werden so, wie sie einkommen, hinter einander abgedruckt, mit Bemerkung des Orts davon sie ausgegangen, und wenn es verlangt wird, des Namens des Einsenders, ohne alle Trennung nach Fächern, die bei der zarten, eingreifenden und alles mischenden Tradition auch am übelsten angebracht wäre; womit natürlich einer eigentlich critisch historischen Läuterung so wenig abgesprochen sein soll, als diese recht genommen bei dem gemeinen Fachwerk ohnehin nirgends bestehen kann. Selbst eine gewisse äußere Eleganz würde da unpassend verwendet werden, wo ein correcter, geringer Druck ganz am Platz ist. Den einzelnen Traditionen sollen fortzählende Nummern vorgesetzt und beim Schluß jeder Abtheilung Wort und Sachregister zugefügt werden; wir könnten im günstigen Fall alle Oster- und Michaelismessen, oder doch jährlich zur Weinlese einen Band oder Heft unter dem Titel: Altdeutscher Sammler für einen mäßigen Preis um so mehr ausgehen lassen, als wir vom Verleger kein Honorar verlangen, sondern nach Abzug der Kosten den Ueberschuß nach dem Ertrag der Zeilen unter die beitragenden Einsender pflichtmäßig theilen wollen.

So fordern wir anmit jeden Liebhaber unseres Plans, welcher dessen dringende Nothwendigkeit eingesehen und für seine Gegend thätige Mitwirkung zusagt und halten will, auf, uns brieflich oder im Reichsanzeiger Namen und Wohnort zu erkennen zu geben, und so bald möglich Mitarbeiter und Unterstützer zu erwecken, worauf wir dann, sobald sich eine hinlangende Anzahl derselben gefunden hat, nicht mangeln werden, die Namen der Theilnehmer öffentlich bekannt zu machen, an welche aus jedem Ort Deutschlands die Sendungen am bequemsten gerichtet werden. Mögen sie aus den reichen Gebirgen des nördlichen und südlichen nicht ausbleiben, woher sie aber auch kommen, sollen sie uns erwünscht sein! Vieles Gold auf Meeresgrund ist vergangen, aber auch so manch theurer Ring Jahrelang hernach im stummen Leib der Fische wunderbar unversehrt wieder gefunden worden und hat die alten Bande wunderbar erneuert. Zweige, die nach der Sündflut dürr schienen dazustehen, ergrünten, auch einer Sage gemäß, sobald Noahs Pfeil sie getroffen hatte, in neues Laub. Wir als Herausgeber können nur Fleiß und treue Handhabung anbieten, und wünschen, daß es nicht scheine, als hätten wir aus übergroßem Eifer für altdeutsche Literatur, welche nichts ist denn Bescheidenheit, irgend ohne Bescheidenheit hier gesprochen, indem wir die größte hegen.

Schließlich ersuchen wir die Redactionen des Morgenblatts, der Zeitung für die elegante Welt, des Freimüthigen und Reichsanzeigers unsern Plan, jedoch vollständig, in ihre weitgelesenen Blätter einzurücken, zu welchem Ende wir uns die Freiheit genommen, ihnen denselben frei zuzufertigen; aber auch andere, namentlich alle provincielle Zeitschriften werden sich durch dessen Wiederholung der guten Sache und aller Gleichgesinnten Dank zuziehen.

Mit dem Entwurfe seines Bruders war Wilhelm Grimm einverstanden. Er schrieb auf dem Briefblatte

Jacobs erst scherzhaft, dann mit ernsten Worten an Clemens weiter:

„Nebst Wunschung zu dem nach dem Calender sich eingestellten Neuenjahr alles Gutes: Wilhelm lebt noch und ist gutes Muthes.

Einen ausführlichen vortrefflichen guten Plan zu dem altdeutschen Sammler hat der Jacob verfertigt und angelegt, ich weiß nichts weiter hinzuzusetzen, als daß er mich ebensosehr interessirt, daß, wenn er gelingt, er ebenso wichtige als ergötzliche Resultate geben muß, und daß Sie ferner mit Rath und That nach Ihrer Güte beistehen müssen. Sobald meine Winterarbeit vollendet sein wird, werde ich mich an den Plan zur Herausgabe altdeutschen Scherzes machen und Ihnen vorlegen. Nöthig wird es sein, daß ich von neuem mich genau mit dem sagenmäßigen darin bekannt mache, weil sich aus diesem allein der rechte Zusammenhang und die Ordnung ergibt. Vieles wird schon jetzt in unsern Sagen vorgearbeitet sein, weil nur die scherzhafte Wendung darin das besondere ist. Wahrscheinlich gibt es drei Hauptstücke:

I. Lalenbuch.

II. Eigene feststehende Charaktere wie: a) der Eulenspiegel. b) die Schneider. c) die Aufschneider. d) Müller und Diebe. e) Lanzknechte. Die Schwaben werden wahrscheinlich Compagnie mit den Schneidern machen müssen.

III. Vermischte gute Possen.

Eins nur ist schwierig, wie es mit den vielen äußerst witzigen Erzählungen zu halten, die etwas stark in die Natur hineingreifen. Behandelt man das Buch als bloßes Lesebuch, so hat man die Censur auf dem Hals, sie ganz wegzulassen, wär auch schlimm und schade, weil sie oft recht ausgezeichnet sind; kann man aber der Ausgabe auch ein ernsthaftes wissenschaftliches Ansehen geben, so passiren sie vielleicht, wie der Aristophanes, der Schweinereien sagt, wie dort niemals vorkommen, und der in klaren Uebersetzungen erscheinen darf. Es ist möglich, daß eine historische Einleitung solch ein Ansehen bewirkt. Daß ich recht gern eine moderne Orthographie einführe, wissen Sie: überhaupt weichen wir über diese Puncte nicht sehr ab.

Für das mitgetheilte Blatt über Runge[1]) danken wir sehr, es ist recht schön, und gerade das Stück war nicht hier angekommen. Sie haben ein eigenes Talent für glückliches Ausdrücken der Gedanken. Ich habe Arnim meine Meinung über Halle und Jerusalem kürzlich geschrieben (Arnim und die Brüder Grimm S. 101), sagen Sie mir doch, ob Ihnen etwas daran gefällt und ob es Ihnen scheint, als hätt ich etwas bestimmtes damit gemeint und gedacht. Adam Müller will ja in den Abendblättern darüber urtheilen (Heinrich von Kleists Berliner Kämpfe S. 505), gewiß ist vieles Gute und Richtige in dem, was er sagt; es ist seltsam, daß mich das Gute in seinen Schriften ärgert, weil ich meine, er habe es auf Borg. Der Kohlhaas ist eine kunstreiche treffliche Schmiedearbeit, die jeder mit großem Vergnügen lesen wird; sonst prahlt er etwas wie gelehrte Maler mit Anatomie (ebenda S. 449). Auf Ihre Märchen freuen wir uns natürlich von Herzen. Wir klemmen jetzt eine dicke runde Holländerin unaufhörlich damit, weil sie noch

---

[1]) Clemens muß dem Paquet an Grimms das Berliner Abendblatt vom 19. December 1810 beigelegt haben, das Heinrich von Kleist ganz allein mit Brentanos Nachruf an Runge füllte.

ganz unschuldig und einfältig ist, weiß sie vieles: der baare Ertrag soll Ihnen in einer Uebersetzung sobald als möglich zugesendet werden. Die frische Liedlein (oben S. 159) stehen ganz zu Diensten, aber eine Stimme haben wir nicht mehr, sondern verschenkt.

In den Heidelbergern (1810. II. 13. 209) steht eine Recension über Göthes Pandora, die mir fast gewiß von A. W. Schlegel zu sein scheint. Sie ist nicht schlecht, und wie sichs gebührt, viel zum Lob gesagt, ich halte das Gedicht für eines der schönsten und lieblichsten. Daß Göthe Hackerts Leben, einen Band Gedichte, Fortsetzung von Wilhelm Meister herausgeben will, wird Ihnen keine Neuigkeit sein. Unsere Recensionen in den Heidelbergern werden spät genug abgedruckt, ob sie mit der über die Dolores eine Ausnahme machen, indem ich darum gebeten [1]), wird sich zeigen, ich kann mich nicht darüber betrüben, wenns keine Auszeichnung sein soll, indem gegenwärtig oft das elendste Zeug in den Heften steht. Es ist mir, als nähme sich niemand der Redaction mehr ernstlich an. Ist nicht etwa dort ein critisches Institut im Entstehen? Eine Zeitlang bleibt ein neues gut, wenn noch keine Verbindlichkeiten gegen schlechte Recensenten entstanden sind.

Was wir in der Birkenstockischen Auction kaufen wollen, haben wir doch so ziemlich nach unsern christlichen Linsen angesetzt [2]), vieles ist darin für den hiesigen Groß=

[1]) Der betreffende Brief an Boeckh, vom 12. November 1810, ist von mir in den Neuen Heidelberger Jahrbüchern 1902. 11, 265 mitgetheilt; die Recension erschien noch im Jahrgang 1810. 2, 374; vgl. meine Ausführungen in der Zeitschrift für deutsche Philologie 31, 168.

[2]) Wilhelm Grimm an Arnim, 21. Juni 1812: „Ich habe die in der Birkenstockischen Auction erstandenen Bücher eben

Almosenirer und Bischof: ein wunderlicher Mann, der unlängst bei mir war und unsere Kunstsachen besehen wollte, der mir die ganze Zeit über Legenden erzählte und ganz ungemeine Kenntniß darin zu haben schien. Er hat eine hübsche Sammlung alter Drucke, wie er sagt, aber nicht hier: auch eine Sammlung altdeutscher Gemählde. Was davon hier ist, hab ich gesehen, es ist alt, aber nicht schön. Ein Bild hatte er auf riesiges Holz gemahlt, von der rechten Seite ein Christus, von der linken eine Maria [1]).

Das ist alles und blutwenig, was ich von hier weiß. Nun meinen schönsten Dank für die Weste (oben S. 156), da ich sie eher tragen will, als ich sie ausfülle, so muß sie zugeschnürt werden, ist das geschehen, so will ich nächstens darin zum ersten mal ausgehen und den Effect beobachten: vielleicht gibts ein Gegenstück zu meinen ächten Hosen. Welche Kleidung mir aber der Himmel noch bescheert, ich bleib immerdar Ihr getreuer Wilhelm. (Nachschrift:) Bald hätt ich vergessen, Ihnen zu Ihrer neuen Würde als Professor der schönen Wissenschaften, welche die (von Zschokke herausgegebenen) Miscellen für die neuste Weltkunde Nr. 95. 1810 verkündigen, zu gratuliren. Das haben Sie ganz verborgen gehalten."

---

erhalten, aber meist nur unbedeutende Sachen und enorm theuer.. so daß ich für eine kleine Kiste sammt Fracht 30 hessische Thaler bezahlen müssen. Dagegen ist wohl äußerlich nichts zu machen und doch vor Gott offenbar betrogen."

[1]) Gemeint ist der Bischof von Wendt; im Almanach royal de Westphalie pour l'an 1810, S. 274, heißt es: „M. le baron de Wendt, Evêque, premier Aumônier du Roi, délégué de S. A. R. l'Archevêque pour les fonctions épiscopales et la juridiction spirituelle dans la partie du diocèse de Ratisbonne située en Westphalie."

Darunter fügte Jacob noch an: „Einfällt mir noch, ob man nicht dem guten Perthes die Aufforderung zusenden kann, zum Aufnehmen in den versprochenen Ergänzungsband des Vaterländischen Museums? ad vocem Aristophanes, sehen Sie doch einmal die von Welker eben erschienene Uebersetzung der Wolken an, die nebst dem Commentar mir recht gescheidt vorkommt. Jacob."

Es sind nun leider weder Wilhelms noch Jacobs vorstehende Pläne zur Ausführung gelangt. Sie hatten wenigstens in sofern eine Nachgeschichte, als Jacob 1812 die Leser von Friedrich Schlegels deutschem Museum, denen die ungemeine Wichtigkeit traditioneller Volkssagen einleuchte, zu veranlassen suchte, in ihren Gegenden, zumeist aber in abseits gelegenen Berg- und Walddörfern, wo die Natur selbst alter Sitte und Ueberlieferung gleichsam einen Hinterhalt gegönnt habe, zu spüren, ob sich nicht ein oder die andere Erzählung älterer Thiergeschichten, vom Fuchs, Wolf, Hund, Bär etc., fortlebe, im Lied oder in Prosa; wobei er eine „getreue, weder ändernde, zuschneidende, noch zusetzende, alle Eigenheit des Erzählenden genau, mit den Unregelmäßigkeiten der Wortfügung und Mundart wahrende Aufzeichnung" forderte (Kleinere Schriften 4, 56). Dann, auf dem Wiener Congreß, 1815, verfaßte Jacob, im Sinne einer Anzahl für die deutsche Volkspoesie begeisterter junger Männer, den sogenannten Märchenbrief (ebenda 7, 593), der an alle Freunde von dort versandt wurde. Als im folgenden Jahre des Freiherrn vom Stein Plan für deutsche Geschichte auch an Goethe kam, und dieser die Brüder Grimm, als „Männer vom Handwerk", um ein freies Gutachten bat, legte Wilhelm ihm in seinem und Jacobs Namen einen ausführlichen Sammelplan vor, und zwar auf Grund eines Entwurfes, den er kurz zuvor für den Freiherrn Hans von Hammerstein-Equord ausgearbeitet hatte (Goethe und die Brüder Grimm S. 138). So hat also noch Jahre lang die mit Brentano behandelte Idee eines Altdeutschen Sammlers in den Gedanken und Arbeitsabsichten der Brüder Grimm nachgewirkt.

Daß aus dem Altdeutschen Sammler in der von Jacob Grimm vorgeschlagenen Form nichts wurde, hatte seinen Grund sowohl in principieller Meinungsverschiedenheit als auch darin, daß die ersten Schritte zur Ausführung in eine Zeit fielen, die auf Arnims und Brentanos Seite dazu nicht günstig war. Arnim verheirathete sich mit Bettinen am 11. März 1811 und ließ für längere Zeit Bücher und Schreiben auf sich beruhen. In seinem Verhältniß zu Clemens, von dem er nun getrennt lebte und wohnte, machte sich die fehlende Unmittelbarkeit des Umganges nachtheilig geltend. Clemens, bei seinem Bedürfniß nach immer neuen Anregungen, ging in andere Interessen über. Eine Zeitlang bestand die Hoffnung, daß Wilhelm Grimm in Begleitung von Casseler Verwandten Brentanos nach Berlin kommen würde. Auch dies zerschlug sich.

Unter dem 26. März 1811 begründete Wilhelm Grimm seine Ablehnung der Reise: „Lieber Clemens. Wir haben lange nichts vernommen, wie es Ihnen ergeht, wie wir aber glauben, recht wohl. Hier geht es mitunter recht betrübt zu, das ist nun auszuhalten, bis es besser wird durch Gottes Hilfe, wär es durch menschliche möglich, so hätt ich Muth und wär getröstet. Es wär mir eine große Freude gewesen, wenn ich hätte nach Berlin kommen können, wozu aber keine Aussicht ist. Zwar die (Claudine) Piautaz will in dieser Zeit nach Halle, zu ihrem Bruder, und wenn sie mit Hugo nicht reisen kann, hat sie mich gebeten, sie dahin zu begleiten; da wären dann zwei Drittel des Wegs gemacht, allein weiter wirds nicht gehen, da ich sie wieder zurückbegleiten muß, sie selbst aber, wie groß auch ihre Lust dazu, nicht nach Berlin kommen kann, weil sie nothwendig den 22. April wieder in Frankfurt sein muß, wo eine Ihrer Schwägerinnen niederkommt. Die Lullu wird nicht nach Berlin reisen: vor etwa acht Wochen ging Jordis, ohne daß sie es wußte, nach Paris, da hätte sie recht gut abkommen können, und er selbst hat geglaubt, sie würde die Gelegenheit benutzen: allein weil sie verdrießlich geworden, darum kränklich, und ich weiß nicht, aus tausend andern Gründen, hat sie es nicht gethan; ich glaube aber, daß ihr eine Traurigkeit machen thut die ganze Sache, wie dem Schuhmacher Ertsch. Sie hat mich manchmal recht sehr gedauert, ich hab ihr allerlei gute Bücher zu lesen gebracht; es ist eine seltsame Mischung in ihr, oder vielmehr die verschiedensten Neigungen und Gesinnungen stehen hart nebeneinander; darunter sind viele gute: wie sie eben ein arm Kind zu sich genommen und es mild behandelt, welches letztere die Hauptsache ist. Sonst fällt mir bei ihr oft die Geschichte vom Kirmeshans ein, der als er heim kam, von seinem Vater gefragt wurde, wie es ihm gefallen auf der Kirmes? ‚Ganz erbärmlich, es war nichts da zu essen als Schweinefleisch, und das war so fett, daß es kein Mensch essen konnte.‘ Was habt ihr denn damit gethan? ‚Wir haben es doch gegessen.‘ Zu einer Zeit, wo ich den Ferdinand unmöglich verlassen konnte, hatte ich einmal gesagt, daß ich jetzt nicht sie begleiten könne; wenn ich also von der Reise spreche, so sagt sie, ich sei Schuld, daß sie unterblieben.

Ich habe manchmal daran gedacht, Sie würden uns auf einmal überraschen und dasein. Die Auguste läßt von dem Kaufmann, der uns gegenüber wohnt, und wo sie sonst ihr Gold wechselte, viel Zucker, Citronen ꝛc. holen, und ich muß geglaubt haben, Sie würden es riechen, wenn sie auf ihrem Götterberg, Gudensberg wo sie ist, stark punscht, und das würde Ihre Sehnsucht erregen. Die Friederike (geb. Mannel) soll auch wieder mit ihrem Mann zu Allendorf sein und daselbst die Familie vermehrt haben.

Der Jacob hat an Savigny ausführlich geschrieben, was wir alle für literarische Arbeiten vorhaben, darunter auch ein Journal für altdeutsche Quellen. Darin wird, kriegen wir einen Verleger, auch der Nithart und ein Theil Ihres Liedercodex, wie es verabredet ist, stehen. Wir haben jetzt so viele Dinge auszuarbeiten und herauszugeben, daß einiges muß liegen bleiben, was sonst ganz hübsch gewesen wäre. Z. B. ein Jagdcalender, denn ich hab eine alte Handschrift mit den schönen Waid- und Jägersprüchen gefunden und copirt, dazu wären Jägerlieder gekommen, die Sagen von den Thieren, worunter einige gar angenehm sind, eine überaus artige Geschichte aus der Wilkina Sage: eine Frau, der der Mann immer auf die Jagd geht und sie allein läßt, drückt sich in den Schnee ab, und weist ihm dann die Spur von einem schönen Thier, das er vor allen jagen müsse ꝛc.; endlich hätte der Louis den Hubertus von Dürer dazu copiren müssen, und zu einer Vorrede wär einem auch allerlei eingefallen. Was sagen Sie dazu?

Eine auserwählte Buttermilch, ich meine einen langen Brief mit Aufsätzen von uns (oben S. 161) werden Sie erhalten haben: für diesmal muß ich schließen, weil das

Paquet fort soll. Leben Sie vergnügt und behalten Sie mich lieb. Von Herzen Ihr Wilhelm Carl Grimm."

Immer noch nicht, trotz der leisen Anmahnung Wilhelms, erfolgte von Brentanos Seite eine Rückäußerung. Auch kein Wort des Dankes sandte er später den Brüdern Grimm für ihre ersten Bücher, Jacobs Schrift über den altdeutschen Meistergesang (Vorrede: 19. August) und Wilhelms Uebersetzung der Altdänischen Heldenlieder. Und doch hatte Wilhelm sein Buch „dem Freiherrn Ludwig Achim von Arnim und Clemens Brentano" als denen, welche die Lieder alter Sänger gehört und wieder gesungen, zugeeignet und außer ihnen Görres und Creuzer als die nächsten Gesinnungsgenossen, Wunderhorn und Einsiedlerzeitung citirt. Ebenso war von Jacob dafür gesorgt worden, daß Arnims und Brentanos Namen in seinem Buche vorkamen. Freilich las Jacob aus Arnims Hochzeitsbriefe (Arnim und die Brüder Grimm S. 107) richtig heraus, daß dieser „nicht mehr so recht mit Clemens stehe", und bemerkte auch im Mai 1811 (ebenda S. 116): „Was den Clemens betrifft, so hat er dies Jahr noch keine Silbe geschrieben; zuletzt verlangte er mit dem eifrigen Antheil, den er an allen neuen Plänen nimmt, einen über den von mir vorgeschlagenen Altdeutschen Sammler ab; ich säumte nicht und höre nun die ganze Zeit nichts, ob er ihm recht war, oder ob er meint, daß so nichts ausgerichtet werden kann, oder was er sonst für Grund haben mag." Die Casseler glaubten schon, daß er nach Böhmen auf das Familiengut Bukowan abgegangen sei. Da schrieb Wilhelm, als sie das Gegentheil vernahmen, aus Cassel am „Pfingstmorgen 1811" (2. Juni) an Brentano, zugleich auf seine Philisterabhandlung eingehend, die er frisch gelesen hatte: „Lieber Clemens. Ich glaubte, Sie wären schon lang auf Ihren Herrschaften in Böhmen, als mir die Lullu, die vor ein paar Tagen ganz von hier weg ist und ihr prächtig eingerichtetes Haus aufgegeben hat, sagte, daß vielmehr der Christian eben im Begriff sei, nach Berlin zu Ihnen zu reisen. Also werden Sie mein Buch (die Altdänischen Heldenlieder) richtig empfangen haben, das ich an Savigny für Sie abgesendet, lassen Sie sich die neuen Lieder aus der zweiten Sammlung, die Sie noch nicht kennen, auch wohlgefallen, und nehmen Sie es in Gutem an, daß Ihnen das Buch dedicirt ist, so wie es in Gutem geschehen ist. Ich hoffe, daß Ihnen das Titelkupfer angenehm gewesen, welches ich nach den Dürerischen Zeichnungen zusammengestellt habe, nur der Schmetterling ist schlecht illuminirt worden. Uebrigens glauben Sie nicht, daß alle Exemplare auf so fein Papier abgezogen wären, bei den andern ist bescheidenes Druckpapier, nicht so gut wie im Wunderhorn. Als Neuigkeit meld ich, daß Auguste sich hier vor einiger Zeit schon einen Paß geholt und von Bethmann nach Wien ist gebracht worden.

Ihre Abhandlung über Philister ist vortrefflich, ich hab sie mit großem Vergnügen gelesen, und da sie mir die Claudine nur leihen wollte, so hab ich mir sie bestellt. Für meinen Bruder Carl exzerpir ich ernsthaft gemeint die Philisterregeln, er ist jetzt sehr vortheilhaft in Hamburg placirt und kann sie gewiß befolgen. Ich hätt Ihnen einige Köstlichkeiten von ihm, denen wir nach und nach auf die Spur sind kommen, mittheilen können, und die nicht schlechter sind, als die angeführten. So hat er niemals in einem Buch gelesen, ohne die eine Seite, auf der die Augen nicht waren, mit einem gleichgroßen schwarzen Pappdeckel zu bedecken, weil, wie er behauptete, es den Augen sehr nachtheilig sei, wenn die gedruckte Seite, womit man sich nicht beschäftige, nebenher flackere. Ferner ist er Abends nie in die Stube getreten, ohne den Zipfel seines Oberrocks hoch aufzuheben und vor die Augen gehalten, geschwind, wie gepeitscht durch die Stube in die dunkle Kammer zu laufen, weil aus der grellen Blendung große Gefahr erwachse. Weiter hat er das Licht hoch über den Kopf gehalten, wenn er damit gegangen, weil es ausgehen könne und der Dampf ihm in die Nase kommen. Blies jemand ein Licht nicht weit von ihm aus, lief er wie unsinnig fort und fächelte sich draußen eilig andere Luft zu u. s. w.[1]).

Louise (Reichardt) schreibt mir aus Hamburg, daß Reichardt eine Pension erhalten und nach Berlin ziehen werde, ferner daß Raumer Professor mit 1200 Thalern geworden. Beides wird der andere (Friedrich von) Raumer wohl ausgewirkt haben, und ich kanns ihm nicht verdenken: wird es aber bei Steffens keine Eifersucht erregen, der doch gewiß ein näheres Recht zu haben glaubt? Was wird der Geniale (Reichardt) wieder schlurfen, da er bei Raumer sein kann, wirds ja leicht werden, ein paar hundert Thaler jährlich auf gebratene, mit Kastanien gefüllte Enten zu verwenden. Nur das ist schlimm, daß die Jagduniform wird drauf gehen müssen. Bei allem dem hat michs recht sehr gefreut, nicht seinetwegen, denn er hat am wenigsten das Traurige ihrer Lage empfunden.

---

[1]) Wilhelm an Ferdinand Grimm, 26. October 1816: „Nun fällt mir noch ein, ob Du nicht so gut sein wolltest, mir die Philisterabhandlung von Brentano zu verschaffen, er hat sie selbst und wird Dir wohl ein Exemplar für uns geben. Wir hatten eins, aber das hat uns jemand, dem es geliehen worden, verloren. Sonst könntest Du auch eins bei Wittich für uns kaufen."

In Apronii Reise, die wir aus Göttingen erhalten, ist ein schwacher Schimmer von dem strahlenden Glanz der Schelmufskyschen Sonne, und nur an einigen Stellen, daneben kann das Buch unmöglich genannt werden. Peregrinant brach in Schlesien auf dem Gebürg ein Stück Stein ab, welches wie Violen roch und nahm hernach keinen Anstand, dem Ambassadeur in England ein Stück zu geben, der einer Princessin etwas davon verehrte, wovon hernachmalen der ganze Hof roch. Peregrinant sah ein Gemählde von der Geburt Christi, wobei aber Joseph und Maria ganz ärmlich und malpropre angekleidet waren, welches aber nach des Peregrinanten Meinung durchaus falsch ist, denn man liest, daß sie hingegangen sich schätzen zu lassen: geht aber canaille hin und läßt sich schätzen, die nichts hat? In dieser Art ist das beste darin.

Dem Jacob sein Buch (Ueber den altdeutschen Meistergesang), nachdem es im Morgenblatt (1811, Nr. 3, Uebersicht der neuesten Literatur S. 12) gewaltig gerissen, und er zu den tollen Knaben — ist ein Vossischer Ausdruck — ist gezählt worden, die zum Irrenhaus reif wären, ist es in den Göttinger Anzeigen (1811, 80. und 81. St.) von Benecke gewaltig herausgestrichen worden, welche Freude er mit auf den Weg genommen hat. Sein Sie vielmals gegrüßt, lieber Clemens, und behalten Sie mich lieb. Ihr Wilhelm Grimm."

Aber all das war umsonst, Clemens schwieg. Von Arnim jedoch erhielten die Brüder am 14. Juli 1811 die Aufklärung (Arnim und Brentano S. 138), daß Brentano in ein paar Tagen mit Schinkel nach Böhmen reise; seit einem Monat sei es sein (Arnims) Treiben gewesen, daß er zu ihnen nach Cassel gehe, was jedoch in Rücksicht auf die Anwesenheit der Frau Auguste unterblieben sei. Und nun, wo Clemens Brentano zu Prag und dann zu Wien in ganz andern Kreisen lebte, denen er sich nach seiner Art mit Ausschließlichkeit hingab, setzte er auf mehrere Jahre den früheren Verkehr mit den Casseler Freunden aus; nur von ihren Arbeiten, zum Theil durch Arnim, bestand noch aus der Ferne ein Antheil. Jacob Grimm aber überzeugte sich bald von der gänzlichen Aussichtslosigkeit eines gemeinsamen literarischen Unternehmens mit Brentano; zu Ende 1811 sprach er sich gegen Görres (8, 265) dahin aus: „Ich hatte einmal dem Clemens einen weitläufigen Plan zu einem Deutschen Sammler gemacht, darin alle mündliche Sagen gesammelt werden sollten und ganz Deutschland in gewisse Sammelkreise getheilt war. Alles ist aber liegen geblieben."

Achtes Capitel.

Die Märchen.

Im Juli 1811 reiste Clemens Brentano, der den Wunsch hegte, mancher unliebsamen Aenderung seines Berliner Lebens zu entgehen, mit seinem Freunde Carl Friedrich Schinkel, dem er nachmals neben Görres sein klingendes Spiel „Viktoria" zugeeignet hat, nach Böhmen, wo er in Prag und Bukowan weilte, bis er im Sommer 1813 nach Wien übersiedelte. Er dichtete an seinen Märchen und den Romanzen vom Rosenkranz weiter, arbeitete an dem Chronos, dem dramaturgischen Beobachter Prags, und den Wiener Friedensblättern mit[1]), schuf die beiden Schauspiele Comingo und Gründung Prags, brachte sein altes Lustspiel Ponce de Leon in neuer Bearbeitung als Valeria oder Vaterlist auf die Bühne und fand sich im September 1814 wieder bei Arnim in Wiepersdorf ein. Ueber all diese Dinge liegen genauere Angaben und Nachweisungen in den Bänden „Arnim und Brentano" und „Arnim und die Brüder Grimm" vor.

Bald nach Brentano trat Arnim mit seiner jungen

---

[1]) Wilhelm Grimm an Paul Wigand, 15. März 1813 (Stengel S. 145): „In Prag kommt eine Zeitschrift Kronos heraus, im ersten Heft steht ein Aufsatz von Brentano, der Nachricht von seinem Schauspiel: Die Gründung Prags enthält und worin manches sehr schön gesagt ist." — Jacob an Wilhelm, Paris 18. Mai 1814: „Ich denke, daß Du keine Lust hast, an Clemens' projectirter Zeitung (den ‚Friedensblättern') mitzuarbeiten."

Frau Bettina eine Reise in die seit 1808 entbehrte Frankfurter Heimath an, unterwegs feierten sie Goethes Geburtstag in Weimar mit und besuchten auf der Rückfahrt, im Januar 1812, die Brüder Grimm in Cassel. Das Gespräch der Freunde, das auch Brentanos Verhältnisse berührte, veranlaßte die Brüder, mit der Herausgabe ihrer Märchen, die sie Brentano zuliebe zurückgestellt hatten, nun ihrerseits hervorzutreten. Dadurch wurde ihre sachliche Gegnerschaft gegen Brentanos Behandlungsart noch verschärft. Dichtete er kraft seiner Phantasie die Märchen aus, so hielten sie sich um so strenger an die ihnen mündlich oder schriftlich überlieferte Form gebunden. Eine gewisse Spannung läßt sich auf ihrer Seite nicht verkennen; denn die Möglichkeit war nicht ausgeschlossen, daß ihre Märchen und die Brentanos zu gleicher Zeit erscheinen könnten. Arnim, der im Sommer 1812 mit Clemens in Teplitz zusammentraf, konnte gegen Grimms als Hauptfrüchte seines Prager Fleißes Comingo und Libussa rühmen (Arnim und die Brüder Grimm S. 211) und meinte: „Seine Märchen hat er mit mehreren neuen Zugaben geschmückt, zierlich, zuweilen witzig, aber ohne Märchencharakter, oder vielmehr in einem solchen, den ich nicht liebe, ungeachtet ich das Talent dazu ehren und achten kann." Worauf Jacob Grimm (ebenda S. 219): „Unsere Sammlung hat sich, seitdem Du hier warst, immer aus mündlicher Erzählung, sehr viel bereichert und ich glaube, es wird ein reiches und anmuthiges Buch geben, ich sehe täglich mehr ein, wie wichtig diese alten Märchen in die ganze Geschichte der Poesie eingreifen; überschätzen wir sie, so mag man etwas davon abthun, und mit dem übrigen wird man doch das bisherige Unrecht ihrer Hintansetzung reichlich gut machen können. Daß Dir Clemens' Verarbeitung nicht recht ist, freut mich sehr und ich bedaure nur seinen darauf verwendeten Fleiß und Geist; er mag das alles stellen und zieren, so wird unsere einfache, treu gesammelte Erzählung die seine jedesmal gewißlich beschämen." Arnim aber verwahrte sich gegen die Verallgemeinerung (ebenda S. 223): „Glaube nicht, daß ich Clemens' Märchenbearbeitung als einen Fehlgriff übler Laune betrachte, nein ich glaube, daß er wirklich in ihnen recht viel Neues gesagt hat, ich glaube auch, daß es nicht etwa bloße Koketterie war, sondern ein innerer Drang, die sie in ihm so erfanden, daß es viele sehr erfreuen wird, und einige könnte ich sogar nennen. Nur von meiner Natur und Art wollte ich behaupten, daß sie mir kein großes Behagen gewährten, und was ich als einen wirklichen Fehler darin tadle, ist nur die Art eitler Koketterie mit einer gewissen Fertigkeit in allerlei poetischen Worten zu prunken, die nach meiner Meinung sein Talent schon lange untergräbt, ohne es darum vernichten zu können, die seine Romanzen (vom Rosenkranz) hauptsächlich von der ursprünglichen Gesinnung entfernt hat. Wenn er es sich deutlich gemacht hätte, was ihn in den Kindermärchen erfreut hat, was er vermißte und sich hinzudichtete, so würde vielleicht sein Buch eine bestimmtere Ansicht bekommen, es ist nämlich keineswegs wie Eure Sammlung etwas, das im Kinderkreise gelebt ohne weitere Verdauung unmittelbar zu den Kindern übergehen kann, sondern ein Buch, das in den Aeltern die Art der Erfindsamkeit anregt, die jede Mutter, die recht gebildeten ausgenommen, im Nothfalle zeigt, ihren Kindern irgend einen Umstand, dessen Reiz sich ihnen entdeckt hat, in einer längern Erzählung zu einer dauernden Unterhaltung zu machen. Fixirte Märchen würden endlich der Tod der gesammten Märchenwelt sein. Das hat aber auch nichts auf sich; das Kind erzählt schon anders, als es im selben Augenblicke von der Mutter gehört, ich habe oft herzlich darüber lachen müssen, da entstehen Wunder, man weiß nicht wie rc." Der Druck der Grimmschen Märchen, bei Reimer in Berlin, ging rasch vorwärts. Zu Weihnachten wurden sie verschickt; auch Ferdinand Grimm, damals bei seinem Bruder Ludwig in München, erhielt ein Exemplar, wozu ihm Wilhelm „am Sylvesterabend 1812" schrieb: „Der Bettine (der ja die Märchen gewidmet waren) ist ihr Exemplar zu Weihnachten beschert worden, ich möchte wissen, was der Brentano dazu sagt, er hat selber Kindermärchen in Manuscript nach unserer Handschrift, die wir ihm vor ein paar Jahren, also noch sehr unvollständig, mitgetheilt; seine sind abgeändert, vergrößert und nach seiner Art überhaupt ineinander und zusammengearbeitet; wenn er sie noch drucken läßt, bin ich recht begierig, wie sie sich neben unsern ausnehmen werden." Und Arnim theilte Clemens nach Prag mit, 16. Januar 1813: „Grimms Kindermärchen wirst Du gelesen haben, verbreite sie, sie sind meinem Freimund gewidmet."

Von einer Art Gespanntsein auf einander ließen die Freunde öffentlich durchaus nichts verlauten. Im Gegentheil, Grimms erster Märchenband vom Jahre 1812 bekannte sich ausdrücklich zur Gesinnung und Nachfolge der Einsiedlerzeitung, des Wunderhorns, der Kinderlieder, was alles in den Anmerkungen citirt wird. Nicht anders ist das Verhältniß im zweiten Märchenbande von 1815, nur daß noch dazu beim Märchen von der Gänsemagd „Cl. Brentanos Gründung Prags (S. 106) und Anmerkung 45" angezogen werden konnte. Aus den drei Blutstropfen, die die Königin in einem weißen Läppchen ihrer scheidenden, durch die Tücke der Kammerfrau zur Gänsemagd erniedrigten Tochter mitgibt, sprechen tröstende Stimmen: Libussa, in der Gründung Prags, hüllt ihren Ring in den blutigen Theil des Schleiers, legt ihn in die frische Quelle, so kann die Wunde Wlastas sich nicht bös entzünden; und Brentano sagt in der Anmerkung dazu: „Gehört unter die sympathetischen Curen; ein mit dem Blut der Wunde benetztes Tüchlein wird in fließendes Wasser gelegt ꝛc." Eine Rede Wlastas (S. 277), die ihre Gefährtinnen den Katzen vergleicht, die siebenmal auf Mord am Tage sinnen und drauf vergessen siebenmal beim Spinnen, veranlaßte Brentano in der Anmerkung 83 zu folgender Ausführung und Mittheilung eines Märchens:

„Es gibt eine alte Sage von der Falschheit der Katzen, daß sie alle Tage sich siebenmal vornehmen, den Menschen zu ermorden, und es über ihrem Spinnen (Murren) wieder vergessen. Ueberhaupt traute der Aberglauben ehemals den Katzen nicht viel Gutes zu, und ihre nächtlichen Singakademien und Declamatorien haben nie im besten Rufe gestanden. Ich glaube, die Leser werden hier gern ein Mährchen lesen, welches mir von einem Reisenden mit großem Ernste erzählt worden ist, und das mir wegen der ganz eigenen schauerlichen Einsamkeit, die drinnen herrscht, recht wohl gefallen.

In einer einsamen Gegend an der türkischen Gränze lebte allein mit einigen Knechten ein slavonischer Edelmann, sein geliebter Hausgenosse war ein ungeheuer großer, schwarzer Kater, der sich von der Jagd wie sein Herr ernährte, aber sich doch alle Abende bei ihm einstellte. An dem heiligen Abend vermißt der Herr einstens seinen Kater, da er eben im Begriff war, eine Stunde weit über das Schneefeld nach einer Kirche in die Christmetten zu gehen, und verwundert, daß der Kater bei der strengen Kälte noch Geschäfte außer dem Hause haben sollte, machte er sich auf den Weg. Nachdem er unter allerlei Gedanken eine halbe Stunde weit durch die kalte, sternhelle Winternacht gegangen, hörte er ein wunderliches Geschnurre, dem er sich nähert, und sieh da, auf einem kahlen, einsamen Baum tanzen vor ihm unter seltsamen Melodien eine Menge Katzen, und Mores, sein Kater, sitzt ernsthaft oben in der Spitze und bläst den Dudelsack dazu. Dem Slavonier kommen wunderliche Gedanken, und schon reißet ihn die Musik hin, und er muß mittanzen, bis die Kirchenglocke über das Feld tönt, und die Katzen plötzlich wie tausend Teufel von dem Baume herunter und über den guten Tänzer weg fahren, der nun zu Sinnen kömmt und eilig nach der Kirche läuft. Als er, nach Hause gekehrt, nach schweren Träumen den andern Tag erwacht, liegt Mores, der verdächtige Serenadische Katzen-Bassa, ganz ruhig auf dem Stuhl neben seinem Bette, als wenn gar nichts passirt wäre. Der Slavonier, über diese Heuchelei noch mehr ergrimmt, redet ihn scharf mit den Worten an: Nun Herr Mores, wie hat der Thé dansant geschmeckt, wie ist das Declamatorium ausgefallen? jetzt weiß ich, wie ich mit Ihnen daran bin, und ich werde Ihnen mit einem dejeuner à la fourchette aufwarten! Nach diesen Worten griff der Slavonier nach einer Heugabel, die neben seinem Bette stand, und wollte den Künstler spießen, dieser aber kam ihm zuvor und schwang sich dem Slavonier würgend um den Hals, bis seine herzu gelaufenen Knechte den verdächtigen Nachtmusikanten auf seinem Herrn mit ihren Säbeln in Stücke hieben. Die Knechte legten ihn hierauf in Essig und wollten ihn als einen Hasen an einen curiosen alten Wildbrethändler über der türkischen Gränze verkaufen, aber als sie hinkamen, fanden sie dessen Frau weinend, daß sie ihren Mann, der seit langer Zeit abwesend gewesen, am Christtagmorgen mit Säbelhieben zerfetzt im Bette todt gefunden habe, wornach sich zu achten. Dieses Mährchen hat einen eigenthümlich localen, einsamen, schauerlichen Charakter [1]."

Gerade über dies von Brentano nacherzählte Märchen liegen zwei Urtheile Wilhelm Grimms vor. Er schrieb (Briefwechsel aus der Jugendzeit 381): „Das Märchen ist merkwürdig, weil es auch zeigt, wie sie überhaupt in seiner (Brentanos) Bearbeitung ausfallen; es ist mehr Stil darin, als in den unsrigen, lesen sich dagegen zu wiederholten Malen schlechter, weil man dann den Witz weg hat oder auswendig weiß, daher eine solche Art nur aufkommen, d. h. absichtlich gewählt werden kann, wenn man wie jetzt etwas nur einmal liest;" und dann abermals (ebenda S. 385): „Wenn Arnim einmal schrieb, daß ihm der Stil in Brentanos Märchen nicht gefiel, so kann ich mir das wohl denken, wenn sie so sind, wie das vom schwarzen Kater im Anhang, das mir auch nicht in der Art gefällt."

Nach alledem wird es begreiflich sein, daß auch Brentano mit Grimms Behandlungsart der Märchen nicht zufrieden war. Er hatte sich den ersten Band der

---

[1]) In veränderter Darstellung kehrt die Erzählung des croatischen Edelmannes als „Das Pickenick des Katers Mores" in „den mehreren Wehmüllern und ungarischen Nationalgesichtern" Brentanos wieder. Vgl. unten S. 200.

„Kinder- und Hausmärchen“, gleich nach ihrem Erscheinen, in Prag gekauft und äußerte sich über sie zu Arnim (Arnim und Brentano S. 309): „In der Vorrede ist recht schön gesprochen, es sind auch da viele Märchen zusammen, aber das Ganze macht mir weniger Freude, als ich gedacht. Ich finde die Erzählung aus Treue äußerst liederlich und versudelt und in manchen dadurch sehr langweilig, wenngleich die Geschichten sehr kurz sind. Warum die Sachen nicht so gut erzählen, als die Rungeschen (‚Fischer‘ und ‚Machandelbohm‘) erzählt sind? sie sind in ihrer Gattung vollkommen. Will man ein Kinderkleid zeigen, so kann man es mit aller Treue, ohne eines vorzuzeigen, an dem alle Knöpfe heruntergerissen, das mit Dreck beschmiert ist, und wo das Hemd den Hosen heraushängt. Wollten die frommen Herausgeber sich selbst genug thun, so müßten sie bei jeder Geschichte eine psychologische Biographie des Kinds oder des alten Weibs, das die Geschichte so oder so schlecht erzählte, voran setzen. Ich könnte z. B. wohl zwanzig der besten aus diesen Geschichten auch getreu und zwar viel besser oder auf ganz andere Art schlecht erzählen, wie ich sie hier in Böhmen gehört. Die gelehrten Noten sind zu abgebrochen, und es ist in dem Leser zuviel vorausgesetzt, was er weder wissen noch aus diesen Noten lernen kann. Eine Abhandlung über das Märchen überhaupt, eine Physiologie des Märchens wäre, sollte Gelehrsamkeit dabei sein, weit nützlicher gewesen. So wie es jetzt ist, hat die Gelehrsamkeit das Aussehen, als sei sie ein aus dem Nachlaß verstorbener Gelehrter abgedrucktes Sammelsurium. Ich habe bei diesem Buch recht empfunden, wie durchaus richtig wir beim Wunderhorn verfahren, und daß man uns höchstens größeres Talent hätte zumuthen können. Denn dergleichen Treue, wie hier in den Kindermärchen, macht sich sehr lumpicht, und der dort so sehr gepriesene Basile in seinem Pentamerone oder Cunto delli Cunti, der als Muster aufgestellt wird, zeigt sich nichts weniger als also treu, da er die Märchen nicht allein in einen erzählenden Rahmen gefaßt, sondern sie auch mit allerlei eleganten Reminiscenzen und sogar mit Petrarchischen Versen bespickt."

Diese Critik, so leicht sie sich nach Brentanoscher Art gehen läßt, trifft doch in den Kern der ganzen Frage. Auch Jacob und Wilhelm Grimm haben bei der bloßen Treue ihrer Märchenauffassung, wie sie uns im allerersten Bande entgegentritt, nicht verbleiben können, sondern sie mußten, in der Abfolge der neuen Auflagen, auf die Vervollständigung des Inhalts und die Abrundung der Form ihrer Märchen immer mehr Gewicht legen. Wilhelm zumal ließ keine neue Auflage hinaus, ohne sie durchzuprüfen und umzuarbeiten, und so näherte er sich in der That den Grundsätzen, nach denen Arnim und Brentano die oft schlecht überlieferten und brüchigen Lieder in des Knaben Wunderhorn behandelt hatten.

Neuntes Capitel.

Brentano und die Brüder Grimm während der Kriegszeit.

Die geistige und literarische Entfernung Brentanos von den Brüdern Grimm, die seiner katholisch-poetischen Richtung ihre protestantisch-wissenschaftliche Art entgegensetzten, wurde durch die Kriegsereignisse, denen Brentano von Wien aus zusah, während drei Brüder Grimm, Jacob, Ludwig und Karl, mit nach Frankreich zogen, wesentlich verstärkt. Man erfuhr wohl gegenseitig von einander. Aber Brentano fühlte nicht, wie Arnim, für sich das Bedürfniß, mit den Casseler Freunden in ständigem Gedankenaustausch zu bleiben. Auch auf Grimms Seite machte sich eine Abkühlung geltend. Jacob, der als Legationssecretair dem hessischen Gesandten auf den Wiener Congreß zu folgen hatte, sprach im Mai 1814 gegen seinen Bruder Wilhelm den Wunsch aus (Briefwechsel aus der Jugendzeit S. 328), Clemens möchte nicht mehr in Wien sein, er würde ihn in der Zeit oder im Gemüth stören; auch legte er Wilhelm nahe, an Brentanos projectirter Wiener Zeitung, den Friedensblättern, sich nicht zu betheiligen, obschon jener ihre Mitarbeit sich erbeten hatte (ebenda 325, Arnim und die Brüder Grimm S. 302) [1]. Jacob Grimm traf auch wirklich Brentano

---

[1]) Später schrieb Jacob an Wilhelm, 18. Januar 1815: „Ich

nicht mehr in Wien an. Dieser war bereits wieder mit dem Beginne des Mai 1814 in Prag erschienen (Rahel, Briefwechsel 3, 357), von wo er sich im September bei Arnim in Wiepersdorf einfand, während Jacob in Wien vom October 1814 bis Juni 1815 weilte, nicht ohne Nutzen für seine und Wilhelms literarische Arbeiten.

Arnim hatte, so gut es eben in der Kriegszeit ging, mit dem in Cassel zurückgebliebenen Wilhelm die Verbindung aufrecht erhalten. Am 1. October 1814 schrieb er ihm aus Wiepersdorf und bemerkte lustig von Clemens (Arnim und Brüder Grimm S. 310): „Ist Jacob noch bei Dir, so grüß ihn herzlich und gieb ihm einliegenden Empfehlungsbrief von Clemens an einen sehr braven Freund, der ihn in einen Kreis von guten Gesellen, unter denen auch Antiquare sich finden, versetzen wird, so eine Bekanntschaft ist in großen Städten mehr werth als das reichste Handelshaus. Clemens ist seit beinahe vierzehn Tagen bei mir, seitdem lesen wir einander unsre aufgehäuften Manuscripte vor, sägen Bäume ab, Buchen, um Bücher darin zu binden, es geht ganz lustig her und wir sind mit unsern Negotiazionen schon weit gekommen, so daß am allgemeinen Frieden gar nicht mehr zu zweifeln. Dies melde dem Jacob nach Wien und schick ihm das Brieflein. Der Clemens erzählt Wunderdinge von seinen dortigen Freunden. Es kommen von ihm dreierlei **a** heraus: Libuss**a**, Victori**a**, Valeri**a**, meist in Pesth gedruckt." Der „sehr brave Freund" war Eckstein; dem Empfehlungsbriefe an ihn fügte Brentano noch folgende Begleitzeilen hinzu, Wiepersdorf 1. October 1814: „Lieber Jacob! Hiebei ein Brief für Sie an Eckstein, meinen

will Dir die hiesigen Friedensblätter für die Lesegesellschaft senden, es steht ein Aufsatz von Clemens und sonst einiges darin."

hülfreichen, wohlgesinntesten Freund, er kann Ihnen in Wien die ausgezeichnetsten litterarischen Dienste thun, ich habe ihm geschrieben, Sie mit Schmiedel, einem andern Freund, Antiquar, Bücherkenner und Sammler und ganz vortrefflichen, edlen und tiefen Menschen, bekannt zu machen, welcher Ihnen auch vieles nutzen und nachweisen kann, dann mit zwei Brüdern Passi, von welchen ich Ihnen Georg am herzlichsten empfehle, grüßen Sie beide von mir und suchen Sie dieselben für altdeutsche Litteratur zu interessiren, sie haben Muße, Sinn und Talent, und könnten Ihnen manches auf der Bibliothek sammlen und ausziehen; dann ist in Wien ein gewisser Käßeyer, der sich mit altdeutschen Sachen abgiebt, und ein Freund Eckteins, ein gewisser Frickard, hat den Hohenemser Codex der Nibelungen, Gott weiß wie! Wollen Sie einen der genialsten und geistreichsten und unschuldigsten Menschen kennen lernen, so lassen Sie sich von Eckstein zu meinem Schweizer Flury (Arnim und Brentano S. 319) führen und grüßen ihn von mir. Durch Graf Moritz Diedrichstein können Sie vielleicht etwas zur Entdeckung der altdeutschen Gedichte in Nickolsburg in Mähren thun. Dobrowsky versäumen Sie nicht, er ist vielleicht in Wien, Sie erfahren es im Nostitzischen Palais, sollten Sie ihn bei der Rückreise in Prag sehen, so fragen Sie ihn um einen Band neuer altrussischer Volkssagen, in Prag empfehlen Sie mich dem Bibliothekar Hofrath Posselt, es sind altdeutsche Fragmente von Bücherdecken abgezogen bei ihm, auch in Horschowitz auf der Bibliothek des Grafen Wrbna liegt ein Codex. Nächstens mehr durch Wilhelm, Ihr Clemens. (Am oberen Rande:) Ich habe allerlei Bücher bei Eckstein zurückgelassen, suchen Sie sich aus, was Ihnen gefällt!"

Diese Blätter Brentanos übermittelte Wilhelm Grimm, namentlich gespannt auf den Hohenemser Codex der Nibelungen, seinem Bruder nach Wien, der mit Freude darauf erwiderte, daß er den gegebenen Adressen bald folgen wolle, den Nibelungen sei er auch schon auf anderweitige Anregung hin auf dem Wege. An Eckstein fand Jacob wirklich einen gar freundschaftlichen, behülflichen Menschen, der ihm auch Märchen aus dem Magdeburgischen, seinem Geburtslande, erzählte. Es geschah diese neue Berührung mit Clemens Brentano gerade um die Zeit, wo Jacob in Wien seine eben fertig gewordene Libussa, die Gründung Prags, kaufte und sofort darüber an Wilhelm seine ersten Eindrücke schrieb (Briefwechsel aus der Jugendzeit S. 369): „Bis jetzt hab ich nur hineingeguckt und Vorrede und Anmerkungen gelesen, die mich gerührt haben, weil man so ganz des Clemens sein Wesen, seine Kramerei in Seltenheiten, seine scharfsinnige Ungelehrsamkeit darin sieht und findet; ich bin aufs Lebhafteste an ihn erinnert worden; von Arnim oder unsern Büchern ist nichts berührt. Wie kostbar muß der Jordis z. B. die Geschichte von der Katze und dem thé dansant (oben S. 189) sein! Man meint sie erzählen zu hören. So viel ich an dem Buch selbst sehe, ist es höchst ausgezeichnet und merkwürdig und vermuthlich des Clemens beste Arbeit; wahrscheinlich wird mir das Ganze weniger recht sein. Auf die versprochene Chronika eines fahrenden Schülers (S. 434) wirst Du mit mir am Allerbegierigsten sein. Der Clemens ist gewiß ein guter Mensch, der mir seines Lebens wegen herzlich leid thut."

Von Savigny erfuhr am 15. November 1814 Jacob in Wien, daß Clemens und Arnim jetzt in Berlin seien und herzlich grüßten, und Wilhelm, der Brentano den zweiten Band der Kinder- und Hausmärchen durch Reimer zuschicken ließ, trug Arnim Grüße an ihn auf und fragte, ob es noch sein Ernst sei, ein Baumeister zu werden. Jacob aber schrieb aus Wien am 18. December 1814 sowohl an Arnim (Arnim und die Brüder Grimm S. 314) wie auch an Brentano: „Lieber Clemens, Ihr Brief, nach langen Jahren das erste Wort und nachdem ich glaubte, daß Sie uns vergessen hätten, hat mich sonderbar gefreut, wozu nämlich noch kam, daß ich gerade ein paar Tag vor dessen Empfang in einem Buchladen Ihre Libussa gesehen, gekauft, und schon genug darin gelesen hatte, um mich recht lebendig in Ihre ganze Art und Weise zu arbeiten und zu sein, soviel ich aus früherer Zeit wußte, wieder zu versetzen. Es muß Ihnen eher lieb sein, als nicht, auch von mir zu hören, daß Sie noch ganz darin sind, wie sonst; das ist Hauptsache bei guten Menschen, daß sie sich selbst Farbe halten, und wer das weiß, daß Sie von Grund aus gut sind, und in dem Buch deutlich Ihre Güte und den Reichthum Ihres Geistes erblickt, der wird Sie und das Buch darum lieb haben; mir wenigstens geht alles alberne Geschwätz, das ich hier mitunter darüber führen höre, vor den Ohren vorbei und etwas anders ist, wenn ich meine eigene Neigung offen bekenne: daß je mehr ich die alte Volkspoesie lerne und betrachte, desto weniger gefällt mir das neue. Fouqué's Corona wäre mir kaum möglich zu lesen, wie mir sein Zauberring stets gleich von vornen die größte Langweile gemacht hat. Wie viel mehr sind Sie Dichter als solche, denen weder Gefühl noch geschmeidige Zunge noch Geschick im Zusammenfügen mangeln, wohl aber dichterische Gedanken. Ich suchte emsig in Ihrem Buch nach Spuren, ob Sie unser nebenbei in den Anmerkungen gedächten, bis ich eine mittelmäßige Deutung des Worts pelicano (S. 448) fand, die ich einmal dem Dobrowsky zum Besten gegeben hatte, so daß Ihnen unbewußt etwas aus unsern Excerpten eingeschlichen ist. — Ihre hiesigen Empfehlungen sind mir vom größten Frommen gewesen. Ich verfolgte zwar schon die Nibelungenhandschrift, wäre aber ohne Eckstein schwerlich dazu gelangt. Dieser, Schmiedel, Passy, Hornpostel und alle, bei denen Sie herzlich angeschrieben stehen, thun mir alle Freundlichkeit an und in ihrer Mittwochabendgesellschaft lesen und sprechen wir, bei passablem Braten und schlechten Bier und Wein, etwas zusammen, nie, ohne Ihrer zu gedenken. Der Schweitzer Flury ist nicht mehr hier, sondern in die Schweitz. Uebrigens muß ich mich zur Gesellschaft ganz neu anlernen, so herausgekommen war ich, oder komme bald wieder heraus, denn ich sehne mich in aller andern Rücksicht, Wien zu räumen. Ihr Jacob Grimm."

Aus den brieflichen Mittheilungen zwischen Jacob und Wilhelm Grimm über die Libussa ist noch das Folgende nachzuholen. Jacob schrieb am 2. November 1814 an Wilhelm: „Clemens' Libussa ist durchweg gescheidt und nirgends leer, vieles ausnehmend schön; im Ganzen fehlt ihm wohl eine gewisse Gesundheit und Geradheit. S. 7 das Zeitgespenst geht auf Varnhagen. S. 6 wohl die Auguste. Das Compliment für Retzer (S. 412) und seine Versification zu verstehn, muß man wissen, daß dies ein ganz gemeiner, höchst eitler Kerl ist, der aber Censor war und damit zum Imprimatur gebracht wurde." Wilhelm erwiderte am 5. und 12. November 1814: „In Brentanos Buch habe ich auch geblättert, es ist mir dabei Arnims Meinung eingefallen, wornach die erste verlorene Bearbeitung besser gewesen. Das Märchen ist merkwürdig, weil es auch zeigt, wie sie überhaupt in seiner Bearbeitung ausfallen; es ist mehr Stil darin, als in den unsrigen, lesen sich dagegen zu wiederholten Malen schlechter, weil man dann den Witz weg hat oder auswendig weiß, daher eine solche Art nur aufkommen, d. h. absichtlich gewählt werden kann, wenn man wie jetzt etwas nur einmal liest" — und am 12. November 1814: „Die schwarze Kunst darin gefällt mir bis jetzt noch besser als die weiße, die Hexe ist trefflich, auch schreitet, so wie sie kommt, die Handlung fort, die sonst leicht stockt, viel Sorgfalt ist überall sichtbar bis in jedes Einzelne. Wenn Arnim einmal schrieb, daß ihm der Stil in Brentanos Märchen nicht gefiel, so kann ich mir das wohl denken, wenn sie so sind, wie das vom schwarzen Kater im Anhang (oben S. 189), das mir auch nicht in der Art gefällt. Hast Du bemerkt, daß die Alliteration angewendet ist, z. B. Seite 47?"

Alles, was während der Zeit von Grimms mit Arnim oder mit Savigny brieflich verhandelt wurde, müssen wir uns überhaupt als auch zu Brentanos Kenntniß gelangt vorstellen. Da war es ein zufälliger Anlaß, der Clemens zu einem Briefe an die Brüder Grimm bestimmte, aus Berlin 15. Februar 1815: „Lieber Wilhelm! Der Ueberbringer heißt Freund, ein Mechanikus bei der hiesigen Münze, der in Kassel einen Theil der Hieronymusmünze in Empfang nehmen soll, die von hier gekauft ist. Er ist mein geliebter Mitschüler in der Algebra, und da er mein Ungeschick bemerkt, aus eignem geschämigen Anerbieten mein Repetent geworden. Er weiß gar nichts von Literatur, aber er ist ein ungemein zartfühlender und sanftmüthiger, schuldlos denkender Grobfeiler. Er wird Ihnen wenig von mir erzählen können, denn er kennt mich erst vierzehn Tage, und wir sprechen nicht viel anderes als $a + b$. Aber ich habe ihn doch sehr lieb, und er wird die Güte haben, mir einige der Bücher, die ich bei Ihnen habe, mitzubringen. Da er die Münztheile hieher in Fracht veraccordirt, vermag er vielleicht ein Kistl Bücher auch zu spediren, ich ersuche Sie daher um Verpackung der Stücke, welche ich auf Ihrem eignen Verzeichniß roth unterstrichen habe, welches Verzeichniß Freund mir zurückbringen wird. Den französischen Pausanias und das schön geschnörkelte Gebetbuch wird er in seinem Coffre mir bringen.

Ich weiß nicht, lieber Wilhelm, ob ich noch zu Ihren Freunden gehöre, denn mir ist oft, ja meist, als gehöre ich nicht mehr zu den Lebendigen. Mein ganzes Leben habe ich verloren, theils in Irrthum, theils in Sünde, theils in falschen Bestrebungen. Der Blick auf mich selbst vernichtet mich, und nur wenn ich die Augen flehend zu dem Herrn aufrichte, hat mein zitterndes, zagendes Herz einigen Trost. Uebrigens zwingt mich meine Armuth hier zu leben, wo ich durch Pistors Güte freie Wohnung habe, doch fühle ich das tiefe Bedürfniß, an einem katholischen Orte zu sein, denn meine Sündenkluge Vernunft ist niedergeworfen von dem Glauben und ich schmachte nach vollem geistlichen Trost. Meine dichterischen Bestrebungen habe ich geendet, sie haben zu sehr mit dem falschen Wege meiner Natur zusammengehangen, es ist mir alles mislungen, denn man soll das Endliche nicht schmücken mit dem Endlichen, um ihm einen Schein des Ewigen zu geben; jedes, auch das gelungenste Kunstwerk, dessen Gegenstand nicht der ewige Gott und seine Wirkung ist, scheint mir ein geschnitztes Bild, das man nicht machen soll, damit es nicht angebetet werde. Weil ich mich nun durch die falschen Bestrebungen meines Geistes ganz misbraucht und einseitig nach der Fantasie hin ausgebildet fühle, habe ich mit schwerem Kampf, und ganz gegen meine Natur, mich dahin gewendet, wo ich am verlassensten bin, nach der Mathematischen Erkenntniß. Ich lerne Rechnen und Geometrie und laufe täglich vier Stunden mit einem schweren Zeichenbrett und langen Lineal auf die Bauakademie, wo ich unter vielen jungen Burschen frage, wie spricht der Hund, und erfahre, Vitruv spricht u. s. w. Da kann ich alle Geduld und Demuth entwicklen, denn ich zeichne auf, was mir nicht gefällt und was ich doch lernen muß und gar nicht kann.

Der Mann oder Hofrath Frikard in Wien, der die Hohenemser Nibelungen hat, hatte außerdem eine Masse alter Romane, fast den ganzen Kreis, den Donquixote durchmustert, alle mit dem Namen verschiedener Hohenembse bezeichnet. Ich habe von ihm gekauft folio Reynaldos de Montalvan, Burgos 1563, 3 Bücher complett, und Historia de Morgan, Reynaldos y Rolando, Sevilla 1552, dann 8° Erasto dopo molti secoli con diligenza dal Greco tradotto in Italiano, Mantova 1546, 140 Blätter, dann noch einen spanischen Reynaldos di Trabisonda, den ich jetzt nicht finden kann, in Stanzen, ebenso wie meine Reali di Francia. Weiter habe ich dort erhalten eine spätere Papierabschrift von 48 Parabeln in Versen, etwas langweilig, 326 Seiten 4°. Begehren Sie etwas davon? Schreiben Sie mir auch, ob Sie etwa noch einen Gebrauch von den Minneliedern und dem altfranzösischen Roman, den Sie von mir erhielten, machen werden, sonst bitte ich, sie den angestrichenen beizupacken, weil ich dergleichen zu verkaufen denke, da ich Geld haben muß zu meinen Studien, oder doch nachher, wenn ich über den vielen Linien blind geworden.

Den zweiten Band der (Kinder- und Haus-) Märchen habe ich, wie alles was aus Ihren Händen kommt, bewundert[1]). Ein Band Märchen, den ich vor zwei Jahren nach meiner Art geschrieben, ist noch Manuscript[2]), da jetzt vor Fouquet nichts gedruckt wird, dessen Anbetung der Nilmesser des Schlammes von gutem Geschmack ist. Ich freue mich, daß Ferdinand bei Reimer untergekommen (Arnim und die Brüder Grimm S. 314), und sehne mich nur, daß Savignys und vieler andern Wunsch, Jacob und Sie hier an der Universität zu sehen, bald erfüllt werde. Wenn Louis hier wäre, er könnte sehr vieles lernen und sich gewiß erhalten. Lernen würde er bei meinem geliebtesten Schinkel, einem der größten Landschafter, Federzeichner und Architekten, die je gelebt, einem Menschen, der alles kann und hier sehr viel vermag, einer so ganzen Kunstnatur, als es irgend einer der großen Italiäner waren, an Umfang. Hat er nicht Lust hieher? ich wollte ihm vielleicht eine Existenz aussinnen! Schreiben Sie! — Arnim hat Ihnen wohl schon geschrieben (Arnim und die Brüder Grimm S. 319), daß Bettine am 9ten mit ihrem dritten Knaben gesund niedergekommen; er wird Friedmund heißen. Er dichtet unerschöpflich, aber es gefällt nur den wenigen. Es ist ein Schwanken zwischen Maß und Uebermaß in ihm, was nur die ver-

---

[1]) Jacob an Wilhelm, 22. October 1814: „Zu dem Märchen von Falada (zu Grimms Märchen 2, 3) gehört Clemens' Note 45 (Gründung Prags); zu dem Aufhängen und Wind (ad Raparium) seine Note 46, doch ist dieser Punkt eine eigene Abhandlung werth."

[2]) Später Jacob aus Paris, 29. October 1815, an Wilhelm: „Es thut mir leid, wenn ich z. B. an Clemens' Märchen denken muß, worin er aus den unschuldigen, einfachen, vorgefundenen Sätzen der Volkssage unerlaubte Progressionen und Potenzirungen ziehen wird, die noch so geistreich und gewandt sein mögen."

stehen, die einen höchsten Maßstab in sich tragen. Seine Bücher erstaunen einen immer von neuem, wenn man sie liest, aber wenn man sie gelesen hat, so weiß man ihre Vortrefflichkeit nicht, es sind zu viele Eminenzen in dem Umriß, die den Totaleindruck stören. Sie sind noch immer Bilderbücher und keine Bilder. Aber sie sind wahr und herrlich begeistert, und von dem Dichter geliebt, wenn gleich nicht erzogen, sondern verzogen: so sind auch seine Kinder. Gott gebe, daß es ihm finanziell besser gehe. Er ist ein getreuster Freund der Freunde.

Ich habe auch den Pentameron in Prag gekauft, Neapel 1749 8°, 453 Seiten. Die Italienische Uebersetzung, Cunto delli Cunti, die ich hatte und Sie kennen[1]), ist eigentlich kindischer und nicht so acconciosiacosacheisch. Sie sind mir in der Herausgabe zuvorgekommen, und mich freut es, weil es so würdiger geschehen wird. Wie froh wäre ich, so Sie hier wären und ich Ihnen alles übergeben könnte, was ich besitze. Meine Bücher liegen alle auf dem Speicher, und manchmal sitze ich mit Thränen auf dem Schutte meiner Thorheit und weine das verlorne Leben. Ich habe keinen Grund und Boden in nichts, und muß ihn im Leben und in Jesus zugleich suchen. Die Nachwehen der Aufklärungen sind erschrecklich. Rührend ist mir, wie die Zeit den theuren Görres (im Rh. Merkur) herausgehoben hat, es geht doch nichts treffliches zu Grund!!! Doch ist etwas wunderlich stetiges, unartikulirtes in seinem Ton, das ihn monoton macht, und vieles

---

[1]) Jacob an Arnim, 1. November 1811 (S. 162): „Den Pentamerone, den mir der Clemens nie leihen oder zeigen wollte, habe ich jetzt selbst, er ist voll der wunderbarsten, schönsten Sachen, die in Deutschland auch noch herumgehen, aber schon viel schwächer.“

liest sich, wie ein Brunnen, oder als ob man der Weisheit goldene ewiglange Gedärme aushaspelte. Das lange Kongreßgespräch (seit 8. Januar), wo er alle Aufsätze der Besten in eine Leier gebracht hat, ist sein non plus ultra in dieser Art und hat viele Leute gewidert. Er ist sehr undramatisch. Haben Sie den Unsichtbaren Prinzen von St. Schütz, Roman in 3 Bänden, gelesen? Thun Sie es, wenn Sie ihn erhalten können. Er ist mir persönlich, wie alle Erzählungen dieses Mannes, ungemein lieb, ja das liebste dieser Art, in der letzten Zeit. Wenn Sie hier privatisirten, ich wollte Ihnen wenigstens 600 Thaler für eine Vorlesung über Nibelungen garantiren; denken Sie nur, wie besucht der komische, läppische Zeune war. Eigentlich müssen Sie hierher, oder ich müßte mich sehr irren. Sie und Ihr Bruder könnten mich kuriren. Es ist mir aus Schlesien, von einem Nachkommen der Schelmufskiden, Homeriden, ein ungedrucktes Stück dieses Werks: Standrede am Grabe der Madame Schlampampe, versprochen. Behalten Sie mich lieb, ich liebe Sie und die Ihrigen unaussprechlich, und ich bedarf Liebe, schreiben Sie mir ein paar Zeilen, Jacob hat mir ein paar liebe Worte von Wien geantwortet, die mir sehr theuer waren. Ihr unveränderlicher Freund Clemens. Berlin den 15. Februar 1815.

(Nachschrift:) Schreiben Sie doch an Jacob, sich mit Fürst Moriz Diedrichstein in Wien, einem sehr zugänglichen guten Mann in Wien, bekannt zu machen, um womöglich an die altdeutschen Manuscripte in der Diedrichsteinschen Bibliothek zu Nikolsburg in Mähren zu kommen, auch in Horschowitz in Böhmen auf der Wrbnaschen Bibliothek liegt ein altes Manuscript. In Prag soll er einen gewissen Doctor Schultheß, der alte Sachen hat, aufsuchen, und in Wien durch Eckstein eine ungrische Bekanntschaft suchen, um einen alten Trauergesang der Zigeuner zu erhalten, den sie aus groszer Trauer nicht anders, als durch Gewalt, unter heftigem Leidwesen zu singen bewogen werden können. Eine gewisse Mademoiselle Caspers wird vielleicht erbötig sein, sich drum zu bemühen, sie ist halb litterärisch und sehr in Ungarn zu Haus, auch recht gutmüthig. Er soll sie grüszen. Der Gesang soll eine Schlachterzählung enthalten, in der sie ganz vernichtet worden.

Jacob hat sich durch manches in seinen politischen Aufsätzen (im Rheinischen Merkur), welches etwas reckenhaft naiv klang, hier nicht genutzt, er hat eine gewisse Manier, die ihn in seinem Stil verrathen hat. Uns ist dies wegen unsrer Sehnsucht nach ihm nicht lieb, da eigentlich nichts mit erreicht werden konnte. Das merkwürdige, was wir bald erfahren werden, wird das Stillewerden des Rheinischen Merkurs sein, der von höheren Orts aus nur als Spektakelstück in der Wagschale lag. In Wien kaufte ich den Roman Gernier, ohne Druckort und Jahrzahl 8°, etwa aus den 1600 Jahren, altes Volksbuch unter dem Titel: Der unbesonnenen Jugend Arzneispiegel; das ist eine schöne, aber klägliche Historie von dem sorgenvollen Anfang und dabei erschröcklichen Ausgang der allzusehr brennenden Liebe, sehr nützlich und kurzweilig zu lesen, zur wohlgemeinten Warnung von neuem aufgelegt.

Mein Freund glaubt die Bücher vielleicht zwischen die Münzwerkzeuge statt anderm Ausstopfsel einpacken zu können; die, welche keine feste Deckel haben, müssen freilich anders behandelt werden. Etwas wird er, so viel er frei Gewicht auf der Post hat, selbst mitnehmen. Sollten Sie einiges davon noch nöthig haben, so halten

Sie es zurück. Den Wallenstein schenken Sie ihm. Ich habe in Wien auch gekauft Dialogo de Givochi che nelle vechie Sanesi si usano di fare del Materiale Intronato, Venedig 1592, in welchem 132 Pfänderspiele beschrieben sind. Manche Bücher, besonders viele spanische und altfranzösische Comödien, ließ ich in Wien bei Eckstein zurück und habe Jacob aufgetragen, davon alles mitzunehmen, was ihn interessirt; erinnern Sie ihn nochmals. Ich habe hier Jacobs Zirkular wegen Volkssagen gesehen (Briefwechsel aus der Jugendzeit S. 425; Jacobs Kleinere Schriften 7, 494). Nach Bayern soll er in München an den Oberpostmeister Baron von Pfetten davon schicken und sich auf Dr. Ringseis berufen. In Osnabrück an Dr. Nordhof mit meiner Unterschrift; nach Weinheim bei Heidelberg an Herrn Batt bei Herrn von Babo. Alle diese Leute sind Mittelpunkte. Nach Inspruk an Herrn von Eichendorff bei Hofrath Adam Müller; nach Mähren an Professor Meinert, Batschendorf bei Ollmütz. Nach Breslau an Raumer und Steffens für ihre Zuhörer, nach Blankenburg an Hofrath Beckedorf (Heinrich von Kleists Berliner Kämpfe, Register). Wie glücklich wäre ich an der Stelle dieses Briefs bei Ihnen in der Stille und Verehrung Ihres treufleißigen Lebens! Gott erhalte Sie."

Diesen Brief Brentanos gab Wilhelm nicht an Jacob nach Wien weiter, sondern berichtete nur über ihn, am 28. Februar 1815 aus Cassel (Briefwechsel aus der Jugendzeit S. 433): „Von Brentano habe ich einen etwas ängstlichen Brief bekommen, er scheint sich umgeändert zu haben und in völliger Reue zu leben, doch ist er noch in der Art, die Dinge auszuschmücken, sowie im Planmachen und Vorlegen ganz der Alte, und Du und ich und der Louis werden damit versorgt. Er wollte eigentlich seine Bücher haben, da sich eine gute Gelegenheit ergab, sie frei wegzuschaffen; die Auswahl in unserer kalten Bodenkammer war mir auch keine angenehme Arbeit. Er schreibt, daß ihm Deine wenigen Worte sehr theuer gewesen, und ich solle Dir mittheilen, ‚Dich mit dem Fürst Moriz Diedrichstein in Wien, einem sehr zugänglichen Mann, bekannt zu machen, um womöglich an die altdeutschen Handschriften in der Diederichsteinischen Bibliothek zu Nikolsburg in Mähren zu kommen. Auch in Horschowitz in Böhmen auf der Wrbnaschen Bibliothek liegt ein altes Manuscript. In Prag den Doctor Schultheß aufzusuchen, der alte Sachen hat. In Wien durch Eckstein eine ungarische Bekanntschaft suchen, um einen alten Trauergesang der Zigeuner zu erhalten, den sie aus großer Trauer nicht anders, als durch Gewalt, unter heftigem Leidwesen zu singen bewogen werden können. Eine gewisse Mademoiselle Caspers wird vielleicht erbötig sein, sich darum zu bemühen, sie ist halb literarisch und sehr in Ungarn zu Haus, auch recht gutmüthig. Er soll sie grüßen. Der Gesang soll eine Schlachterzählung enthalten, wie sie ganz vernichtet worden!‘ Gedruckte Briefe sollest Du senden: nach München an den Oberpostmeister Baron von Pfetten und auf Ringseis Dich berufen (diesem denk ich auch). Nach Weinheim bei Heidelberg an Herrn Batt bei Herrn von Babo. Nach Innsbruck an Herrn von Eichendorff bei Hofrath Adam Müller.“ Worauf Jacob Grimm am 18. März 1815 aus Wien antwortete: „Die Adressen hatte Clemens theils schon früher geschickt, von seinen Plänen ist er auch hier für sich und andere immer voll gewesen, am Ende hat er damit gute Leute, wie Ecksteins, aufs Aergste geplagt.“

Brentanos gefälliger Freund hat um die Zeit Clemens' Habe aus dem Grimmschen Hause abgeholt, was folgender Brief Wilhelms bestätigt, aus Cassel 14. März 1815: „Lieber Clemens, ich habe sogleich nach Ihres Freundes Ankunft die verlangten Handschriften und Bücher aufgesucht, und heute werden sie ihm zum Einpacken überliefert. Es macht mir viel Sorge, daß sich die eine mit den Verzierungen incipiunt horae sanctae crucis p. nicht dabei befindet, aber ich kann sie alles Nachsuchens ungeachtet nicht in den Kisten und Säcken, worin ich Ihre Bücher aufbewahrt, finden. Ich vermuthe, da sie unmöglich verloren sein kann, daß sie unter andere Bücher in anderen Kasten gerathen ist; diese alle durchzusehen ist mir in diesem Augenblick nicht möglich, selbst wenn mir Freund längere Zeit, als überhaupt anderthalb Tage, gestattet hätte. Bei dem vorjährigen schweren Auszuge (in die neue Wohnung) waren nicht blos Ihre Bücher, sondern auch ein paar Kisten voll, die Blanc aus dem Castell hatte zu mir bringen lassen[1]), von Reichard überlieferte, andere Haufen von Carl, Ferdinand und Lui, getrennt fortzuschicken und wieder aufzuheben. Ich habe fast alles selbst gethan, aber da ich damals ganz allein war, konnte ich nicht zugleich hier beim Einpacken, dort beim Auspacken sein, und so ist so etwas leicht geschehen. Diese sämmtlichen Bücher stehen jetzt in Kasten und Bündeln auf einer engen Bodenkammer, sobald es Sommer ist und ich Zeit habe, will ich sie durchgehen und dann wird sich hoffentlich das Verlegte finden. Ich habe, was ohne Deckel war, in stark Papier eingeschlagen und denke, daß

---

[1]) Blancs Briefe, die sich im Grimmschen Nachlasse befinden, habe ich Herrn Dr. von Lettow Vorbeck zur öffentlichen Benutzung überlassen. Vgl. Arnim und die Brüder Grimm S. 278.

es Ihnen unbeschädigt zukommt. Das Manuscript mit den Minneliedern möchte ich wohl noch behalten, der französische Roman von Goffroy de Mayence aber kommt mit. — Die Handschrift mit den Parabeln säh ich gern einmal, sein Sie so gut sie mir zur Ansicht zu schicken, Reimer besorgt es ja wohl.

Ich danke Ihnen herzlichst für die Freundschaft, mit der Sie an uns und für unser Wohl gedacht. Gott wird ja wohl das beste schicken. Von hier jetzt wegzugehen ohne die höchste Noth, würde sehr undankbar sein gegen unsere alte Tante (Zimmer), deren einzige und große Freude wir sind, die sehr viel an uns gethan, gerade wie eine Mutter, und auch in dieser schweren Zeit erhalten. Sie dankt uns jedesmal, wenn wir sie besuchen, so freut sie sich, und doch gehe ich, so oft ich kann, zu ihr, wo sie mir mit unglaublichem Gedächtniß alles aus unserer und meiner Eltern Jugend erzählt, was ich längst auswendig weiß. Oft sagt sie, heute war mir mein Herz schwer, weil ich noch niemand von euch gesehen. — Dort Vorlesungen zu halten für elegante Zuhörer und dergleichen habe ich keine Lust, ohnehin wird es mir auch unmöglich, da ich zu Zeiten nicht ohne Anstrengung eine Stunde laut reden würde, und sie mir leicht sehr schädlich werden könnte. Dasselbe ist auch ein Grund, warum ich mich zu keinem Amte dort tauglich finde, selbst wenn ich nicht daran denken wollte, wie vieles mir erst noch zu lernen übrig ist. Hier habe ich eine sehr ruhige Stelle, das wenige, was ich thue, ist aber doch nicht umsonst gethan, selbst wäre die Stadt so, daß ich beständig mit Bücherholen abgehetzt würde, so könnte ich das wohl nicht jeden Tag drei Stunden lang aushalten. Ich habe seit kurzem 300 Thaler jährlich, damit könnte ich mich, falls nicht andere zu versorgen wären, wohl noch durchschlagen und ich richte hier fast soviel wie dort mit 500 aus: wer gibt mir dort eine so schöne Wohnung wie hier, wo ich ganz still wie auf dem Lande lebe, für 40 Thaler? Freilich habe ich sie so wohlfeil, weil sie kein Philister brauchen kann.

Wenn der Jacob nicht anderes noch geschrieben, als Aufsätze im Rheinischen Merkur, was ich nicht kenne, und man ihm nicht etwa alles holperich ausgedrückte zuschreibt, so kann ich nicht über Ungerechtigkeit oder Härte klagen; vielmehr hat er nach meiner Meinung selbst sein eigenes Gefühl für oder gegen jemand gar nicht durchscheinen lassen, um gerecht zu sein, und das ist ihm, da er sich nicht gern desselben und überhaupt einer oft glänzenden Einseitigkeit entschlägt, hoch anzurechnen. Ich bin in manchem nicht seiner Ansicht zugethan und wir haben auch wohl darüber gestritten, aber mir hat doch der Grund, aus welchem alles, was er dort geäußert, so klar durchgeleuchtet, daß es mich immer gefreut. Wo ihm das schadet, da sollte er mit Recht keine Rücksicht nehmen, da er bei den Franzosen Geld, Adel und Orden nicht gewollt, warum sollte er sich den Deutschen gegenüber geringer halten. Ob es etwas geholfen oder nicht, kann niemand entscheiden, das letztere werden auch die vom Rheinischen Merkur behaupten, die ihn zu verbieten gedenken; welche Schlechtigkeit, wie ich hoffe, doch nicht zu Stande kommt. Das Gespräch im Merkur war freilich etwas lang, doch im ganzen sehr gut: so viel ich weiß, ist vieles vom Jacob in den Reden des Orla (Nro 177 ff.) und des Fürsten (Nro 175 ff.). So wahr ist, was Sie von Görres sagen, daß er eigenthümlich wird, so ist er doch recht in seinem Element und bei seinen fremden

Worten und wunderbaren Bildern und dem Ausspinnen derselben doch volksmäßig und eindringlich gewesen [1]).

Was den Lui anbetrifft, so hoffe ich, daß er vom Kurfürst und der Kurprincessin einen kleinen Gehalt bekommt, um noch drei Jahre zu lernen. Er ist auf einem recht guten Weg für seine Ausbildung und ich habe recht herzliche Freude an ihm, gesund und frisch ist er auch. Ich glaube nicht, daß es gut für ihn wäre, wenn er aus einem bestimmten Kreis heraustäte, das eigentlich idealistische ist seine Sache nicht und könnte ihn nur zu Schwanken und Unsicherheit bringen, hält er sich aber dabei, so wird er darin etwas sehr gutes, ich glaube auch ausgezeichnetes, liefern. Wenn Sie die erste Lieferung seiner Sachen, die Artaria eben herausgibt, sehen, werden Sie finden, daß manches schöne darunter ist. Wollte er das Lernen jetzt aufgeben, so könnte er sich wohl mit Unterricht und mit radirten Blättern nach der Natur, womit ihn Artaria ordentlich plagt, forthelfen.

Der Ferdinand hat erst zu Anfang Februars von München abreisen können, weil ich ihm erst Geld schicken mußte. Der Carl ist auf einer Kaufmannsreise nach Bordeaux, er wird wohl auch die Lust, fremde Länder zu besehen, wieder verlieren. Er ist jetzt stark in Weltformen und ziemlich gewandt geworden, welches ich ihm aber gern verzeihe, denn er hat sich in der letzten Zeit brav und tüchtig benommen.

Nun haben Sie Nachricht von uns allen, ich bin allein der daheim gebliebene Stock in diesen Zeiten, indessen wird der Jacob nicht lang mehr ausbleiben. Für

[1]) Das Nähere über diese Angelegenheit findet sich in „Arnim und die Brüder Grimm“ S. 318.

die Namen zum Besten der Sagensammlung danke ich Ihnen, sie sollen benutzt werden. Wollen Sie den Pentamerone übersetzen und herausgeben, so lassen Sie sich ja nicht durch uns abhalten, denn es könnte jetzt doch noch lange dauern, bis wir zu der Arbeit gelangten. Ich habe auch die Neapolitanische Ausgabe von 1788 in 2 Octavbänden. Den unsichtbaren Prinz habe ich noch nicht gelesen, aber ich will mir ihn fordern, die Verehrung von dem hohlen Wesen des Fouqué ist mir auch unbegreiflich, mehr als den ersten Band von seinem Zauberring habe ich nicht vertragen können, ohngeachtet ich schon vor ein paar Jahren der Lullu versprochen ihn zu lesen, die ihn sehr reizend findet. Jacob hat mir Schenkendorfs Gedichte gerühmt; ich bin aber auch noch nicht dazu gekommen.

Ich habe vergessen zu bemerken, daß ich den Wallenstein auch nicht gefunden, dafür aber den Homer beigelegt habe, wenn Sie ihn schenken wollten.

Ein Brief an Arnim hat sich mit einem von ihm gekreuzt (Arnim und die Brüder Grimm S. 314), ich werde ihm aber nächstens wieder schreiben, bis dahin die herzlichsten Grüße an ihn und an Bettine, sowie an alle. Leben Sie wohl, lieber Clemens, Gott erhalte Sie gesund und gebe Ihnen Herzensheiterkeit; ich habe Sie niemals vergessen, vergessen Sie mich auch nicht. W. C. Grimm. (Nachschrift am 3ten:) Freund hat noch mehr Bücher mitnehmen können, ich habe ihm also noch ein Paket, welches meist schöne Literatur enthielt, zugeschickt. Jacob schreibt mir eben, daß er noch länger ausbleiben werde. Ich habe ihm schon aus Ihrem Brief mitgetheilt."

Der Sommer und Herbst des Jahres 1815 ging nicht vorüber, ohne daß Wilhelm Grimm von Savigny, mit dem er eine Rheinreise machte und der seinen Rückweg durch Cassel nahm, über Brentano und alle Berliner Freunde Genaueres hörte. Und heimgekehrt schrieb Savigny aus Berlin am 25. November 1815: „Clemens ist jetzt ganz plötzlich in eine Art von Tagesschriftstellerei gekommen, die ihm wohl läßt. Was er gegen Schmalz in die Zeitung vortrefflich geschrieben, hat die Censur gestrichen, aber einige Theateraufsätze in der Zeitung (Arnim und Brentano S. 341) sind sehr hübsch und machen großes Glück."

Zehntes Capitel.

Wiedersehen in Wiepersdorf und Brentano nach Dülmen.

Der Friede war hergestellt, Jacob Grimm von seiner Pariser Sendung, wo er auch den „herzensguten, ehrlichen Ringseis“ kennen gelernt hatte, zu den Geschwistern am Christtag 1815 zurückgekehrt: da sollte den Freunden aus schwerem Anlaß ein freudiges Wiedersehen im neuen Jahre 1816 beschert sein. Arnim erkrankte um Pfingsten gefährlich in Wiepersdorf, Bettina rief Wilhelm Grimm zu sich, und nun kamen auch Savignys und Brentano und Ferdinand Grimm aus Berlin hinaus. Wilhelm und Brentano hatten sich seit dem Jahre 1809 nicht gesehen und gesprochen.

Wilhelm fand Clemens wenig verändert, nur ein wenig corpulenter und älter, und daß er den Kittel noch etwas mehr schwenkte, wenn er sedat einherging, wie es in Briefen an Görres (8, 504) und an Pfarrer Bang (Hessische Beziehungen 2, 31) heißt: „Er fuhr dabei fort, wobei er aufgehört hatte, als ich ihn das letztemal sah, nämlich daß er nun nicht mehr dichten wolle, jedoch habe er noch vor Thorschluß eine Viktoria mit fliegenden Fahnen beendigt, ein dramatisches Werk, dessen Proben mir recht gut gefallen haben, und ein Paar Bände Märchen aus eigener Erfindung. Sonst weiß er eine Menge köstlichster Späße, darunter besonders einer meisterhaft vorgetragen wird von einem östreichischen reducirten Offizier, der geistlich geworden ist, um im Kloster täglich seine drei Speisen zu finden." Dazwischen war Brentano auch wohl ernsthaft und sprach von geistlichen Dingen. „Die Trutznachtigall von Spee", berichtete noch Wilhelm, „will er neu auflegen lassen", und weiter noch: „Von Christian hat er mir mancherlei erzählt, daß er jetzt in Frankfurt ist, werden Sie wissen, er hat ein paar Lustspiele geschrieben, soll aber, wie Clemens versichert, sehr ernsthaft und in sich gekehrt sein." Und der große Reisebericht, den Wilhelm an Arnim aus Cassel, unter dem 2. bis 4. Juli 1816, verfaßte (Arnim und die Brüder Grimm S. 346), war auch für Brentano mitgeschrieben, den er am Schlusse namentlich grüßen ließ.

Im Mai 1816 wurde von Grimms Deutschen Sagen der erste Band im Drucke fertig (Berlin, Nicolaische Buchhandlung), wodurch sich wieder eine ähnliche Berührung mit Brentanos Dichtung wie bei den Märchen ergab. Um der Verschiedenheit der Sagenbearbeitung auf beiden Seiten recht inne zu werden, braucht man nur Brentanos ausgeführten „Brief an den Herausgeber (der Badischen Wochenschrift) über das Sprichwort: Dir geht es wie dem Hündlein von Bretten", 18. Juli 1806, mit der einfach erzählten Sage „Das Hündlein von Bretta" (Deutsche Sagen, 4. Auflage, Nr. 95) zu vergleichen; die Anmerkungen zur Gründung Prags sind gefüllt mit sagenhaften Stoffen und Nachrichten. Obwohl doch aus der Einsiedlerzeitung Jacobs Glockensagen, wenn auch in andrer Gestalt, wiederholt wurden, so enthalten Grimms Deutsche Sagen doch keine unmittelbare Hinweisung auf Brentano. Um so bemerkenswerther ist ein schriftlicher Zusatz Jacob Grimms zu Nr. 346 im Handexemplar. Nämlich zu der mündlich aufgenommenen Sage vom Christusbilde in Wittenberg, welches die wunderbare Eigenschaft habe, daß es immer einen Zoll größer sei, als der, welcher davorstehe und es anzeige, schrieb Jacob an den Rand: „Von einem Pfarrer bei Goßfelden, und durch (Pfarrer) Bang dem Clemens und Savigny bekannt geworden; vgl. Savigny vom Beruf pp. S. 160." Die angezogene Stelle in Savignys Schrift „Vom Beruf unserer Zeit für Gesetzgebung ꝛc." (1814, S. 160) lautet: „So ist irgendwo ein wunderthätiges Christusbild gewesen, das die Eigenschaft hatte, eine Hand breit höher zu sein, als der größte Mann, der sich daran stellen mochte: kam aber ein Mann von mäßiger Größe, oder ein kleiner, so war der Unterschied dennoch derselbe, nicht größer." All diese Dinge, die Sagen betreffend, kamen gewiß auch in Wiepersdorf zur Sprache, um so mehr, da Brentano mit Reimer ernstlich wieder über die Herausgabe seiner Märchen unterhandelte, und Wilhelm erkundigte sich 1816 noch mehrmals bei seinem Bruder Ferdinand, „wie es mit den beiden Märchenbüchern des Brentano stehe". Aber Ferdinand erwiderte am 31. December 1816 aus Berlin, daß er von Brentanos Märchen nichts mehr höre, und meinte, sie möchten wohl durch die Kupfer (die nicht zu beschaffen waren) liegen geblieben sein.

Im September 1816 entschloß sich Savigny zu einer Reise auf den Harz und nach Göttingen, zu der er Arnim aufforderte und aus Wiepersdorf abholte. Brentano zog es vor, in Berlin zu bleiben, schrieb aber von dort nach Cassel: „Lieber Jakob! Heute, am 7. September 1816 um 12 Uhr, soeben, fährt Savigny zu Arnim, um ihn mit auf den Harz zu nehmen, er wird in Wiepersdorf nur einen Tag bleiben und dann nach Quedlinburg gehn, wo er bei dem Kammerrath Goetze abtritt, und gedenkt er bestimmt zwischen dem 14. und 18. in Göttingen zu sein bei Hugo; sehr lieb wär es ihm, dort einen von Euch zu sehen, Arnim findet Ihr wahrscheinlich auch. Sollte keiner von Euch kommen, was schier unmöglich scheint, so bittet in jedem Fall Gundel, gewisse bestellte Kassler Handschuhe an Hugo zu senden. Hassenpflug hat mich mehrmal besucht, und ist mir recht werth geworden, er ist nach Stettin, ich erwarte ihn auf der Rückkehr nochmals zu sehn. Die Serbischen Lieder habe ich mir aus eigner Lust abgeschrieben, Sie haben mir große Freude gemacht. Der Herausgeber eines hiesigen Taschenbuchs, Sängerfahrt, Dr. Förster, bittet um Nachricht durch mich, ob Sie ihm ein paar draus zur Bekanntmachung erlauben, Arnim hat eine Erzählung in dem Taschenbuch [1]). So Sie einige nähere Notizen über den Jesuiten Spee (haben), dessen Trutznachtigall ich bei Dümmler unverändert abdrucken lasse, so senden Sie mir dieselbe durch Savigny, vielleicht können Sie zu Göttingen mir etwas drüber nachweisen. Buri, im Begriff abzureisen, grüßt, er hat einen rechten Respekt vor Ludwig. Ich hoffe, Ihr habt Pistor in Kassel gesehen. Mit herzlichster Liebe Clemens." Brentanos Brief trägt den Berliner Poststempel vom 10. September 1816. Savigny

---

[1]) Die Uebersetzung der serbischen Lieder hatte Jacob Grimm an Savigny gesandt, der ihm durch Wilhelm hatte sagen lassen, daß er sie gern lesen möchte; sie erschienen in Försters Sängerfahrt (Jacobs Kleinere Schriften 4, 455), darin auch von Arnim die Erzählung „Seltsames Begegnen und Wiederfinden" (Insel-Ausgabe 1, 445), von Brentano „Aus der Chronika eines fahrenden Schülers" (oben S. 197). Vgl. Goethe und die Brüder Grimm S. 165, Arnim und die Brüder Grimm S. 416. 418.

und Arnim sahen sich mit Jacob Grimm, Mitte September, auf einen Tag in Göttingen wieder (Arnim und die Brüder Grimm S. 356); es ist nicht zu sagen, ob und was Jacob Grimm auf Brentanos Anfrage wegen Spees Trutznachtigall geantwortet hat.

Brentano näherte sich um diese Zeit der entscheidenden Wendung seines Lebens, der Abkehr von der Welt zu christkatholischer Frömmigkeit. „Clemens steckt schon wieder in Liebesaffäre", meldete Arnim am 19. Februar 1817 den Casseler Freunden, aber gerade diese Liebe zu Luise Hensel, der evangelischen Pfarrerstochter, die convertirte, war durch ihre Innigkeit und Aussichtslosigkeit noch mehr dazu geeignet, ihn auf seinem Wege zur katholischen Kirche zu unterstützen. Arnim sah dem, was in Clemens vorging, mit schmerzlichem Gefühle zu; an Jacob Grimm, der in Heidelberg arbeitete, schrieb er dahin am 30. März 1817: „Meine liebste Zeit wars, als ich (in Heidelberg) den ersten Theil des Wunderhorns da schrieb, bei Clemens wohnte, die Mereau lebte noch, es war eine gute Frau, und ihn quälte wohl zuweilen Rheumatismus und üble Laune, aber er war doch frommer, als jetzt, wo er sich die Brust bekreuzigt und beichtet und sich wie ein bekehrter Sünder anstellt. Er hat die Trutznachtigal in recht sauberm Abdruck herausgegeben, mit einem Anhange aus dem güldnen Tugendbuche des Spee und einem Leben, sammt ein paar Gedichten von ihm, wahrscheinlich ist es bald vergriffen, denn die Liebhaberei an so etwas wächst ungemein und die Auflage ist nur von 600 Exemplaren." Etwa ein Vierteljahr später, am 12. Juli 1817, schrieb Wilhelm Grimm: „Lieber Clemens, wenn ich mich nicht irre, so besitzen Sie vom Pentamerone des Basile eine Uebersetzung in das gewöhnliche oder schriftmäßige italienisch, wir haben hier zwei Ausgaben von dem Buch, aber beide in dem neapolitanischen Dialect, und der ist, ungeachtet der Beihülfe eines neapolitanischen Idiotikons doch so schwer, wenigstens für mich, daß ich an vielen Stellen nur langsam zum Verständniß komme und doch noch ein Stück davon errathen muß. Wollten Sie mir wohl Ihre Ausgabe auf eine Zeit leihen, verloren wird sie Ihnen bei uns nicht und sobald Sie sie zurückverlangen, soll sie wiederkommen; ich brauche sie nur zu einem genauen Auszug für die neue Ausgabe unserer Märchen, an eine Uebersetzung denken wir nicht mehr, sie würde zu viel Zeit rauben, für unsern Zweck ist ein Auszug genug und für den andern wird Ihre Bearbeitung sorgen, die nur auch erscheinen sollte. Wenn Sie meinem Bruder (Ferdinand) das Buch geben wollten, so kann er mirs durch eine Gelegenheit, mit der Familie Hassenpflug, die gerade dort ist, herschicken.

Arnims Kronenwächter habe ich mit herzlicher Freude gelesen, es ist eine große Erfindung darin, eine so lebendige Darstellung, daß das kleinste Bewegung hat und Antheil erweckt, und eine überall durchleuchtende edele Gesinnung. Es kommt mir unter den übrigen Poesien vor, wie die Bäume an den Brunnen in Arabien, die von Reisenden in den Wüsten gestiftet werden, so etwas frischendes, edles und einsames ist darin. Was die Geschichte der Kronenwächter selbst betrifft, die in dem Hintergrund liegt, so wollte ich, sie wäre wie das Märchen erzählt; der Dichtung, in welcher Augsburg, Max, Luther mit dieser Wahrheit auftreten, bleibt sie fremd, und außer Arnim werden nicht viele beides zu vereinigen wissen. Berthold ist in der ersten Periode, wo er gleichsam weiß trägt, am schönsten, hernach, wo er andere Farbe bekommt, entsteht aus der Mischung und Zweideutigkeit eine gewisse Abneigung, die einem weh thut, sein Geschick geht über ihm, er handelt immer natürlich und recht und doch ist es, als trüge er Schuld. Beim Faust sieht man einigemal den Spaß durch, den er dem Arnim gemacht hat, und das schadet etwas der Haltung und Wahrheit der Dichtung, und das ohnehin etwas gewagte Experiment des Bluttausches wird noch unglaublicher. Die Lieder sind größtentheils sehr schön. — Leben Sie wohl, lieber Clemens, und vergessen Sie uns nicht ganz. W. C. Grimm."

In gleicher Weise, wie die Hensel, wirkte auf Clemens noch sein Bruder Christian. Dieser reiste im Herbste 1817 zu seinen Geschwistern nach Berlin. Unterwegs schrieb er voraus, Marburg 19. October 1817, an Jacob Grimm: „Lieber Freund. Ich gebrauche Ihre Gefälligkeit, indem ich einen Koffer und ein Paquet, so heute für mich mit dem Postwagen abgeht, an Sie addressirt habe. Ich selbst, falls ich diesem Schreiben nicht zuvoreile, werde ihm wenigstens bald nachfolgen, um Ihnen für die Güte zu danken, der ich diese Bemühung auflaste, und die Kosten des Transports dankbar zu ersetzen." Christian weilte darauf vom 28. October bis 1. November 1817 in Cassel, den Freunden viel von seinen Plänen und von Clemens erzählend. Sie hatten Christian auch fast ein Jahrzehnt nicht mehr gesehen, fanden ihn aber sehr verändert, im ganzen zu seinem Vortheil. Er war mild, natürlich, ohne Ziererei, auch lustig dabei und in manchen Stücken gerecht im Urtheil, was er sonst nur alles mitunter war und mit Absprechen, Hoffahrt und dergleichen abwechselte. Auch sein religiöses Streben kam ihnen achtungswerth vor; nach ihrer Meinung habe er, wenn er das Gute gefunden, auch Gott gefunden und erkannt, und den Weg dazu könnten sie ihm lassen (Hessische Beziehungen 1, 39); allerdings bemerkten sie an ihm eine bestimmte Ungerechtigkeit gegen die evangelische Lehre; aber im allgemeinen, schrieb Wilhelm an Paul Wigand (S. 203), hatte ihnen Christian doch viel Ernsthaftes und Lustiges erzählt. In Berlin, wohin Christian dann von Cassel ging, blieb er vier Wochen und reiste darauf nach Italien ab, vorläufig über Prag zu Sailer. Arnim schrieb über ihn an Wilhelm, 22. 12. 1817 (Arnim und die Brüder Grimm S. 409 f.): „Ich habe ihn wenig verändert gefunden, nur hat er sich vom Napoleon, den er sonst mit Wuth verehrte, zum Papst gewendet, was sicher viel unschädlicher ist. Der Clemens machte ihm alles nach und mazerirte seinen Widerspruchsgeist, um nicht von ihm mazerirt zu werden. Die Hohlheit des neueren Katholicismus ist mir jetzt erst deutlich geworden, sie haben ihn mit Magnetismus und Tradizion vorgeschuht und merken nicht, daß sie auf dem Wege ganz kommode ins Heidenthum rutschen.“ Wilhelm Grimm schloß dieses Gespräch mit Arnim durch die Worte (23. 1. 1818): „Im ganzen denke ich an den Christian mit mehr Vertrauen als an den Clemens“; und gleichzeitig zeigte er dem Pfarrer Bang an: „Clemens hat sich in Berlin fast von allen Bekannten zurückgezogen, kommt, wie ich gehört habe, auch zu Savigny nur selten und ist mit einer Liebschaft (Marie Hensel) beschäftigt, aus der schwerlich etwas Gutes hervorgehen kann. Er hat die Religion auch dabei eingemischt und will, da er wohl nicht heirathen kann, das Mädchen bekehren.“

Gleiche Freundlichkeit athmet auf Christians Seite ein Brief, den er aus Landshut, 2. Juni 1818, einem Bekannten mitgab: „Lieber Jacob und Wilhelm. Der diesen

Brief bringt, ist Doctor Harder, Unterbibliothekar an der hiesigen Bibliothek, der aus Liebe zu seinem Fach eine litterarische Reise macht, welche ihn auch zu Euch bringt. Da muß er denn in meinen Angelegenheiten eins mitnehmen: die aufrichtige Liebes- und Danksbezeigung meines Herzens gegen Euch. Ich wills Euch immer gedenken, daß Ihr bei meiner Durchreise durch Kassel so gut und freundlich gegen mich waret. Schreibt mich nur immerhin unter diejenigen Eurer Freunde, die Euch vorkommenden Falls gern und gewiß dienen werden. Doctor Harder ist ein bescheidener und liebenswürdiger Mensch, der viele Liebe für sein Fach und aus dieser Liebe schon viele Früchte haben soll. Die Konzentration mehrerer aufgehobener Klosterbibliotheken in die hiesige Universitätsbibliothek hat ihm dazu auch eine Entwicklungsopportunität an die Hand gegeben; von da aus kann sich vielleicht manche interessante Berührung zwischen Euch anspinnen. Jedenfalls empfehle ich ihn Eurer besonderen Freundlichkeit und Fürsorge, da ich von Sailer und Röschlaub, zwei besonderen Freunden Savignys, darum angegangen bin. Meinen Gruß an den lieben Kindskopf Louis, und an Eure liebe Schwester, auch an die übrigen lieben Freunde, die ich bei und mit Euch gesehen habe. Adieu, lebt wohl — mit Gott und in guter Meinung zu Eurem aufrichtigen Christian Brentano."

Arnim und Brentano waren damals in Berlin eifrige Mitarbeiter an Gubitz' Gesellschafter, der religiös fast den entgegengesetzten Standpunkt zur Geltung zu bringen suchte; gewisse Cruditäten über Religionsangelegenheiten stießen viele zurück, unter andern den Clemens, der, wie Arnim 24. Februar 1818 an Wilhelm schrieb, „ein vortrefflicher Mitarbeiter ist, und es ist zu bedauern daſs diese seine eigenthümliche Stärke, sich ganz dem Momentanen der Zeit mit aller rastloser Neugierde, Eifer und Thätigkeit hinzugeben, der Literatur nur selten zu gute kommen läſst, aber für eine solche Redaktion ist er zu unbestimmt im Urtheil, zu leicht überdrüssig bei den mindesten Störungen, auch etwas zu sehr auf das erpicht, was die Leute in Verwunderung setzen soll."

Ebenso nahmen die Freunde alle, Arnim, Brentano, die Grimms an der von Hornthal und Straube 1818 herausgegebenen „Wünschelruthe" theil, und in dieser Zeitschrift Nr. 52, vom 29. Juni 1818, erschien nun auch eine Nachricht über „die Nonne von Dülmen", deren wunderbare, ekstatische Zustände schon seit längerer Zeit die Aufmerksamkeit der katholischen Welt auf sich gelenkt hatte. „Im Städtchen Dülmen im Münsterlande," heiſst es in dem Aufsatze, „lebt eine gewesene Nonne Catharina Emmerich, die nach Aufhebung ihres Klosters (Agnetenberg in Dülmen) zu ihrer Schwester daselbst gezogen ist. Diese hat jetzt schon seit sechstehalb Jahren an ihrem Körper die sogenannten Wundmale ... Sie ist 40 Jahre alt, sehr mager, hat ein eingefallenes Gesicht, das sehr weiſs, sehr lieblich und fromm, und schöne sanfte Augen. Ihr früherer Lebenswandel ist unbescholten, sie ging früh ins Kloster und war immer still und freundlich, lebte sehr fromm und hielt viel auf die strengern Andachtsübungen. Schon im Kloster kränklich, ward sie bald nach Aufhebung desselben bettlägerig." Sie aſs fast nichts, behielt keine Nahrung, auſser dem heil. Abendmahl bei sich, das Volk sah darin Wunder. Die französische Regierung veranlaſste 1813 eine Untersuchung und Bewachung der Nonne durch 30 rechtliche Bürger unter Aufsicht eines Arztes. Ihr Bericht und eidliche Bekräftigung ist in dem Vicariatsarchiv zu Münster niedergelegt. Auch andre Aerzte untersuchten sie. Als ein hoher münsterscher Geistlicher bei einer Audienz dem Papste von ihr erzählte, hat dieser sich alles auf das genaueste berichten lassen, darauf aber gesagt, man müsse die Zeit erwarten und vor Trug sich ernstlich hüten."

Auch Christian Brentano, der die Nonne aufgesucht hatte, war von ihrem Wesen ergriffen worden, und Clemens entschloß sich, einer Einladung des Grafen Friedrich Leopold Stolberg auf sein Gut Sondermühlen in Westphalen zu folgen, um von dort aus nach Dülmen zu gehen. Mitte September 1818 reiste er von Berlin ab, wie es scheint mit dem Plane, rückwärts seinen Weg über Cassel zu nehmen, weswegen Arnim den Brüdern Grimm am 6. October 1818 schrieb: „Von der Reise des Clemens zu Stolberg und nach Dülmen werdet Ihr vielleicht bald von ihm selbst unterrichtet werden. Ich hoffe davon recht viel für ihn. Er und Christian trieben einander immer tiefer aus dem ideellen Zauber der höchsten Liebe aller Religionen in das grauenvolle Hexenwesen des ausgearteten Katholicismus hinein, der in Haß und Streit seine Blüthen treibt. Stolberg, hoffe ich, wird sie heilen und versöhnen, und bei der Dülmer Nonne wird er einsehen, daß es auf die Wundzeichen allein nicht ankommt." Aber die Zeiten, wo ein starkes Interesse Brentano auf jeden Fall nach Cassel gezogen hätte, waren vorüber; er folgte jetzt anderen Sternen. Wilhelm Grimm glaubte nicht an den als möglich angekündigten Besuch (9. October 1818): „Ob Clemens kommen wird, ist mir zweifelhaft, ich habe geglaubt, daß er eigentlich keine Theilnahme für uns mehr habe. Am ängstlichsten ist mir an ihm, daß man überzeugt sein muß, kein

Zustand, in welchem er sich zeigt, könne für ihn bleibend und wohlthätig werden, er hat alles kennen gelernt und alles weggeworfen, wo soll die Liebe für etwas noch Wurzel schlagen?" Brentano kam auch wirklich nicht nach Cassel, und erst von Savigny erfuhren die Brüder Grimm, aus Berlin 4. April 1819: „Clemens ist wieder hier, geht aber nächster Tage zurück nach Westphalen. Ich habe ihn wenig gesehen." Doch die Rückkehr nach Dülmen zog sich noch einen halben Monat hin.

Ihr Bruder Ferdinand aber hatte ihnen das in Berlin umlaufende und in Zeitschriften veröffentlichte Gerücht, Brentano wolle in ein Kloster gehen, gemeldet, und damit schien es sich zu reimen, daß er seine Berliner Verhältnisse auflöste und namentlich seine werthvolle Büchersammlung öffentlich zum Verkauf stellte. Darauf meldete Wilhelm an Arnim, 22. Februar 1819: „Ferdinand schreibt mir von dem Entschluß des Clemens. Aus seiner Anzeige wegen seiner Bücher sehe ich, daß er sich doch noch mit weltlichen Gedanken beschäftigt. Wahrscheinlich kommt er wieder, ehe das Probejahr im Kloster abgelaufen ist. Könntest Du ohne Mühe mir seine Ausgabe des Pentamerone von Basile — sie enthält die Märchen in der italienischen Schriftsprache und wird zu Roma erschienen sein, die Uebersetzung in den neapolitanischen Dialect besitzen wir selbst — ein kleines Buch in Duodez auch nur auf einige Zeit verschaffen, so geschähe mir damit ein Gefallen. Ich habe ihn vor einem Jahr etwa selbst darum gebeten (oben S. 219), er hat mir aber nicht geantwortet." Arnim, der ersichtlich mit Brentano über Grimms Wunsch gesprochen hatte, erwiderte am 14. Mai 1819: „Clemens ist schon beinahe seit einem Monate nach Westphalen, er hätte Euch das Buch geschickt, aber es war tief verpackt. Die Hensel ist katholisch geworden und als Gesellschaft der Fürstin Salm geb. Galizin nach Münster gekommen. Kein großer Verlust für unsre Kirche, ein verdrehtes Wesen ursprünglich, an der Clemens zwei Jahre alle Schlüssel probirt hatte, bis das Schloß ganz zerbrochen war. Ihre äußeren Verhältnisse haben sich durch den Wechsel vortheilhaft gebessert.“ Auch jetzt wieder hatte man in Berlin darauf gerechnet, daß Brentano unterwegs in Cassel absteigen werde. Denn Ferdinand schrieb an Jacob, Berlin 23. Mai 1819: „Auf seiner Wallfahrt nach dem Kloster hat Euch vielleicht Brentano besucht? Neumann, den Du kennst, ist jetzt sein einziger Freund und Vertrauter, sonst will er von Keinem was wissen, an ihn schreibt der Mönch bogenlange Briefe aus Dülmen, wo er noch ist, die entsetzlich sein sollen, und ich nicht lesen mag. Dieser Neumann ist Katholik, verständig und gutmüthig, aber noch jung, kennt er seinen Freund nicht zur Hälfte, und wie sich der die Menschen gewinnen kann, ist bekannt genug. Neumann thut mir leid, lange schon kannte ich ihn, ohne seinen Namen zu wissen.“ Einer dieser Briefe Brentanos an Neumann hat sich auch in Ferdinands Nachlasse, von ihm selbst copirt, vorgefunden. Jacob bemerkte zu Arnim über die ganze Angelegenheit, 30. Juni 1819 (Arnim und die Brüder Grimm 437): „Wenn es dem Clemens Ruhe schafft, daß er sich begeben hat, nach dem altdeutschen Ausdruck, so habe ich nichts dawider zu sagen, denn wozu hätte er sich weiter in der Welt herumgetrieben, wie in den letzten zehn Jahren? Sind denn alle seine Bücher verkauft worden? Die kleine Erzählung, die er in die gubitzische Sammlung (Gaben der Milde 1818. 2, 7) gegeben, von dem schönen Annerl, habe ich dieser

Tage gelesen und kann nicht sagen, daß sie mir gefallen hat, es sind unnatürliche Theatercoups, im Einzelnen hübsch ausgestattet."

Wie Brentano immer an den Casseler Freunden vorbeilenkte, vermied er auch ihren Wunsch, die schon oft erwähnte Ausgabe von Basiles Pentameron betreffend, zu erfüllen. Sie brauchten sie aber, da die zweite Auflage ihrer Kinder- und Hausmärchen in Vorbereitung war, zur Vervollständigung ihrer wissenschaftlichen Anmerkungen, die jetzt von den Texten gänzlich abgetrennt und in einen besonderen, den dritten, Band verwiesen wurden. Da keine ihrer Bitten bisher bei Brentano gefruchtet hatte, so wandte sich Jacob nochmals jetzt an Arnim, 3. November 1819: „Werden die Bücher des Clemens, wie ich meine gehört oder gelesen zu haben, versteigert, so kauf mir den schon früher gewünschten Pentamerone des Basile, ich glaube, das Exemplar des Clemens hatte gar keinen Titel; geht es etwa zu theuer weg, so leiht es mir wohl der Käufer, wenn es ein Bekannter ist." Leider erfuhren die Brüder nicht den Termin der öffentlichen Versteigerung, die am 13. December 1819 stattfand, noch erhielten sie das gedruckte „Verzeichniß" (Arnim und die Brüder Grimm S. 469), so daß sie hätten auswählen und Aufträge geben können. Wilhelm schrieb abermals an Arnim (5. April 1820): „Ich muß noch einmal fragen, wo der Pentamerone hingekommen ist, wenn Du es zufällig wissen solltest?" Sogleich antwortete Arnim (3. Juni 1820): „Das italienische Kindermärchenbuch hat Clemens nach Westphalen mitgenommen," und berichtete weiter: „Ich erhielt einen Brief von ihm aus Dülmen, wo er mit Christian lebt, wie es scheint, mehr von dem Wunsche nach Heiligung, als von deren Segen durchdrungen, in der Pein, was seiner Natur störend war, auf die Dinge zu übertragen, an denen es sich zufällig entwickelte, in dem alles verachtenden Unmuthe, der sich für Demuth hält. Wenn ich nicht wüßte, daß seine Briefe von dem Inhalte seines Lebens immer sehr verschieden gewesen wären, so würde er mir innig leid thun. Aber ich weiß, daß er dazwischen sehr gesellig, heiter und lebenslustig sein mag." Der tiefe Verdruß über Brentanos Verhalten preßten Wilhelm, der gehört hatte, daß Clemens wieder nach Berlin kommen und zur weltlichen Schriftstellerei aufs neue übergehen wolle (24. Juli 1820), das harte Wort ab: „Mitten in seiner Frömmigkeit hat er mich also fortwährend mit den italienischen Märchen belogen, bald waren sie verpackt, bald nicht zu finden, und die Wahrheit war, daß er sie bei sich hatte und sie mir nicht geben wollte. Ich werde sie gewiß nicht von ihm noch einmal verlangen." Das haben sie auch nicht mehr gethan; in den Kinder- und Hausmärchen, 2. Auflage, 1822. 3, 277 wird zu den neapolitanischen Ausgaben von Basiles Pentamerone der kahle Satz zugefügt: „wozu eine noch nirgends bemerkte vom Jahr 1749 kommt, die Cl. Brentano besitzt" [1]).

Auch Ferdinand Grimm fragte die Brüder, Berlin 21. Januar 1820: „Habt Ihr denn auf Bücher von Brentano Bestellungen erlassen? Sie sind nun verkauft, gut und schlecht, wie man will. Es ist ein Jammer, daß die Sammlung so zu Markt gebracht und unter Menschen,

---

[1]) Wegen des Pentamerone fragte Wilhelm Grimm noch am 15. September 1820 bei Fr. Ad. Ebert in Wolfenbüttel an (Camillus Wendler, Briefwechsel Meusebachs mit Jacob und Wilhelm Grimm, S. 311).

die bloß nach Altdeutschem rasen, losgeschlagen wird. Wie können bemittelte Verwandte Brentanos das so zugeben oder gar wollen? Manches, ich will gar nicht vom Besten sagen, namentlich die Volkslieder, Italiener, die deutschen Romane aus den Zeiten des dreißigjährigen Kriegs, fand sich wohl an keinem Ort so herrlich vereint, nun ist es verzettelt, und wo noch aufzufinden? Zwei Schellmuffsky z. B. sind, jeder zu vier und fünf Thalern, gekommen." Zwar lauten die Preisangaben im Naglerschen Kataloge auf der Königlichen Bibliothek Berlin etwas höher, aber Ferdinands Klage hatte ihren Grund, und Jacob nahm sie auf, indem er zu Arnim sich äußerte (2. April 1820): „Des Clemens Bibliothek, da sie so mühsam zusammengebracht war, hätte Savigny zusammen kaufen und bei sich aufstellen sollen." Auf Begehren schickte Ferdinand Grimm seinen Brüdern wenigstens nachher, 16. März 1820, den Brentanoschen Katalog, den sie als Bücherfreunde zu besitzen wünschten, und fügte hinzu: „Brentano schreibt jetzt an Neumann sehr traurig, es gefällt ihm gar nicht mehr, er fragt, was er anfangen sollte. Christian ist bei ihm."

So blieben die Brüder Grimm doch im ganzen über Clemens Brentano auf dem Laufenden.

Elftes Capitel.

Ausklänge mit Jacob und Wilhelm Grimm.

Wie Clemens Brentanos Umgang mit der Nonne in Dülmen auslaufen würde, war für alle seine Verwandten, Angehörige und Freunde fortgesetzt ein Gegenstand der Spannung und Erwartung. Sein Schwager Savigny brachte im Herbst 1820 aus Frankfurt, wo er Christian getroffen und gesprochen hatte, neue Kunde über Clemens mit nach Berlin, die ganz anders lautete, als man sich nach unzuverlässigen Nachrichten vorstellte. Bettina schrieb auf Grund derselben am 21. October 1820 an Wilhelm Grimm: „Ihre Nachrichten über Clemens sind, Savignys Bericht nach, falsch; Clemens soll so ganz in Schreiben über religiöse Gegenstände versunken sein, daß er nicht einmal mehr eine viertel Stunde zum Spaziergang erübrigen kann.“

Aber Arnim wollte mit eignen Augen die Zustände sehen, und als er noch im selben Herbst eine Reise nach Frankfurt, Schwaben und den übrigen Gegenden seiner Jugendzüge unternahm, benutzte er die Gelegenheit, auf dem Rückwege Clemens in Dülmen zu besuchen, wo auch Christian bei ihm weilte. Aus Dülmen berichtete Arnim an seine Frau Bettina nach Berlin, am 21. November 1820: „Mit Extrapost gings (von Münster) nach Dülmen. Im Posthause, wo ich abstieg, fand ich Clemens und Christian einquartirt, beide zu Hause. Christian wohnte schon lange dort, Clemens war erst hingezogen, nach langem Eigensinn, der ihn in seinem elenden Hause festgehalten. Wir waren mit einander im alten guten Vernehmen, es schien uns keine Zeit vergangen, ich befand mich auf einmal recht glücklich. Clemens geht fast nie aus der Stadt, er besucht die Emmerich zweimal des Tages, die übrige Zeit schreibt er. Diese Lebensmethode scheint seiner eisenfesten Gesundheit nicht zu schaden, er sieht unverändert aus. Am Elisabethstage (19. November) führte mich Christian zur Emmerich und ich werde ihm dessen immer Dank wissen, eine fromme, natürliche Seele, die in ihren Leiden gern für andre betet, damit sie ihnen einen Theil ihrer Sorgen abnehmen möge. Sie versprach mir auch für Dich zu beten, an diesem Tage, und wenn Du niederkömmst. Clemens sagte mir nachher, daß sie mich für ein gutes Herz erklärt hat und gesagt, wenn ich katholisch wäre, ich hätte wohl ein Bischof werden können. Das mag wohl ein Scherz von ihr gewesen sein, vielleicht weil er mich gerühmt, erzähle es niemand, denn alles wird der Unglücklichen übel gedeutet, es ist schrecklich mit ihr umgegangen worden, das kann niemand leugnen. Es giebt vielleicht ein neues Martirthum, in welchem die Leute nicht aus Haß, sondern blos aus Wißbegierde, um zu sehen, was eine fromme Seele eigentlich sei, in Scheidewasser und Feuer gesteckt, lebendig anatomirt werden. Mündlich mehr davon. Ohne augenblickliche Begeisterung, ohne selbst den Wunsch zu haben auf längere Zeit diesen Aufenthalt zu wählen, kann ich es doch nach meiner Ueberzeugung dem Clemens nicht verdenken, wenn er hier aushält. Er hat hier Umgang und Freunde, die durchaus keinen Anspruch machen, daß er sie unterhalten, ihnen Späße reißen soll.“ Am 27. November 1820 traf Arnim bei den Freunden Grimm in Cassel ein (Arnim und die Brüder Grimm S. 478). Was er in Dülmen gesehen und erlebt hatte, theilte er ihnen natürlich mit, in dem Sinne, wie er sich zu Bettina geäußert hatte; und daß er Clemens und Christian wohl und zufrieden in Dülmen gefunden (Stengel 1, 64), meldete Wilhelm einen Monat später dem gemeinsamen Freunde Pfarrer Bang bei Marburg weiter. Jedenfalls brachte Arnims mildes und gerechtes Urtheil über die Nonne einen Umschwung in den bisherigen Ansichten der Freunde Brentanos hervor, und noch in seinem Briefe an Wilhelm Grimm vom 26. December 1820 gedachte er „der frommen Seele in Dülmen, die bei steten unsäglichen Schmerzen bei den Kindermützen, die sie nähte, von tausend Seligkeiten leuchtete“. Ende September des folgenden Jahres, 1821, machte Wilhelm Grimm, eingeladen von den Geschwistern Brentano, einen längeren Besuch in Frankfurt, wo er bei dem Schöff Thomas wohnte, der durch seine zweite Frau der Schwiegersohn des Geheimraths von Willemer geworden war. Christian Brentano hielt sich auch zu dieser Zeit in Frankfurt auf, der von Clemens in Dülmen erzählte und sein Partheiwesen gegen die Protestanten, namentlich auch gegen Goethe, offen an den Tag legte (Stengel 1, 170). Auf diese Mittheilungen gründet sich hauptsächlich, was Wilhelm Grimm am 11. September 1822 an Görres (9, 32) nach Straßburg schrieb: „Von Brentano weiß ich nur, daß er in Dülmen lebt, wo er schon mehrere Jahre gewesen ist. Leute, die ihn gesehen, versichern, daß manchmal das weltliche wieder bei ihm durchschlage, denn eigentlich will er sich blos geistlichen Betrachtungen widmen. Ich glaube, es quält ihn selbst am meisten, daß es Augenblicke gibt, in welchen er nicht weiß, was wahr in seiner Gesinnung ist und um was es ihm wirklich zu thun ist. Christian habe ich voriges Jahr in Frankfurt gesehen: er war viel zugänglicher, milder und theilnehmender geworden, doch fehlte es nicht an bizarren und schroffen Behauptungen, besonders gegen die Protestanten."

Andere Nachrichten kamen den Brüdern Grimm aus guter Berliner Quelle, die alle im Wesentlichen übereinstimmten. Von ihrem Bruder Ferdinand hörten sie, Berlin 3. Februar 1823: „Brentano hat das Leben der heiligen Ursula, oder so einer, fertig, sehr begeistert, will es drucken und dann Werner werden, wozu ihm die Lunge nicht fehlt. In einem Brief an Neumann hieß es unlängst: ‚ach, ich möchte frühmorgens, eh die Sonn aufgeht, fortziehn durchs Land, und die beschädigten Kreuze und Bildchen wieder aufrichten mit meinen Händen und neue pflanzen;'" 28. Februar 1823: „Die Frau von Savigny hat ihren Bruder Clemens zu Frankfurt gesehen; er wäre, sagt sie zu Neumann, finsterer denn je, und könnte alle Menschen nicht leiden, die nicht katholisch wären;" 24. Februar 1824: „Bei mir saß Neumann und grüßt, er kennt zwar nur den Jacob, doch der hat ihm so gut gefallen. Von Brentano hört Neumann öfters in alter Manier. Er will erst die Nonne ableben lassen, dann nach Rom pilgern, wo der Proselyt Christian es arg machen, nebenbei aber auch Bildhauerei treiben soll, und nicht ohne Geschick. Die Brentanos können alles, was sie wollen;" 6. Dezember 1824: „Neumann wohnt ein Haus neben mir (Jerusalemer Straße 53), ich will Euch einen Brief vom Brentano beilegen, der oft und viel an Neumann schreibt." Der Brief ist jedoch im Grimmschen Nachlasse nicht mehr vorhanden.

Im Jahre 1824 fand noch folgender Gedankenaustausch zwischen Arnim und Wilhelm Grimm statt. Arnim, 29. Februar 1824: „Von Clemens hatte ich kürzlich den ersten Brief, seit er Berlin verlassen, aus Dülmen, heiter wie immer, wenn er die Welt und ihre Händel berührt, aber immer gequält von seinen Glaubenssachen, doch meine ich fast, daß er bald einen andern Aufenthalt sich wählt." Worauf Wilhelm Grimm, 10. Februar 1824: „Es wundert mich, daß Clemens Dir wieder geschrieben hat, voriges Jahr in Cöln hat er gegen jemand geäußert, daß er aus religiösen Gründen es nicht dürfe, mit einem der nicht katholisch sei dürfe er, wenn es der beste Mensch wäre, keinen Umgang haben."

Brentano mußte sich in der That, wie Arnim erwartete, jetzt einen neuen Aufenthalt wählen; denn am 9. Februar 1824 starb die Nonne Katharina Emmerich in Dülmen und er verließ den Ort, der fünf Jahre lang ihn beherbergt hatte. Bettina, die im Sommer d. J., bis zum 1. August, ein paar Tage in Cassel weilte, erzählte den Brüdern Grimm, wie Wilhelm am 30. December 1824 an Pfarrer Bang schrieb, von Clemens, „daß er abwechselnd in weltlicher und geistlicher Stimmung zu Regensburg lebe, in jener sich Gewissensbisse mache, in dieser nach jener eine Sehnsucht empfinde, Christian sitzt in Rom, hat erst mit Bildhauern Verkehr gehabt, erfindet aber jetzt für die Italiener bessere Oefen, was auch einem weniger geschickten Mann nicht schwer fallen sollte."

Thomas schrieb an Jacob Grimm aus Frankfurt, 5. Juni 1825: „Clemens Brentano war den Winter über hier und ist für einige Zeit in Coblenz jetzt. Ich kenne Niemand, der so sehr zur wärmsten, innigsten Theilnahme an einem durch Widersprüche bis ins Tiefste zerspaltenen

Herzen aufforderte, und der eben durch diese Widersprüche wieder so weit von sich abstößt, als eben dieser Clemens. Ich halte ihn für einen gebornen Dichter: aber ohne Zucht und Maas, voll Einsicht über das Rechte, voll des scharfsinnigsten Urtheils über sich und andere, mit gänzlich ungebändigten Gewalten, die ihn gegen und mit seinem Willen, da und dorthin, in den Himmel wie in die Hölle reißen, ja sein Herz zerreißen, daß man blutige Thränen weinen möchte. In seinen milden Stunden, daß man das Beste an ihn setzen möchte, in seinen ungebändigten, daß man ihn schlagen möchte. Ich habe ihn bei mir meist in den ersten, voll Vertrauen und Liebe zu mir und meiner Frau, die er von Jugend auf aus deren gegenseitigem engen und vertraulichen Familienverbande kennt, gesehen, und wenn er nur der eine wäre, so würde ich glücklich sein, einen solchen Menschen im Leben gefunden zu haben; aber da er auch der andere ist, so trägt er sein Gefühl des inneren Zerrissenseins auf mich über, was mir seinen Umgang oft peinlich und unheimlich macht, da ich meiner Natur nach nicht gerne Rückhalt und Acht habe, was man bei ihm nothwendig muß."

Die nächste Nachricht über Brentano empfingen die Brüder aus Straßburg, wohin das Geschick ihren Freund Görres verschlagen hatte, unter dem 2. November 1825 (9, 196): „Clemens, der eben neben mir aufs Beste grüßt, rüstet sich auch morgen wieder abzuziehen, nachdem er einige Monate hier im Lande bei mir gewesen, nachdem wir uns seit Heidelberg (1808) nicht mehr gesehen. Es war mir ungemein lieb mich einmal wieder mit ihm zusammen zu finden, und wo die Lebenswege sich abermals kreuzten, eine Zeit mit ihm zu durchreden, und zu vergleichen, wie das Leben Jedem verschieden sich gestaltet und eingewirkt.

Wir haben uns recht wohl verstanden, und ich möchte, daß eine Gelegenheit sich gäbe, eben so wieder einmal den Casseler Freunden nahe zu kommen." Diesen Brief nahm der abreisende Clemens bis Frankfurt mit, von da übermittelte er ihn Grimms nach Cassel mit folgendem Begleitschreiben (Gesammelte Schriften 9, 84): „Ich füge einen herzlichen Gruß mit bei. Ich bin mit dem trefflichen jungen Guido Görres, der nach Bonn geht, hieher zurückgereiset. Ich war vierzehn Tage in Luzern und einigen Schweizer Abteien, bei Görres sechs Wochen. Er ist wie immer in Form und Gebärde des Lebens und Gebens; aber den eifrigen, redlichen Arbeiter hat Gott vom Thurm von Babel zum Tempel von Jerusalem geführt. Er geht schwanger mit seiner Sagengeschichte, welche alle Sagen der Völker als Mißgeburten, Conceptiones außer der Mutter u. s. w. neben der Genesis aufstellt. Während dieser Schwangerschaft hat Gott ihm aber andere Arbeit zugeschoben. Er schreibt seit 1825 viele scharf katholische Aufsätze in das Religionsjournal: ‚der Katholik', aus innerstem Andrang, ohne allen Lohn. Seine Theilnahme an diesem Blatte mehrt sich, und er scheint in diesen Aufsätzen oft viel bedeutender und gesegneter, als im ‚Merkur'. Es ist sehr interessant, ihn in diesen Arbeiten kennen zu lernen; es existiren keine ähnliche Arbeiten. Wie wunderbar hat Gott diesen reichen, edeln, freien Geist auf das Gebet der vielen Gemeinden, die er in den Hungerjahren erquickt, unter das sanfte Joch Jesu, an den Bau seiner Kirche geführt!

Welche herrliche Sachen sind auf der Bibliothek zu Straßburg, und wie wenig geordnet! Ich habe das alte Originalbild der Straßburger Stadtfahne, die Maria, die in Königshofen abgebildet ist, auf Goldgrund, lebensgroße Holztafel, in der Bibliothekſrumpelkammer entdeckt, und wir hoffen sie bald im Münster zu sehen. Es rührte mich, weil ich mich von Jugend an mit dieser Vorstellung herumtrug.

Soeben entdecke ich auf meiner Fensterscheibe (im Frankfurter Familienhause) Ludwig Emil Grimms Namen eingekratzt, und grüße ihn herzlich, auch Wilhelm und Frau. Wie rührend wäre mir es, die alten Freunde zu sehen, und die mehr als wunderbaren Schätze mit ihnen theilen zu können, mit denen Gott die Einfalt gesegnet hat, und die er mir in gebrechlicher Form bewahren ließ. Da ich in etwa vierzehn Tagen nach Koblenz, wo ich bei Stadtrath Diez interimistisch wohne, zurückkehre, will ich selbst nach dem Gregor vom Stein suchen." Die letzte Bemerkung bezieht sich auf Jacob Grimms briefliche Anfrage über den Verbleib einer Abschrift von Hartmanns Gregor vom Stein.

Wie die Brüder Grimm diesen Brief Brentanos auffaßten, zeigt eine Mittheilung Jacobs an den schon oft genannten Pfarrer Bang, vom 23. Februar 1826 (Stengel 1, 94): „Clemens haust zu Coblenz, soll aber, wenn Görres nach Aschaffenburg zieht, auch dahin wollen; neulich schrieb er uns, bei irgend einem Anlaß, unerwartet und auf einen Besuch deutend, den ich mir nicht wünsche: in ihn, als ein gebrechliches Gefäß, sei so viel wichtiges gegossen worden, er suche es in andere auszuschütten und zu sichern. Was es ist, weiß ich ungefähr, es sind die Revelationen der Dülmner Nonne. Sein Bruder George erzählte uns neulich auf der Durchreise[1]):

[1]) Nach Jacobs Kalenderaufzeichnungen war George Brentano am 6. November 1825 in Cassel; er wird Clemens' Brief mitgebracht haben.

Clemens habe die Nonne gefragt, was der Herr Christus in der langen Zeit bis zum dreißigsten Jahr gethan und erfahren hätte; das wäre ihm nun von der Nonne allmählig haarklein offenbart worden und er hätte ganze Bücher davon vollgeschrieben. Wer möchte die Schwärmereien oder nur einen Theil davon anhören! Die Proselytenmacherei ist mir bis in den Tod verhaßt, sie ist der ärgste Diebstahl, den einer am andern verüben kann."

Die Brüder Grimm empfanden immer lebhafter den Abstand zwischen sich und dem Brentanoschen Kreise in religiösen Dingen. Der Professor Welker aus Bonn, den sie sehr schätzten, kam im September 1826 zu ihnen und wußte über die Zeitverhältnisse manches zu erzählen. Darunter auch (Stengel 1, 103): „Clemens ist öfter dort bei Windischmann, und sollte man es wohl denken, Görres, bei dem er war, ist von ihm zu dem Glauben an die Offenbarungen der Dülmer Nonne bewogen worden und hat neulich auseinander gesetzt, daß die alte Geographie von Palästina jetzt erst an den Tag komme. Die Nonne hat nämlich jedes Haus, das dort gestanden, jeden Weg gesehen und beschrieben. Ich lese den ‚Katholik' von Görres nicht, aber es sollen starke Dinge darin stehen."

Arnim stand mit seinem Urtheil auf Seiten der Casseler Freunde, auch nachdem Görres, nach München berufen, seine Professur mit einer Lobrede auf die Hierarchie und Jesuiten angetreten hatte. Bei aller Freundschaft für ihn erkannte Arnim es jetzt für Glück, daß Preußen nicht mehr in Mitleidenschaft gezogen würde; nur zu leicht könne der Friede in Glaubenssachen gestört werden. „Ich kann Dir nicht sagen," schrieb er am 29. Februar an Wilhelm Grimm (S. 576), „welcher Jammer mich zuweilen ergreift, wenn ich so bedenke, wie zwei so schöne Talente wie Clemens und Görres durch diesen Glaubenskram und Drehkrankheit aus ihrer Bahn herausgerissen sind. Gingen sie wie Einsiedler in die Wüsten oder bestiegen sie die Kanzel wie Werner, ich hätte nichts dagegen, aber sie sind gehemmt, gebannt, sie wissen nicht, wodurch, weswegen, und am Ende ist es der Dreck der Zeit, worin sie mit ihren Füßen stecken geblieben."

Im August 1828 erschien Arnim für drei Tage bei Grimms in Cassel, auf dem Wege zur Cur in Aachen, und seine Hoffnung war, daß er auf der Rückreise Clemens am Rhein oder in Frankfurt wiedersehen werde. Wilhelm fragte den Freund schon Ende September mit einiger Neugierde, was für Reiseabenteuer er gehabt und wie er den Clemens gefunden habe: „Vor einigen Tagen war ein großer Verehrer von ihm, der Dr. Böhmer, Bibliothekar in Frankfurt, hier und erzählte, er sei in die Schweiz, dem Christian entgegen." Darauf Arnim aus Berlin, 6. November 1828 (Arnim und die Brüder Grimm S. 581): „Böhmer, von dem Du schreibst, habe ich gar oft gesehen, er scheint eine seltene, ausdauernde Kraft für das Literarische zu haben, Du wirst von seiner großen Arbeit über die diplomatische Geschichte Frankfurts gehört haben. Im alten Frankfurt lebt er ganz, die heutige lebende Welt ist ihm deswegen störend. Wie er sich mit Clemens verträgt, ist darum merkwürdig, weil dieser ihn mit seiner Art Steifstelligkeit beständig neckt. Der Clemens ist bis auf etwas graue Haare sehr wohl erhalten, aber ziemlich dick, macht zu den alten auch einige neue Späße und schlägt keine Kreuze mehr. Er ist gewiß heimlich froh, daß die Leute ihm nicht vorwerfen, wie er allmälig aus der übermäßigen äußern Frömmigkeit in die Welt zurückkehrt. Er und Christian und Görres haben offenbar die Priesterpartei ergriffen, und nichts ärgert sie mehr, als daß in den preußischen Rheinprovinzen, ungeachtet aller Opposizionslust, doch gerade diese Saite nur bei wenigen anklingt. — Nach meiner Ueberzeugung sind es die gefährlichsten Menschen für alle Staaten, die bei eigner Unwirksamkeit und Trägheit sich mit dem Verachten der Welt, die ihnen völlig fremd geworden, wegen ihrer Vereinzelung rechtfertigen wollen, denn nichts ist verführerischer als diese Art der Nichtigkeit, und von Clemens' und Christians Späßen über die (preußische) Regierung zehren manche ehrliche Leute zu Coblenz in Aerger ab, die sonst so viele große Wohlthaten des Himmels in unsrer Zeit mit innigstem Dank erkennend bei heiterm Wohlsein manches Gute beginnen würden." Eine solche Kluft der politischen Anschauung hatte sich, bei aller persönlichen Liebe, zwischen Arnim und Clemens aufgethan.

Am 28. Mai 1829, dem Himmelfahrtstage, erhielten die Brüder Grimm, nach Jacobs Tagebuche, den Besuch des „Herrn von Barande aus Paris". Er brachte ihnen von Clemens Brentano folgenden Empfehlungsbrief aus Coblenz, 24. Mai 1829, mit: „Lieben Freunde! Im Vertrauen auf Haltbarkeit alter Hessenfreundschaft, empfehle ich Herrn de Barande, den Lehrer des Duc de Bourdeaux in Mathematischen und Naturwissenschaften und Geschichte, der durch Cassel, Göttingen, Berlin, Dresden ins Carlsbad zu seiner Gesundheitsherstellung reist. Da er geläufig deutsch spricht und die allgemeine Litteratur der Deutschen kennt und sehr liebt, wünschte ich ihm auch Ihre Bekanntschaft, außer seinen ministeriellen Empfehlungen. Er wird Ihnen gewiß einen guten Eindruck machen, lassen Sie sich doch von ihm erzählen, wie der künftige Thronerbe Frankreichs erzogen wird. Er hat ihm einen deutschen Brief geschrieben. Es ist interessant zu sehen, wie so einfache Leute, gleich ihm, am französischen Hof angewendet werden. Er hat für Alles Sinn und viele Kenntnisse nach allen Seiten bei einer großen Bescheidenheit. Er hat in Bonn bei Niebuhr u. a. hospitirt, und wird es auch in Göttingen. Geben Sie ihm dorthin einige Fingerzeige, daß er das Interessantere nicht übergeht. Vor vierzehn Tagen war Bang und Frau bei mir, sie haben hier ein paar Knaben in ihr Institut abgeholt; das ist das haltbarste, treuste Herz, das kann die Linie passiren. Görres gedeiht in München, seine Vorlesungen nehmen an Zuhörern und Würdigung zu, er ist zufrieden. Er ist der Lehrer, der den tiefsten veredelnden Eindruck auf seine Zuhörer macht, die rohsten Jünglinge gestehen, wer alle Religion verloren, müsse sie in seinen Kollegien wiederfinden. Sein weitläuftiger Aufsatz in der Eos (1829 Nr. 73—80), Die Gedichte des Königs Ludwig, ist eines seiner genialsten Produkte, in so delikater Sache höchst kunstreich, schonend, winkend, mahnend, bedeckend, offen und wahr. Er hat gezeigt, was ein guter Unterthan thun kann in solcher Lage. Suchen Sie die Blätter zu erhalten. Bringen Sie Herrn de Barande auch zu Henschel, er ist auch Architekt. Gruß an Louis und alle die Ihrigen. Gedenken Sie meiner in Liebe. Ihr dankbarer Clemens Brentano." Einen weiteren Empfehlungsbrief hatte Clemens dem Franzosen auch an Savigny mitgegeben. Dieser schrieb nachträglich an Jacob Grimm aus Berlin, 3. Juli 1829: „Barande war 8—14 Tage hier und hat auch mir seit Jahren wieder einmal von Clemens einen Brief eingetragen. Nach dieser außerordentlichen Anstrengung mußte ich er=

warten, in ihm wenn nicht einen Heiligen, doch wenigstens einen Mönch zu finden, und siehe da, er war ein milder, natürlicher, liebenswürdiger Mensch, von billigem Urtheil und offenem, vielseitigem Sinn."

In das Leben der alten Freunde griff die Hand des Schicksals ein. Die Brüder Jacob und Wilhelm Grimm verließen Cassel und siedelten nach Göttingen über. Achim von Arnim starb im Januar 1831. In diesem Herbst aber sah Jacob Clemens in Frankfurt wieder, freilich wenig erbaut von der Eigenthümlichkeit seines Wesens. Er unternahm von Göttingen aus eine lange geplante Ausreise nach Schwaben und der Schweiz, und auf der Rückreise verbrachte er ein paar Tage in Frankfurt: „Das quälende Princip war dort Clemens Brentano, der mir von der Dülmener Nonne erzählte, das sind höchst peinigende abenteuerliche Sachen, von denen ich nichts wissen mag, und er weiß selbst nicht, was damit anfangen. Nebenbei ist er inzwischen weltlich lustig, er hat eine Entdeckung über den Verfasser des Schelmufsky gemacht, das Buch soll eine Parodie sein der vielen warnenden treuen Ekharte, die damals erschienen sind" (an Meusebach, 26. November 1831, C. Wendler S. 142. 363). Seitdem haben sich Jacobs und Wilhelms Lebenswege mit dem Brentanos nicht mehr gekreuzt.

Zwölftes Capitel.

Clemens Brentano und Ludwig Grimm in München.

Während Jacob und Wilhelm Grimm in Göttingen durch ihren Dienst sehr stark in Anspruch genommen wurden und die Stadt nur selten mit Urlaub verlassen durften, hatte es ihr Bruder Ludwig in Cassel als wohlhabender Mann und Professor an der Zeichenakademie viel leichter, sich frei zu machen und zu seiner persönlichen Erholung wie künstlerischen Anregung weitere Reisen zu unternehmen. München, wo er einst lernte und mit jugendlicher Lust arbeitete, blieb ihm lebenslang die Sehnsuchtsstätte seiner Künstlerschaft. Nach München lenkte er in den dreißiger Jahren zweimal seine Schritte, 1834 und 1837, und beidemal traf er dort mit Clemens Brentano zusammen, der sich 1833 daselbst niedergelassen hatte.

Brentano gegenüber fühlte er sich mit Recht zu Dank verpflichtet. Er war es in der That gewesen (oben S. 25), der dem kaum den Kinderjahren entwachsenen jungen Künstler die Münchener Lehre des Professors Heß vermittelte. Er hörte auch niemals auf, sich um Ludwig Grimms Arbeiten nach seiner Art zu bekümmern. Freilich seiner Neigung, sich über andre lustig zu machen, ließ er auch gegen Grimm und seine Bilder freien Lauf. Ueber das berühmt gewordene Jugend-

portrait Bettinens, das Goethe lobte, Arnim nicht miß-
billigte, ergoß er den billigen Spott, Bettine sehe darauf
aus, wie eine hochschwangere, arme Sünderin, die im
Block sitze (Goethe und die Brüder Grimm S. 49 ff.).
Das Görresportrait erklärte er für sehr gut, aber un-
ähnlich, und schädigte dadurch, wie Ferdinand Grimm
versicherte, den Absatz des radirten Blattes in Berlin.
Dergleichen lag einmal in Brentanos Art, niemand nahm
es ihm übel, und die Freundschaft verdarb es auch nicht.
Im Gegentheil, Ludwig Grimm blieb immer den Mitgliedern der Familie Brentano für viel erwiesene Güte,
Hilfe und Freundlichkeit dankbar verbunden und zugethan.
Er ist der eigentliche Portraitist der Familie Brentano
geworden, wobei zu bedauern bleibt, daß sich ihm niemals
die Gelegenheit ergeben hat, Arnim zu zeichnen und zu
radiren. In Brentanos Frankfurter Hause lernte er
1815 Goethe kennen und durfte ihm seine Arbeiten vor-
weisen. Mit George Brentano machte er 1816 die Reise
nach Italien, das große Ereigniß seines Künstlerthums.

Wenn nun Ludwig Grimm zweimal in München
erschien, so ergab es sich von selbst, daß er auch Clemens
Brentano, Görres und andere Vertreter der hochkatholi-
schen Richtung daselbst aufsuchte und mit ihnen in Verkehr trat. Er hat selbst darüber in seinen Lebenserinnerungen berichtet, aus denen folgende Schilderungen hierher gehören [1]).

Endlich nach siebzehn Jahren war Ludwig Grimm im

---

[1]) Ludwig Emil Grimm, Erinnerungen aus meinem Leben, herausgegeben und ergänzt von Adolf Stoll, Leipzig 1911; dazu weitere „Urkunden zum Leben und Werk des Malers und Radierers Ludwig Grimm“, mitgetheilt von mir im „Literarischen Echo“, März und August 1912.

Juni 1834 wieder in München eingetroffen. Er besuchte die Stätten seiner Jugend und die früheren Freunde. Zwar etwas älter, aber doch noch ziemlich, wie sonst, fand er hier auch die Familie Görres, bei der oft Ringseis, Clemens und allerlei Gelehrte und Künstler verkehrten: „Clemens Brentano wohnte nicht weit vom Sendlinger Thor bei (dem Maler) Schlotthauer. Aus seiner Stube hatte man die Aussicht auf die Kreuzkirche und deren Garten, eine stille, klösterliche Wohnung. Als ich nach den vielen Jahren, worin ich ihn nicht gesehen, in sein Stübchen trat, sagte er, ein Buch in der Hand haltend und den Kopf nach mir wendend: ‚Grüß Gott, Ludwig, setz Dich neben mich und mach Dir eine Pfeife an! Was macht der Jacob und der Wilhelm, war die Bettine kürzlich bei Euch usw.‘ Statt seiner sonst so schönen, langen, schwarzen, glänzenden Locken trug er seine Haare jetzt kurz geschoren, und etwas grau geworden war er auch. Er war stärker im Gesicht und am Körper geworden und trug einen groben, wollenen Kittel. In seiner Stube lag alles recht durcheinander, und in seiner Schlafkammer daneben wars noch ärger. Die weißen Kalkwände waren alle mit großen und kleinen Oelbildern, meist auf Holz gemalt, zugehängt, meist alten Bekannten, die er in Heidelberg und Landshut schon hatte. Möbel waren gar keine da, nur eine Kommode, woraus die Schubladen genommen waren, die auf der Erde lagen, und ein paar Stühle. Er selbst saß in einem Sessel, alles grob von Tannenholz gemacht; sein Arbeitstisch waren ein paar abgehobelte Dielen mit ein paar Füßen. Tisch, Stühle, Schubladen standen in der Stube herum, alles lag voller Bücher, Papierrollen, Kupferstiche, gedruckten und ungedruckten Papiers; ein alter Koffer in der Ecke mit schmutziger Wäsche, die halb heraushing; sein brauner Ausgeheüberrock und sein Hut lagen da, wo er sie gerade ablegte, und wenn er monatelang nicht ausging, blieben sie gewiß so an Ort und Stelle liegen. Viele Oelbilder standen noch an den Wänden. Die nächste Umgebung des Platzes, wo er saß, war mit verstreutem Tabak oder Tabaksasche bedeckt, und doch hatte er noch neben sich an der Wand ein Salzfäßchen hängen, in das er die Pfeifen ausleerte und reinigte. Die Stube sah aus, als wenn sie ihr Lebtag nicht ausgefegt worden wäre, aber er saß recht behaglich da, und um die Unordnung, den Dreck und Staub bekümmerte er sich sehr wenig. Ich war bald wieder bei ihm eingewöhnt und besuchte ihn oft."

Im Jahre 1837 machte Ludwig Grimm wieder eine Reise und ließ sich abermals seinen Paß nach München ausstellen. Er reiste diesmal über Frankfurt, wo er einige Tage bei Georg Brentano in Rödelheim blieb und seine Schwester, die Frau von Savigny, traf. Von da fuhr er nach Heidelberg, besuchte den Professor Creuzer und alle nahen bekannten Punkte am Heidelberger Schloß und zuletzt noch das dem Wirth Bartelme gehörige Gartenhaus, wo er 1808 mit Arnim und Brentano gewohnt hatte. In München stieg er zunächst wieder, wie früher, im Goldnen Hahn ab. Alle Künstler wurden besucht, und ein paarmal die Woche ging er zu Görres, wo er dann stets Ringseis, Clemens Brentano, Philipps (den Mitbegründer der Historisch-politischen Blätter) und andere antraf und wo es immer sehr heiter zuging. „Clemens," berichtet Ludwig Grimm, „zu dem ich ging, wenn ich Zeit hatte, sagte: ‚Komm nur alle Tage, ich will Dir etwas vorlesen,' was dann auch geschah und mir ein wahrer Genuß war. Ich machte oftmals mit ihm Spaziergänge und kneipte mit ihm dann Abends bis elf Uhr in irgend einem Biergarten, wobei wir rauchten und er Witze machte und über die ganze Welt räsonnirte. Er fragte mich nach seinen Verwandten in Frankfurt. „Ich bin lange nicht dagewesen,‘ sagte er, ‚und mag auch nicht hin, das ganze Volk dort eckelt mich an, dieses vornehme, hochmüthige Geldvolk ist mir widerwärtig.‘

Wenn ich zu ihm kam, war er gewöhnlich mit Lesen beschäftigt, oder er corrigirte Druckbogen von seinem kurz darauf, 1838, herausgegebenen Märchen ‚Gockel, Hinkel und Gackeleia‘; er las mir Bruchstücke daraus vor und hat mich nachher mit den Zeichnungen, die er dazu hatte machen lassen, und die ich ihm corrigiren sollte, entsetzlich geplagt. Was davon gedruckt war, schickte er mir in mein Logis und schrieb dazu, ich solle alles durchlesen und dann die Zeichnungen ändern oder andere machen. Aber ich hatte weder Lust noch Zeit dazu, weil ich so viel zu sehen hatte. Guido Görres, der gerade bei mir war, sagte: ‚Das ist ja abscheulich, daß der Sie jetzt hier plagt!‘ Den andern Tag machte ich ihm aber doch zwei Zeichnungen und corrigirte die andern, er ließ aber, da es ihm zu lang dauerte, alles wieder abholen.

Mit Absicht ging ich ein paar Tage nicht zu ihm, da kam er selbst ins Gasthaus, wo ich mit (dem Maler Nepomuk) Muxel Mittags aß, und sagte: ‚Ich hab alle Tage auf Dich gewartet.‘ Er setzte sich, ließ sich auch zu essen geben, und nach Tisch ging ich mit ihm nach Haus, wo er mir vorlesen wollte. Er sagte mir auch: ‚Der Guido hat mir ja große Vorwürfe gemacht, daß ich Dich so geplagt habe.‘ Er las mir wieder Lustiges und Trauriges vor, wurde oft sehr ernst, dann lachte er wieder ausgelassen. Er hatte neben sich ein ungeheures Material, von ihm sehr eng geschrieben nach den Aussagen der Nonne von Dülmen, Anna Katharina Emmerich. Ein Band war erst gedruckt (1833), und dieses große Manuscript hätte noch Gott weiß wie viel Bände gegeben. Er sagte aber in großem Unmuth: ‚Wenn ich nur jemand hätte, der mir Hilfe leistete! Ich bin vor meinen sonstigen Arbeiten nicht im Stande, alles fertig zu stellen!' Ich schlug ihm mehrere vor, da sagte er: ‚Ach, geh mir doch weg, ich kenne niemand, der mir helfen könnte, das sind ja lauter Esel!' Aus diesem Manuscript las er mir Bruchstücke vor, unter anderem die Flucht nach Aegypten, ganz genau die Gegend, durch die sie gekommen, wo sie über Nacht geblieben, was Maria für ein Kleid und Mantel anhatte, wie die Engel beim Christkind wachten, wie Joseph gekleidet war, dann den Stall, die Krippe, worin das Kind gelegen — alles war aufs genaueste beschrieben! Alles war so poetisch, so bilderreich, und er las so herrlich vor, daß man alles vergaß, um ihm zuzuhören! Als ich wegging, schenkte er mir den ersten gedruckten Band.

Den andern Tag brachte ich Papier mit, um ihn zu zeichnen. Er sagte: ‚Ich habs allen abgeschlagen zu sitzen, Dir will ichs aber thun.' Ich nahm ihn in Dreiviertelsprofil, wie er in seinem Kittel an seinem Arbeitstisch zwischen Papieren und großen, alten Büchern sitzt, rechts an seiner Seite ein Crucifix. Links das Bild einer schönen Nonne, die einen Lilienstengel und ein Crucifix in der Hand hält, ein schönes Oelgemälde, das immer bei ihm im Zimmer gehangen — im Hintergrund als Tapeten Scenen aus Gockel u. s. w., in lauter Arabesken und Zierrathen. Sein Bild war sehr ähnlich geworden und gefiel ihm sehr. „Ich sehe da,‘ sagte er, ‚wie ein rechter Mystiker aus, aber das gefällt mir sehr.‘

Der Clemens war ein sehr sonderbarer Mensch, sehr launisch. Bald schimpfte er über die ganze Welt, bald war er wieder mild und versprach alles zu thun, in der nächsten Stunde hatte er alles vergessen. Er war sehr genau oder besser gesagt geizig. Mir sagte er einmal: ‚Die Leute sagen, ich sei geizig, das ist aber nicht wahr, ich gebe ja alles weg!‘

Ich war mit ihm kurz. Wenn er etwas wollte, was ich nicht thun konnte oder wollte, so sagte ich es ihm gerade heraus, da antwortete er dann ärgerlich: ‚Dann laß es bleiben!‘ Aber böse wurde er mir nicht, er blieb mir immer gut. Mit ihm eine Reise machen oder bei ihm wohnen, das hätte ich nie vermocht, er konnte einen fürchterlich quälen!

Er war ein sehr geistreicher Mann, konnte sehr angenehm, heiter und liebenswürdig sein, aber dazu war er selten aufgelegt. Gewöhnlich wurde er satirisch, machte scharfe, bittere Witze und verschonte niemand. Es wurde ihm dann meist mit der nämlichen Münze zurückgezahlt, das nahm er dann auch ruhig hin.

Ich habe genug Geschichten mit ihm durchgemacht. Aber es war doch ein großer Reiz, mit ihm zusammen zu sein. Leuten, die er nicht leiden konnte und in Gesellschaft traf, sagte er die bittersten Sachen. Besonders Damen, die sich etwa beigehen ließen, mit ihm über Literatur oder Kunst zu sprechen, die hatten bald genug und machten sich wieder von ihm weg.

Er war in seiner Jugend wunderschön, auch jetzt noch ein schöner, interessanter Kopf, schöne Formen, dunkelbraune Augen, italienische Farbe, etwas braungelb, schön gewachsen. Er trug meist einen dunkelbraunen Ueberrock, schwarze Weste und Halstuch. Er konnte sehr lange aushalten, ohne etwas zu essen und zu trinken. War er aber beim Essen, so nahm er große Gabeln voll, aß ungeheuer hastig und schnell, stürzte ein paar Gläser Wein oder Bier hinunter und machte nur, daß er fertig wurde, um sich nachher über die noch essende Gesellschaft lustig zu machen.

Einmal schrieb er mir ein paar Zeilen, ich möchte doch, wenn ich könnte, einmal gleich zu ihm kommen. Als ich ins Zimmer trat, rief er: „Höre einmal zu!“ und las mir dann Stellen vor aus dem Druckbogen von Bettinens Buch Goethes Briefwechsel mit einem Kinde. ‚Ist das nicht abscheulich, daß die Bettine das drucken läßt?‘ und wurde sehr heftig. Nach einer Weile sagte er aber: ‚Bettine ist mir doch die liebste von allen.‘

Ich habe ihn im Juli 1837 zuletzt gesehen. Ich wollte nach Venedig reisen, da sagte Clemens: ‚Warte noch zehn Tage, dann reise ich mit, ich muß doch nach Meran.‘ So hat er mich von einem zum andern Tag hingehalten, bis nichts mehr aus meiner Reise wurde. Ich machte ihm nachher Vorwürfe darüber, er sagte aber nur: ‚Das thut nichts, die machen wir ein andermal, wir sind doch wenigstens hier beisammen.‘

Er machte auch Zeichnungen, hatte Geist und Talent dazu, besonders zu Caricaturen, die er ähnlich, treffend, witzig zusammenstellen konnte. Ich und ein Freund hatten die Absicht, eine Anzahl Originalzeichnungen von interessanten Leuten herauszugeben. Ich schrieb deshalb ein halb Jahr, nachdem ich wieder in Cassel war, an ihn und bat ihn, mir eine seiner eigenen Ideen, wenn auch nur flüchtig, auf Stein zu zeichnen oder nur eine Skizze zu schicken. Ich glaubte um so gewisser, daß er es thun werde, da ich ihm so viele Zeichnungen gemacht hatte und ihm in dieser Art immer gefällig gewesen bin. Aber er half sich wieder mit Späßen und schrieb mir nach mehreren Monaten folgendes: ‚Lieber Ludwig! Es muß wieder an der Zeit sein, da man singt: Der Kurfürst von Kurhessen, der hat was Schlechts gefressen, denn es kommen mir zugleich von dort zwei complette Unmöglichkeiten ‚aufgestoßen‘ entgegen. Haxthausen wünscht ein Bonifazius-Gebetbuch von mir. Das wäre nun eine wahre Bagatelle, wenn ich nur so viel verstände, als dazu gehört, jemand dazu einzuladen, der auch gar nichts davon oder dazu versteht, und auch gar keine Zeit dazu haben kann, weil er von Ludwig Grimm aufgefordert ist, ihm etwas auf einen Stein zu zeichnen, aber weder zeichnen noch Steine zu Brod machen kann. Das wäre nun wieder ein Bagatelle und ein gutes Ding, wenn nur das dritte dabei wäre, was zu allen guten Dingen gehört. Denn ich zweifle nicht, daß mir mit durchgehender Retourchaise Herr Bildhauer Bandel von Bückeburg den Auftrag zusendet, daß ich ihm doch franco gratis cito citissime einige Centner meines berühmten Purgirpflasters in kürzester Bälde zusenden möchte, um es dem Hermannsdenkmal auf den Bauch zu legen, nach der Ordonnanz:

Schmier mir ein Pflaster auf meinen Leib,
Nicht zu schmal und nicht zu breit,
Nicht zu kurz und nicht zu lang,
Daß ich erlang
Natürlichen Stuhlgang.

Da ich nun diese dritte Unmöglichkeit auch nicht kann, so werden sie doch drei und so dadurch ein gut Ding; gut Ding aber will Weil haben, und so sende ich es heim nach Weilheim (das bairische Abdera, Lalenburg, Schilda,

Cochem, Cassel), und die drei guten Dinge werden binnen sächsischer Frist mit Weilheimer Wagen versendet in der heiligen deutschen Stunde, wenn alle deutschen Postillions in ein Horn blasen dieselbe Melodie: Sie sollen ihn nicht haben, und der gallische Hahn das nämliche auf dem fertig gewordenen Kölner Dom kräht. Zur Zeit der Ankunft wird gerade ein großes Nationalfest auf dem perspektivisch reparirten Königsstuhl bei Rense nächst Coblenz sein. Auf die Nachricht, daß der erste Athlet Dupuis in München auf dem Hoftheater nach seiner prahlenden Aufforderung von einem bescheidenen Bräuknecht ad acta gelegt worden sei[1]), regte sich einige Stichelei zwischen gewaltigen Leuten. Da man bei der Durchfahrt des Weilheimer Wagens des Weilheimer Curiers durch Cassel aber gerade den Vers des Liedes sang: Das Pflaster ist geschmieret, und der Herkules auf dem Weißenstein mitschrie, hörte das der große Hermann und nahm es als eine Stichelei auf. Es entstand eine Ausforderung, man citirte sich, weil in dem Recept von Stuhlgang die Rede gewesen, auf den Königsstuhl bei Rense, das Nationalfest zu verherrlichen. Dort sollte alles Große zusammenkommen. Schwanthalers Riesenbavaria von der Theresienwiese kam auf einem Riesenbierbrauerfaß mit Dampfwagen angefahren, als Kellnerin ihre Sporen zu verdienen. Die mystische Priesterpartei aber sendete mit einer Procession die fünfzig Fuß hohe Madonna, welche der Professor Eberhard jetzt im Kopf vorhat, dorthin, und sie wird aus Worms einige Stück-

---

[1]) Die Besiegung des französischen Athleten Jean Dupuis durch den Münchener Bräuknecht Simon Meisinger fand im Januar 1841 statt, woraus sich im allgemeinen die Zeitbestimmung des Briefes ergibt.

fässer Liebfrauenmilch mitbringen und dort ausschenken. Wenn alles dort beisammen ist, wird der Weilheimer Wagen ankommen, das Bonifaziusbuch abgebetet, dann das Pflaster geschmieret werden, der von mir gezeichnete Stein aber, der das alles vorstellt, nicht gefunden werden. Denn dieser ist von der Mainzer 100-Kahnflotte in letzter Zeit entwendet und mit den andern Steinen vor dem Hafen von Biebrich versenkt worden[1]). Der daraus entstandene Proceß Eichelstein (Drususmonument) in Mainz kontra Ostein (Schloß auf dem Niederwald über Rüdesheim, Nassau) wird aber auch auf dem Königsstuhl gerichtet werden. Es wird aber dort große Uneinigkeit und Prügelei entstehen. Hermann will des deutschen Bieres wegen das Pflaster von der Bavaria aufgelegt haben. — Aber ich kann nicht weiter, ein wichtiger, erschütternder Brief, den ich empfangen, unterbricht die ganze Komödie. — Adieu, lieber Ludwig, ich hab nicht Zeit! Clemens Brentano.'

Will er eine Gefälligkeit, so weiß er mündlich oder schriftlich der Sache die größte Eile anzuempfehlen, macht die freundlichsten Wendungen, um einem die Sache ans Herz zu legen, und verspricht alle möglichen Gegengefälligkeiten. Kommt man aber endlich mit einer kleinen, die ihm gar keine Mühe verursacht, dann wird er krittelig und schweigt davon still oder macht sich noch den Spaß, einem einen Brief wie den obigen zu schreiben, und um ein Ende zu machen und sich alles vom Halse zu schaffen, schließt er so tragisch. Früher hatte er es auch immer so gemacht. Ich mochte ihm dies nur nicht ins Gesicht

[1]) Bezieht sich auf die versuchte Steinverschüttung eines Rheinarmes im Frühjahr 1841, zum Schaden von Biebrich und zu Gunsten von Mainz.

sagen, aber als er wieder etwas von mir wollte, schrieb ich ihm auch in der Art einen Brief, brach gegen Ende plötzlich ab und schloß, als wenn der Blitz eingeschlagen oder sonst ein groß Unglück passirt wäre. Wie ich nun zu ihm kam, sagte er: ‚Ich hab Ihren Brief bekommen, warum schreiben Sie mir denn solche Sachen?‘ Dann fing er aber entsetzlich an zu lachen, aus Aerger nannte er mich Sie, nachher war er wieder beruhigt und sagte wieder Du zu mir[1]). Wir kamen oft hart hinter einander, aber er blieb mir doch unverändert gut. Es war etwas Träges in ihm, er hatte einen bestimmten Schritt, nicht langsam und nicht schnell, und zu einer Landpartie wäre er ganz unpassend gewesen. Verreiste er, so mußten die Bekannten, die gerade da waren, seine Sachen packen, und er ging unter dem Vorwand, noch etwas sehr Wichtiges allein bestellen zu müssen, einstweilen spazieren. Zog er von irgendwo ganz weg, so reiste er plötzlich ab, schrieb nach etwa acht Tagen, wichtiger Ursachen halber könne er jetzt nicht kommen, wünschte aber alle seine Bücher, Gemälde und anderen Sachen so bald wie möglich zu haben. Er sei von der Freundschaft des N. N. überzeugt, daß er ihm den Gefallen thue, alles aufs Pünktlichste zu besorgen, und schickte eine große Liste mit, wie er es gepackt und numerirt haben wolle. Denn diese Aus- und Einpackerei war ihm sehr zuwider (oben S. 91 und sonst).“

---

[1]) Die an sich treffliche Schilderung Ludwig Grimms ist freilich chronologisch nicht in Ordnung. Denn da der mitgetheilte Brief nach inneren Anzeichen in das Jahr 1841 fällt, so kann er keine mündliche Auseinandersetzung zur Folge gehabt haben, da Grimm nach 1837 nicht mehr in München gewesen ist und Clemens Brentano nicht mehr seit diesem Jahre wiedergesehen hat.

An den Erlebnissen ihres Bruders Ludwig mit Clemens Brentano nahmen natürlich auch Jacob und Wilhelm regen Theil. Denn die Entfernung zwischen Cassel und Göttingen war zu gering, der Verkehr der Geschwister mit einander während der dreißiger Jahre zu eng, als daß nicht erschöpfende Mittheilung davon stattgefunden hätte. Von Bettina, die in Göttingen und Cassel eintraf, auch von anderer Seite erfuhren sie immer wieder Neues über Clemens. Das Erscheinen des der Frau Mariane von Willemer gewidmeten Märchens „Gockel, Hinkel und Gackeleia" (1838) erfüllte sie mit neuer Bewunderung für die Kraft seiner geist- und witzsprühenden Poesie. Und auch Brentano vernahm aus der Ferne den wachsenden Ruhm der Brüder Grimm und die steigende Anerkennung ihrer Werke, wie auch der laute Widerhall, den die Eidesverweigerung der Göttinger Sieben und ihre Amtsentlassung in ganz Deutschland fand, an sein Ohr schlug. Jacob und Wilhelm Grimm lebten nun von 1838 ab zwei Jahre amtlos im Casseler Hause ihres Bruders Ludwig, bis der neue preußische König Friedrich Wilhelm IV. sie 1840 nach Berlin berief.

Ausklänge.

Während den Brüdern Jacob und Wilhelm Grimm in Berlin noch zwei Jahrzehnte immer weiter vordringender Arbeit zum Ruhme des deutschen Namens beschieden waren, auch Ludwig in Cassel es bis über die Schwelle der sechziger Jahre des 19. Jahrhunderts brachte, begann Brentanos Gesundheit vorzeitig zu wanken und seine Lebenskraft dahin zu schwinden. Ludwig hörte damals, wie er in seinen „Lebenserinnerungen" erzählt, daß Brentano unwohl sei, und der letzte Brief blieb unbeantwortet; darauf habe er an seinen Freund Nepomuk Muxel geschrieben, er möge zu Brentano gehen und ihm über sein Befinden Nachricht geben. Es kam aber keine tröstliche Antwort zurück, Muxel schrieb vielmehr: „Ich war bei Clemens Brentano, aber sein Bruder Christian sagte, ich könne ihn nicht sehen, er sei sehr unwohl, und wenn es etwas besser mit ihm gehe, wolle er ihn nach Aschaffenburg bringen."

Nach der Berufung der Brüder Grimm und ihrem ersten Auftreten in Berlin schrieb Bettina an ihren Bruder Clemens, Berlin 26. Mai 1841 (Pfülf, Stimmen aus Maria-Laach 1903, S. 85): „Grimms sind jetzt hier; Du wirst in der Zeitung gelesen haben, daß sie von den Studenten mit Beifall aufgenommen wurden, der sehr von Herzen ging. Sie wohnen vor dem Brandenburger Thor in einer neuen Straße, die Lenné-Straße genannt;

vor ihrem Hause stehen schöne alte Eichen; sie befinden sich sehr wohl. Jacob, der einfachste zugleich friedlichste Charakter, der die Opposition (in der Angelegenheit der Göttinger Sieben) als ein Priesterthum verwaltete, allen Streit unterdrückend, aber auch kein Recht, keine Pflicht vergeudend, ist aus diesem Conflict öffentlicher Meinungen, geheimer Verleumdungen und politischer Umtriebe, mit einem Heiligenglanz hervorgegangen, und dies ist nicht etwa figürlich zu nehmen. Allein die große Ruhe, die ihm durch so wichtige Fragen geworden, die er zu beantworten sein zeitliches Heil daransetzte, haben seinen Zügen die Stärke eines Ringers und zugleich die Verklärung eines Dulders aufgeprägt, und wenig Menschen können ihn sehen, ohne sich beschämt zu fühlen.“ Aber nach Berlin drangen bald schlimme Nachrichten über Brentano durch. Am 29. September 1841 schrieb Jacob Grimm seiner Schwägerin: „Dieser Tage war Welker aus Freiburg hier, auch bei Bettine, die mich vorgestern Abend auf eine Schnepfe dazu lud und sich wieder auf ihre gewöhnliche Weise dabei ausließ. Auch sie gedachte neulich des Uebelbefindens von Clemens, und daß er nach Frankfurt solle.“

Die Zeit strich hin, und Clemens' irdisches Geschick erfüllte sich. Wilhelm Grimm hat in seinem Tagebuche 1842, 28. Juli, vermerkt: „Nachmittags Bettine“, und später den Zusatz gemacht: „An diesem Tage starb Clemens Brentano in Aschaffenburg, 64 Jahre alt.“

Anhang.

Ludovica Brentano
die Märchenerzählerin und Freundin der Brüder Grimm[1]).

Ludovica oder Luise Brentano, von den Ihrigen Lulu genannt, Clemens', Christians und Bettinens jüngere Schwester, wurde 1787 geboren, verheirathete sich 1805 mit dem Bankier Jordis, schloß später mit dem Freiherrn Richard Rozier des Bordes eine neue Ehe und starb 1854. Sie war gescheit und begabt wie ihre Geschwister alle, an deren dichterischen und künstlerischen Neigungen sie sich betheiligte. Es war ihr auch ein Leichtes, ihre Briefe über allerlei Dinge und Abentheuer in Versen abzufassen (Arnim und Bettina S. 174). Auf ihrem Lebenswege wuchsen der Dornen gar viele, und je tiefere Blicke sie in das glänzende Getriebe der großen Welt, in Cassel, in Paris, zu thun Gelegenheit hatte, desto stärker empfand sie in sich das Bedürfniß nach der Stille geistigen und religiösen Lebens. Sie gewöhnte sich früh daran, das Verhängniß ihres Lebens religiös zu betrachten und ihren Stimmungen poetischen Ausdruck zu geben. 1853 ließ sie zu Regensburg ihre „Geistlichen Lieder“ ausgehen, die sie in den Widmungsstrophen an ihren Schwager von Savigny als selbstempfundene, lautre Wahrheit bezeichnet. Sie enthalten Weihnachts-, Marien-,

---

[1]) Vgl. die Historisch-politischen Blätter CLI (1913) S. 31 ff.

Passions- und Communionslieder; zwei Abtheilungen sind „Priesterthum“ und „vermischte Gedichte“ überschrieben. Das Jahr zuvor war ihr Christian Brentanos vierter Band von Clemens' Gesammelten Schriften zugeeignet worden, voll Preis und Dank dafür, daß die Geschwister, so sehr verschieden an Gaben, Beruf und Schicksal, nach manchen ernsten Lebensstunden doch sich treu vereint hätten zu Jesu Füßen:

> Da hast auch Du das schöne Loos erkoren,
> Mit Herz und Mund den Herrn im Lied zu grüßen
> In frommen Weisen, zeugend von dem Leben,
> Das reich und frisch Dir strömt in späten Tagen,
> Nur um es Ihm in Demuth hinzugeben,
> Der lange uns gesucht und lang getragen.

Denn auch die gabenreichste Seele finde nimmer Befriedigung in dem Schimmer des schönsten äußeren und inneren Lebens,

> Wenn nicht in Gott die Ruhe sie gefunden,
> In dem allein die Seele kann gesunden.

Es sind das Worte, die uns treffend das äußere und innere Leben der vielgeprüften Frau andeuten und es beruhigt ausklingen lassen.

I.

In den „Geistlichen Liedern“ der Frau des Bordes vernehmen wir öfters den herzlich-warmen Ton ihres Bruders Clemens; dessen „Sträußchen“ im Ponce de Leon ahmt z. B. wie unwillkürlich ihr an die Jungfrau Maria gerichtetes „Dreifaltigkeitsblümchen“ (S. 39) nach. Aber wir hören in ihnen auch den Nachklang des Volksliedes, des Wunderhorns, das ja in ihrer unmittelbaren Nähe entstand oder wenigstens seinen Abschluß fand. Denn als junge Frau kam sie 1807 nach Cassel, wo ihr Gatte im neugeschaffenen Königreich Westphalen als Hofbankier einen einflußreichen Wirkungskreis erhielt. Dies war auch die Veranlassung, daß Clemens 1807 mit seiner zweiten Frau Auguste, geb. Busmann, nach Cassel ging und daß sich dort nacheinander die übrigen Geschwister, besonders Bettina und Melina, zu längerem Aufenthalte einfanden. Auch Savigny und seine Frau Kunigunde trafen dort auf der Rückkehr von einer großen Studienreise Ende 1807 zu Besuche ein, mit ihnen von Weimar her Achim von Arnim, um mit Clemens den zweiten und dritten Band des Wunderhorns fertig zu machen.

War auch das Haus Jordis damals zur Pflege offizieller, zum Theil französischer Geselligkeit verpflichtet, die mit Pomp und Glanz geübt wurde, so mochte doch die Frau Lulu Jordis den Verkehr mit geistig bedeutenden Männern, an den sie von früh auf gewöhnt war, nicht entbehren, und deswegen wandte sie ihre Neigung und Freundlichkeit den Freunden ihrer Geschwister, den ihr etwa gleichaltrigen Brüdern Grimm, namentlich dem geselliger veranlagten Wilhelm, zu. Sie sah sie öfter bei sich, nahm Antheil an ihren literarischen Arbeiten und ließ sich von ihnen mit den neuesten Erscheinungen auf dem Gebiete der Literatur und Kunst versorgen. Ihre im Grimmschen Nachlasse erhaltenen Briefe, von deren vollständiger Wiedergabe abgesehen werden darf, legen davon Zeugniß ab. Zeitweilig sich in Frankfurt aufhaltend, schrieb sie einmal von dort an Wilhelm Grimm, 16. März 1812: „Ich hätte schon Ihren ersten Brief gerne beantwortet, den ich bei meiner Zurückkunft von Cassel hier traf. Die einzige Ursache, die mich davon abhielt, war eine unüberwindliche Unthätigkeit, die mich zu befallen pflegt, wenn ich nicht vergnügt bin, und dies ist leider oft mein Fall. Nun muß ich Ihnen recht freundlich danken für Ihre Gefälligkeit, mir die Lieder zu verschaffen, und bitte Sie, sich die Auslagen von Jordis ersetzen zu lassen. Ich habe die Lieder schon gespielt und mir das Lied an den Mond aus des Knaben Wunderhorn zum Lieblinge auserkoren, vermuthlich weil ich es als das leichteste am besten verstehen konnte[1]). — Gestern habe ich einen Brief von Clemens gelesen, er ist in Prag und denkt vielleicht in einiger Zeit hierher zu kommen, es scheint mit dem Christian seinen Projecten (auf dem Familiengute Bukowan in Böhmen) übel zu gehen, was mich für den armen Clemens sehr betrübt. — Wenn es Ihnen nicht zu viel Zeit nimmt, so schreiben Sie mir manchmal, bis dahin bleibe ich mit Achtung Ihre Freundin Louise Jordis-Brentano."

In der folgenden Zeit weilte sie mit ihrem Gatten, wenig befriedigt und glücklich, zu Paris. Von da schrieb sie während der Kriegszeit, den 28. Juni 1813, an Wilhelm: „Lieber Herr Grimm! Ich habe schon auf sechs Briefe, die ich nach Berlin schrieb, keine Antwort erhalten und fürchte, daß solche alle nicht wohl besorgt worden sind. Da ich nun gestern hörte, daß Sie mich durch Doctor Thomas (in Frankfurt) freundlich grüßen lassen, so fiel es mir ein, Ihre Freundschaft zu benützen und Sie zu bitten, den eingeschlossenen Brief an Arnim zu besorgen, dessen Adresse ich nicht weiß; ich habe ihn auch

---

[1]) Ich meine, daß es sich hier um die „Vierzig alte deutsche Lieder aus dem Wunderhorn" handelt, die „mit bekannten meist älteren Weisen beim Klavier zu singen" in einem schönen Quarthefte zu Heidelberg 1810, bei Mohr und Zimmer, herauskamen, gedruckt zu Offenbach a. M. bei Joh. André. Nr. 23 darin ist das Lied „Der Mond der scheint, das Kindlein weint ꝛc." aus den Kinderliedern des Wunderhorns S. 62, mit einer leichten, sehr singbaren Melodie versehen.

gebeten, seine Antwort an Sie zu schicken, und wenn Sie hernach die Güte haben, solche auf unser Comptoir (in Cassel) zu tragen und sich dorten die Auslagen ersetzen zu lassen, so hoffe ich endlich Nachricht zu erhalten. Ich wünschte, froh genug zu sein, um Ihnen etwas angenehmes schreiben zu können; denn ich schmeichle mir, daß Sie mir ein wenig gut sind und Theil an mir nehmen. Aber es will mir in dieser Welt nicht recht wohl werden und ich möchte herzlich gern sehen, wie es in der andern aussieht. Ich habe angefangen Spanisch zu lernen und lese jetzt den Gil Blas, den ich schon recht gut verstehe, und es kommt mir ohnehin so spanisch vor in der Welt, daß ich durchaus die Sprache lernen mußte. — Haben Sie nicht Lusten mitzureisen, wenn ich nach Berlin gehe? Wenn Sie mir das Vergnügen machen mir zu antworten, so vergessen Sie nicht zu sagen, wie es mit Ihrer Gesundheit gehet, und wenn ich Ihnen hier in etwas dienen kann, so machen Sie mir Freude, es zu verlangen. Grüßen Sie Ihren Bruder herzlich von mir und vergessen nicht Ihre ergebene Louise Jordis-Brentano." Am 22. November 1813 bat sie aus Paris Wilhelm Grimm in einem Briefe, den sie in Lausanne zur Post geben ließ, um dringende Auskünfte, und dann weiter: „Haben Sie nichts von Berlin gehört? Ich bekomme gar keine Nachricht von meinen Geschwistern und führe ein wüstes, trauriges Leben, was sich nur zuweilen erhellt, wenn ich wie eben jetzt denen, die ich achte, in etwas dienen kann und also fühle, daß ich doch nicht ganz umsonst da bin. Adieu, lieber Wilhelmus, ich hoffe, Sie und Ihr Bruder haben nicht von der stürmischen Zeit gelitten, und erwarte recht mit Sehnsucht eine Antwort. Loulou."

Aus sehr viel späterer Zeit sei ein Brief mitgetheilt,

der an eine Freundlichkeit Wilhelm Grimms anknüpft, aus Frankfurt 14. Februar 1834: „Mein lieber Freund! Es ist Ihnen gelungen, mir, wie Sie es gewiß wünschten, eine recht herzliche Freude zu machen; Sie, die sich so vieles erinnern, wissen gewiß noch, wie gerührt ich durch einen jeden Beweis von Anhänglichkeit und Freundschaft bin, und es seie Ihnen also herzlich für Ihr liebes, gutes, schönes Andenken gedankt. — Was Sie mir von dem Glücke sagen, was ich einst hatte, Ihnen mit einer Kleinigkeit nützen zu können[1]), so kann ich Sie ehrlich versichern, daß ich erst durch Ihren Brief eine dunkle Erinnerung davon bekommen habe. Sie scheinen sich aber gar nicht daran zu erinnern, daß Sie mich bei Ihrem lieben Töchterchen (Auguste, geboren am 21. August 1832) in Gedanken zu Gevatter gebeten hatten, daß ich es mit Freuden angenommen habe, und da ich leider keine Fee bin und also nur irdische Gaben austheilen kann, so wählen Sie mir für die zweifelhafte Summe, die Sie mir schuldig zu sein wähnen, ein passendes Andenken für mein Geistes-Pathchen, oder heben Sie ihm solche in Natur bis zu späterer Zeit auf. Nicht wahr, Sie thun es, lieber Wilhelmus? — Es thut mir recht im Herzen weh, daß Sie immer leidend sind, und ich glaube, wenn Sie den Muth faßten, uns mit Frau und Kindern zu besuchen, es würde Ihnen vielleicht wohlthun. Ich habe ein schönes Haus in der Stadt und ein liebes freundliches Häuschen auf dem Lande gebaut, in beiden ist Raum, Ruhe und heitre Luft bei sehr schöner Aussicht, es fehlt nur an lieben Bewohnern. Kommen

[1]) Es handelt sich um eine einmal vorgeschossene Summe von 300 fr., wobei sich Frau Jordis vorzüglich benahm.

Sie, lieber Freund, mit Weib und Kind, es ist herzlich gemeint, es würde mir viele Freude und gar keine Last sein. — Alles, alles grüßt Sie, und ich würde noch länger mit Ihnen plaudern, wenn mich nicht eine üble Gesellschafterin, die Grippe, davon abhielt. Immer und immer Ihre treue Freundin Louise des Bordes." Noch vom Jahre 1836, 17. Februar, liegt ein Brief von ihr vor, der letzte der erhaltenen, aus Frankfurt: „Mein werther Freund Wilhelmus! Fangen Sie nur gleich damit an, die Unterschrift meines Briefes zu lesen, oder ich will Ihnen lieber gleich sagen, daß ich die Loulou bin; denn so oft und gerne ich an Sie gedacht habe, so wenig habe ich Ihnen doch geschrieben und Sie möchten wohl meine Handschrift nicht mehr kennen, ist es doch schon ein Glück, daß wir unsere Gesichter noch kennen, wenn wir uns begegnen. Ich weiß, lieber Freund, Sie waren wieder krank und ich bin es fast beständig, ich hoffe, es ist Ihnen wieder wohl und wir sehen bald einmal wieder Ihr liebes freundliches Gesicht; wohl wäre es möglich, daß ich Sie dieses Frühjahr besuchte, ich habe den Wunsch, meine lieben Schwestern in Berlin (Kunigunde und Bettine) zu sehen, die so großes Unglück ertragen und so heldenmüthig ertragen. Wenn es mir meine schwache Gesundheit erlaubt, so mache ich mich auf den Weg, und dann mache ich auch den Umweg zu Euch (nach Göttingen), ich möchte Euch wiedersehn, die Frau und Kinder kennen lernen, wenn es auch nur auf Augenblicke wäre, es ließe mir doch wieder einmal eine Erinnerung im Leben zurück, wie ich sie nur selten und von wenigen habe. Ich glaube doch wirklich, daß so liebenswürdige Menschen nicht mehr leben, als Ihr wart und hoffentlich noch seid. (Folgt noch die Bitte um Auskunft über eine Persönlichkeit.) Adieu, grüßen Sie mir den Jacob, vor dem ich mich immer ein wenig gefürchtet habe, empfehlen Sie mich Ihrer lieben Frau und bleiben Sie mir hold. Louise des Bordes."

II.

In den Briefwechseln der Brüder Grimm unter sich und mit ihren Freunden finden sich eine Anzahl Aeußerungen, die die Frau Lulu Jordis-Brentano in Verbindung mit Märchen bringen, deren Niederschrift ihr zu verdanken sei. Diese Nachrichten eröffnen uns den Blick in eine thätige Antheilnahme an den Märchensammlungen ihrer Freunde, und es gilt, den erreichbaren Umfang dieser Mitarbeit herauszustellen und damit zugleich in den Jubiläumsjahren der Grimmschen Märchen einen Beitrag zu der Art ihres Entstehens zu liefern [1]).

Die erste Spur einer Mitarbeit der Frau Louise Jordis an den Märchen führt in den Bereich der Thiermärchen und weist genau auf die frühesten literarischen Bestrebungen der Brüder Grimm hin. Schon vor den Befreiungskriegen hatten sie für Reinhart Fuchs zu sammeln begonnen, auch öffentlich ihre Absicht einer Ausgabe kundgethan, ob sich gleich die Verwirklichung noch über zwei Jahrzehnte hinzog und Jacob sein Werk „Reinhart Fuchs" erst 1834 fertig stellte. Im November 1811 meldete nämlich Arnim seinen Freunden Grimm aus Frankfurt (Arnim und die Brüder Grimm S. 162): „Wegen der Fuchsgeschichten habe ich schon im Hause herumgefragt, aber nichts vernommen, die Lulu meinte, es schwebe ihr so etwas vor." Nun enthält der früheste

[1]) Vgl. auch meinen Aufsatz „Die Kinder- und Hausmärchen der Brüder Grimm, eine Hundertjahrserinnerung", in der „Internationalen Wochenschrift", September 1912, Sp. 1535 ff.

Märchenband der Brüder Grimm vom Jahre 1812 zwei Märchen von der Frau Füchsin unter der einen Nummer 38: der alte Fuchs mit neun Schwänzen stellt sich todt und prügelt den neuen Freier, mit dem die noch junge Frau Füchsin Hochzeit halten will, zum Hause hinaus; das andremal ist der alte Fuchs wirklich gestorben und die Frau Füchsin nimmt sich einen jungen Herrn Fuchs mit rothen Höslein und spitzem Mäulchen, d. h. ihresgleichen, zum Gatten. Arnim, dem Wilhelm Grimm darin beistimmte, hielt die erstere Geschichte vom Fuchs mit den neun Schwänzen für einen französischen Muthwillen, der in der zweiten Erzählung dadurch, daß die Füchsin nur einen jungen Fuchs haben wolle, sehr gut ersetzt sei. Gegen Freund und Bruder wollte aber Jacob in die Seele des ersteren Märchens hinein schwören, daß es rein und unschuldig sei: „Obiges Märchen ist mir eines der allerliebsten und mir aus meiner Kindheit mit am lebendigsten; ich dachte mir so oft mit Vergnügen das Anklopfen der Freier und das Laufen der Magd hin und her auf den Treppentritten und die rothgeweinten Augen der Frau Füchsin.“ Es folgt aus dieser ganz persönlich gehaltenen Vertheidigung, daß dies erstere Märchen von Jacob aufgeschrieben und von ihm zur Aufnahme in den Märchenband bestimmt worden ist (Arnim und die Brüder Grimm S. 162. 263. 270); und was er Arnim damals schon brieflich in Aussicht stellte, daß er in seiner Abhandlung über die Thierfabel beim Reineke Fuchs darüber umständlicher sprechen und noch äußere Beweise vorbringen werde, hat er öffentlich auch im Märchenbande 1812 (S. XXVII), in Friedrich Schlegels Deutschem Museum 1812 (S. 396. 398) und im Reinhart Fuchs 1834 (S. XLI und CXXXVIII) ausgeführt.

Wenn nun aber im Grimmschen Handexemplare der Märchen am Schlusse der beiden Fuchsgeschichten von Wilhelm beigeschrieben ist: „Von der Jordis, 1812 Herbst", so folgt daraus, daß nur die zweite Fassung, nicht auch die erste, von der Frau Lulu Jordis-Brentano herrührt. Alle Merkmale und Zeugnisse stimmen darin gut zusammen. 1812 im September hat wirklich die Frau Jordis auf kurze Zeit Cassel und die Brüder Grimm besucht. Damals also hat sie ihrem Freunde Wilhelm das Fuchsmärchen erzählt oder übergeben. Es lautet:

„Der alte Fuchs ist gestorben, ein Freier, ein Wolf kommt vor die Thür und klopft an:

guten Tag, Frau Katz von Kehrewitz,
wie kommts, daß sie alleine sitzt?
was macht sie gutes da?
Katz: Brock mir Weck und Milch ein,
will der Herr mein Gast sein?
Wolf: Danke schön; Frau Füchsin nicht zu Haus?
Katze: sie sitzt droben in der Kammer,
beweinet ihren Jammer,
beweinet ihre große Noth,
Daß der alte Herr Fuchs ist todt.
Wolf: Will sie einen andern Mann han,
so soll sie heruntergahn. —
Die Katz die lief die Trepp hinan
und ließ ihr Zeilchen rummergan,
bis sie kam vor den langen Saal,
klopft an mit ihren fünf goldenen Ringen:
Frau Füchsin, ist sie drinnen?
will sie einen andern Mann han,
so soll sie nur heruntergan.

Frau Füchsin: hat der Herr rothe Höslein an und ein spitz Mäulchen? Katze: nein. Frau Füchsin: so kann er mir nicht dienen.

Nun wird der Wolf abgewiesen, darauf kommt ein Hund, dem geht es ebenso, ein Hirsch, ein Hase, ein Bär, ein Löwe und alle Waldthiere. Aber denen fehlt immer etwas, was der alte Fuchs hatte, und die Katze muß sie alle wegschicken. Endlich kommt ein junger Fuchs. Frau Füchsin: hat der Herr rothe Höslein an und ein spitz Mäulchen? Katze: ja. Frau Füchsin: so soll er heraufkommen.

Katz, kehr die Stube aus
und schmeiß den alten Fuchs zum Fenster naus!
bracht so manche dicke, fette Maus ins Haus,
fraß sie immer alleine,
gab mir aber keine.

Nun wird Hochzeit gehalten und getanzt, und wenn sie nicht aufgehört haben zu tanzen, so tanzen sie noch."

III.

Gleich den Brüdern Grimm hatte Clemens Brentano seit seiner Heidelberger Zeit viele Märchen zusammengebracht, sich schließlich auch Grimms handschriftliche Sammlung geben lassen, um diese höchst poesie- und phantasievollen Stoffe auf seine Weise zu benutzen. So entstand schon nach 1810 die Hauptmasse seiner erst aus dem Nachlasse von Guido Görres 1846 herausgegebenen Märchendichtungen.

Voll von märchen- und sagenhaften Zügen war seine „Gründung Prags", die 1811 gedichtet, 1813 gedruckt, 1815 veröffentlicht wurde, und gar manche nähere Ausführung oder Mittheilung hatte noch am Schlusse des Bandes in den „Anmerkungen" Unterschlupf gefunden. Der Inhalt dieser Anmerkungen zog Jacob Grimm, als er zu Wien im October 1814 das eben fertig gewordene Werk Brentanos sich kaufte, am meisten an, und er schrieb darüber an Wilhelm (Briefwechsel aus der Jugendzeit S. 369): „Bis jetzt hab ich nur hineingeguckt und Vorrede und Anmerkungen gelesen, die mich gerührt haben, weil man so ganz des Clemens sein Wesen, seine Kramerei in Seltenheiten, seine scharfsinnige Ungelehrsamkeit darin sieht und findet; ich bin aufs Lebhafteste an ihn erinnert worden; von Arnim oder unsern Büchern (insbesondere den Kinder- und Hausmärchen) ist nichts berührt. Wie kostbar muß der Jordis z. B. die Geschichte von der Katze und dem thé dansant sein! Man meint sie erzählen zu hören." Die Bemerkung über die Katze und den thé dansant bezieht sich auf das von Clemens in den „Anmerkungen" zur Gründung Prags (S. 443) mitgetheilte Katzenmärchen und kann nur dahin verstanden werden, daß Jacob und Wilhelm Grimm wußten, daß es von der Frau Jordis herrührte. Es war ja auch, wie das von der Frau Füchsin, ein Thiermärchen. Es hat bei Clemens Brentano den bereits oben S. 189 mitgetheilten Wortlaut.

Dem Grimmschen Zeugnisse widerstreitet nicht die eigenartige Einleitung, die Verlegung des Schauplatzes an die türkische Grenze, die Berufung auf den Slavonier als Gewährsmann, die Bespöttelung der Singakademien und Declamatorien. Das alles wird Clemens auf die Rechnung zu setzen sein, der sich jede seinen Zwecken dienliche Freiheit nahm; besonders der slavonische Schauplatz paßte ihm bei der slavischen Einkleidung seines Gedichtes. Im übrigen aber scheint Brentanoscher Stil am wenigsten hineingearbeitet zu sein, und um so mehr Jacobs Meinung, man höre die Frau Jordis erzählen, zu recht zu bestehen. Später hat Brentano das Märchen in weiterer Bearbeitung noch einmal verwandt, und zwar für seine Novelle „Die mehreren Wehmüller und die ungarischen Nationalgesichter" (Sämmtliche Schriften

4, 228), und die Ueberschrift „Das Pickenick des Katers Mores, Erzählung des croatischen Edelmannes" zugefügt. Die erstere Gestalt des Märchens ist aber diejenige, welche der Frau Jordis selbst am nächsten steht.

Das seltsame Katzenmärchen zog auch deshalb den Blick Jacob Grimms auf sich, weil er selbst schon damals in Wien die aus dem älteren Schriftwerk „Der ungewissenhafte Apotheker" ausgezogene abergläubische Erzählung „Die Katze aus dem Weidenbaum" zur Hand hatte, die er 1815 in den dortigen „Friedensblättern" mittheilte (Kleinere Schriften 6, 192) und 1816 in den ersten Band der „Deutschen Sagen" (4. Aufl. S. 186) einfügte. In der „Deutschen Mythologie", wo (4. Aufl. 1, 528) die „Gründung Prags" einmal geradezu citirt wird, ist nun von dem unheimlichen Wesen der Katzen vielfach die Rede. Hexen und Feen, heißt es z. B. 1, 421, nehmen oft Katzengestalt an, und Katzen sind besonders verdächtige Thiere; der Hausgeist Hinzelmaun in den „Deutschen Sagen" (Nr. 75) läßt in der Bettstatt ein Grüblein zurück, als ob eine Katze da gelegen wäre (1, 416). Besonders oft wird von verwundeten Katzen erzählt, die man hernach an verbundenen Weibern wiedererkannte (2, 886, 919. 3, 93). Im Fichtelgebirge haust ein Waldgeist, der Katzenveit genannt (1, 397), und von den Thieren werden einige, auch Katzen, ihrer schwarzen Farbe wegen mit dem Teufel in Verbindung gebracht (2, 80). Man sieht also, daß Katzensagen und -Märchen zu allen Zeiten ganz allgemein waren, und daß die wesentlichen Bestandtheile des Katzenmärchens der Frau Jordis auch in den dem alten deutschen Volksglauben gewidmeten Werken ihrer Freunde Grimm enthalten und behandelt sind.

IV.

Der Märchenband der Brüder Grimm von Weihnachten 1812 befand sich gewiß auch in den Händen der Frau Lulu Jordis-Brentano und gab ihr erneute Anregung, die Märchen, die sie selbst von ihrer Kindheit her wußte, zu Papier zu bringen. Jacob besuchte sie 1814 in Paris und schrieb von dort seinem Bruder Wilhelm, am 1. Juni: „Von der Jordis wirst Du dieser Tage einen Brief mit zwei, etwas interpolirten, wie ich glaube, Märchen erhalten, den ich gestern Abends bei ihr liegen sah.“ Dieser Brief ist im Grimmschen Nachlasse erhalten, vom 31. Mai 1814 datirt und besagt: „Lieber Wilhelm. Ich habe nun Ihren Brief bekommen und freue mich nicht wenig, daß Sie noch an mich denken, denn ich bin Ihnen herzlich gut. Nicht wahr, Sie haben mich gewiß ebenso lieb wie meine Schwestern? Wenn ich auch schon oft gar nicht liebenswürdig war, so müssen Sie das meiner Lage zuschreiben, im Herzen meine ich es stets zum Besten. Ich schicke Ihnen hier ein paar Märchen und fürchte nur, sie sind zu schlecht, aber Sie sehn doch, daß ich an Sie denke.“ Die beiden Märchen, die der Brief enthält, lauten:

1.

In einem Dorfe in Italien lebten vor gar langer Zeit ein Mann und eine Frau, sie hatten eine Tochter, welche Catharinella hieß und so schöne blonde Haare hatte, daß es gar nicht zu sagen ist, wie herrlich ihre Zöpfe auf ihrem Kopfe geschlungen waren. Der Vater war Soldat und mußte in den Krieg ziehen, als eben seine Frau wieder gesegnetes Leibes war. Die arme Frau hatte beständig ein so großes Gelüste nach Petersilie, daß sie damit anfing, alle die aufzuessen, die in ihrem Garten war, hernach ging sie zu den Nachbarn, von einem Garten zu dem andern, bis am Ende in dem ganzen Dorfe kein Blättchen Petersilie mehr grünte, außer in dem Garten des Okers, der einen prächtigen Palast vor dem Orte hatte.

Die arme Frau weinte und grämte sich sehr, weil sie meinte, mit ihrem ungebornen Kindlein Hungers sterben zu müssen. Als dieses Catharinella sah, that es ihr im Herzen weh, und sie stahl alle Tage dem Oker so viel Petersilie, als die Mutter essen mochte. Wenn nun der Oker Abends durch seinen Garten ging, um nach allem zu sehen, so ward er wohl gewahr, daß die Petersilie immer mehr abnahm, dann schüttelte er den Kopf, daß er mit seinem langen Barte den Buchsbaum in seinen Gängen rechts und links abstäubte. Da ihm aber dieses zu gar nichts hulf, so streute er heimlich Asche in den Weg. Als nun Catharinella morgens wie gewöhnlich die Nahrung für ihre Mutter holte, trug sie in ihren kleinen Pantofflen so viel mit fort, daß der Oker den Weg nach ihrer Hütte recht gut finden konnte; er ging auch sogleich hinein, stellte sich sehr böse und drohte, er wolle Catharinella auffressen, wenn sie nicht mit ihm ginge, um ihm zu dienen. Die Mutter war gar traurig und wollte ihr Kind nicht hingeben, als ihr aber der Oker versprach, ihm nichts zu Leide zu thun, und ihr noch überdies erlaubte, so viele Petersilie bei ihm zu holen, als sie wollte, so war sie es zufrieden, und Catharinella ging mit ihrem neuen Herrn nach Hause. Der Oker war gar so wild und böse nicht, wie er aus-sah, sondern vielmehr ein wenig faul, und wenn er Abends nach Hause kam und sich recht satt gegessen hatte, so mochte er nicht die Stiegen hinaufgehen, sondern rief unten am Fenster: „Catharinella, Catharinella, hänge mir Deine goldene Zöpfe zum Fenster hinaus und ziehe mich hinauf ins Haus.“ Dies that denn die Kleine auch, und es war ihr einziges Geschäft; im übrigen führte sie ein gutes Leben, hatte Essen und Trinken vollauf und konnte sich mit den verzauberten Möbeln manchen Zeitvertreib machen. Der Oker ward täglich älter und fauler, daher mochte er nichts mehr thun und nahm sich einen jungen Gehülfen ins Haus, um ihm zaubern zu helfen. Dieser war ein hübscher, gescheuter Geselle, der keinen langen Bart hatte, und nicht lange vor der Thüre wartete, wenn er zu Catharinella konnte, sondern er sprang wohl die Treppen recht flink hinauf, und doch zogen ihn auch die schönen goldenen Flechten zu ihr hin, nur nicht so auf die nehmliche Art wie den Oker, der täglich dem Mädchen schwerer vorkam und ihr so mißfiel, daß sie es wohl zufrieden war, als ihr der junge Zauberer vorschlug, einen Wagen mit Pferden zu zaubern und auf und davon zu fahren. Alles war zu ihrer Flucht bereit, nur fürchteten sie, die Möbels, die alle sprechen konnten, möchten sie dem Zauberer zu schnelle verrathen, ehe sie so weit sein würden, daß er sie nicht mehr erreichen könnte. Sie dachten hin und her, was sie wohl den Möbeln zu gute thun könnten, damit sie stille schwiegen. Endlich fiel es Catharinella ein, einen rechten Kessel voll Macaroni zu kochen und das ganze Hausgeräthe mit dieser kostbaren Speise zu traktiren. Sie ging auch sogleich zu Werke, und als die Macaronis gar waren, stellte sie den Kessel in einen großen Saal und invitirte alles, was sie nur im Hause sah, sich recht satt zu essen, es soll gar wunderlich zu sehn gewesen sein, wie die Stühle, Bänke, Tische 2c. gelaufen kamen, die Spiegel und Bilder von den Wänden flogen, so mancher großer alte Schrein daherschlich und die Porcelainservisen und Gläser herbei trippelten, um sich zu laben. Es war ein entsetzlicher Lärmen, alle die großen und kleinen Mäuler gehn zu hören, und der Kessel selbst verschluckte von Zeit zu Zeit einen Theil seines Inhalts. Als sie nun alle dicksatt waren, versprachen sie ganz stille zu sein und ihre Wohlthäter nicht zu verrathen; es wäre auch ganz gut gewesen, wenn nicht ein alter Besen in einer Ecke des Bodens vergessen geworden wäre. Dieser rannte nun wie wüthend im Hause herum und schrie unaufhörlich: „Alles hat Macaronis gegessen, ich allein bin vergessen; alles hat Macaronis gegessen, ich allein bin vergessen." Catharinella wollte ihn besänftigen, allein vergebens, und es blieb ihr nichts anders übrig, als sich so schnell als möglich mit ihrem Gesellen davon zu machen. Dies that sie auch, indem sie nichts mitnahm als eine Bürste, einen Kamm und einen Spiegel, um ihre Haare in Ordnung zu machen.

Als nun Abends der Oker nach Hause kömmt, ruft er wie gewöhnlich: „Catharinella, Catharinella, hänge mir Deine goldene Zöpfe zum Fenster hinaus und ziehe mich hinauf ins Haus!" Allein kein Mensch antwortet. Endlich wird er ungeduldig und macht die Thüre mit Gewalt auf, nun kömmt ihm der alte Besen ganz erhitzt und zerzaust entgegen und mochte gerne alles erzählen. Weil er aber den ganzen Tag immer das nehmliche wiederholt hat, kann er auch gar nichts anderes hervorbringen, als: „Alle haben Macaronis gegessen, mich allein haben sie vergessen." Der Oker merkt etwas und fragt die andern Möbels, die alle dicksatt aussahen, aber keiner giebt ihm

Antwort. Nun bildet er sich wohl ein, was vorgegangen wäre, schürzt sein Kleid auf und macht drei Knoten in seinen Bart, damit er ihn nicht im Laufen incommodire und eilt den Flüchtlingen nach; er sieht sie auch bald von weitem in einer Kutsche, die sie sich gezaubert haben. Als er ihnen so nahe kömmt, daß er die Hand nach Catharinella ausstreckt, die eben aus dem Wagen guckt, wirft sie vor Angst den mitgenommenen Kamm nach ihm, der verwandelt sich in ein eisernes Gitter, der Oker will drüber steigen und hat viele Noth mit seinem Bart, der hängen bleibt. Endlich kömmt er doch hinüber, und dem Wagen ganz nahe da wirft Catharinella die Bürste hinaus, die wird zu einem Dornbusch, der zerreißt dem Oker wieder den Bart und die Kleider dazu. Er kömmt aber doch wieder hinüber und an den Wagen, da wirft Catharinella den Spiegel hinaus, der wird ein See, und der Oker versauft darin.

2.

Als ich fünf oder sechs Jahre alt war, erzählte mir meine Mutter ein Märchen, ich erinnere mich nicht mehr an alles, was ich aber noch weiß, will ich hier aufschreiben.

Es war einmal ein König und eine Königin, die hatten einen Sohn und eine Tochter, die sich gar lieb hatten. Der Prinz ging oft auf die Jagd in den Wald und blieb einmal ganz aus. Darüber weinte sich die Prinzeß bald blind, und als sie es nicht mehr aushalten konnte, ging sie fort in den Wald, um ihren Bruder zu suchen. Als sie nun lange, lange gegangen und vor Müdigkeit nicht mehr weiter konnte, begegnet ihr ein Löwe, der so gut aussah, daß sich die Prinzeß auf seinen

Rücken setzte und fortritt. Der Löwe streichelte sie immer mit seinem Schweife und lief in vollem Trabe mit ihr davon. Als er nun so eine gute Strecke Wegs zurückgelegt hatte, kömmt er an eine Höhle, da läuft er hinein, und nun wird es ganz finster; die Prinzeß fürchtet sich aber gar nicht, denn sie wußte nichts davon, daß ein Löwe ein böses Thier sein könne. Die Höhle war gar lange und endlich führte sie an das Tageslicht in einen schönen großen Garten, worin ein herrlicher Palast stand. Vor dem Thore desselben hält der Löwe stille, die Prinzeß steigt ab und der Löwe sagt ihr, in diesem Palast müsse sie nun mit ihm wohnen und ihm dienen, und wenn sie ihm recht diene, würde sie auch ihren Bruder wiederfinden. Die Prinzeß geht nun ganz traurig in den Garten, weil es ihr doch leid war, so allein und von aller Welt getrennt zu leben und blos einen Löwen zur Gesellschaft zu haben. Als sie nun so hin und her geht, wird sie endlich einen Teich gewahr, auf der Mitte eine kleine Insel, auf der ein Zelt stehet, in dem Zelt sitzt ein wunderschöner Laubfrosch mit einem großen Rosenblatt auf dem Kopfe statt einer Haube. Der Frosch fragt, warum die Prinzeß so traurig wäre, und als sie ihm ihr Leid geklagt, tröstet er sie gar freundlich und sagt ihr, sie solle nur immer zu ihm kommen, wenn sie etwas brauche, er wolle ihr schon mit Rath und That an die Hand gehen, nur müsse sie ihm zur Belohnung alle Tage ein frisches Rosenblatt zur Haube bringen. Dies geschieht nun, und so oft der Löwe etwas verlangt, lauft die Prinzeß an den Teich, da hüpst der Frosch hinüber und herüber und schafft alles herbei.

Eines Tages verlangt der Löwe eine Mückenpastete, da meint die arme Prinzeß, die könne sie gewiß nicht schaffen. Als sie aber zu ihrem Frosch kommt, macht dieser gar keine Schwierigkeiten, sondern schnappt so viele Mücken zusammen, als zu einer Pastete nöthig sind, trägt klein Holz herbei, knetet einen Teig und backt die vortrefflichste Pastete. Als die Prinzeß sie nun nehmen will, sagt der Frosch, er gebe sie nur unter einer Bedingung, die Prinzeß müsse ihm nehmlich versprechen, dem Löwen, sobald er einschliefe, den Kopf abzuschlagen mit einem Schwerte, was sie hinter seinem Lager finden würde. Die Prinzeß will Anfangs nicht, weil der Löwe doch gut ist; da ihr aber der Frosch versichert, wenn sie es nicht thäte, so würde sie nie ihren Bruder wiedersehn, so faßt sie Muth und bringt dem Löwen die Pastete. Er findet solche delicat, und nachdem er sie ganz aufgezehrt, befällt ihn ein solcher Schlaf, daß er die Prinzeß bittet, ihn ein wenig hinter den Ohren zu krauen, bis er eingeschlafen wäre. Die Prinzeß thut es mit der linken Hand und greift mit der rechten nach dem Schwert, welches hinter seinem Bette liegt. Als sie aber nun den Löwen tödten will, thut er ihr gar zu leid; endlich macht sie die Augen zu, denkt an ihren lieben Bruder und schlägt herzhaft zu. Wie groß ist aber ihr Schrecken, als sie sich von zwei Armen umfaßt fühlt, wie groß ihre Freude, als sie die Stimme ihres Bruders hört, und wie groß endlich ihr Erstaunen, als sie die Augen öffnet und statt dem todten Löwen nur ihren Bruder sieht, der von einem bösen Zauberer, welcher mit ihm die nehmliche Frau liebte, auf so lange in einen Löwen verwandelt wurde, bis ihn eine geliebte Frauenhand aus lauter Liebe zu ihm um das Leben zu bringen gedächte und also den Zauber zerstörte.

Bruder und Schwester gehen nun in den Garten,

um dem Frosch zu danken, kommen aber grade zu rechter Zeit, um ihn in ein Feuer hüpfen zu sehn, das er sich von lauter kleinen Spähnen zusammengetragen hat. Kaum ist er verbrannt, so gehet das Feuer aus, und aus der Asche steigt eine schöne junge Frau in einem laubgrünen Kleide mit einem Rosenkranze auf dem Kopf. Dieses ist nun grade die Fee, die der Prinz liebt und die die Froschgestalt angenommen hatte, um ihn zu retten. Nun heurathet sie ihn und verschafft der guten Prinzeß auch einen schönen Prinzen zum Manne. Und wenn die Prinzeß nun ausreitet, so legt sie immer die Löwenhaut auf ihr Pferd und trägt das Schwert an ihrer Seite, mit dem sie ihren lieben Bruder gerettet hat."

Wilhelm Grimm, als Empfänger, hat vorn auf der Niederschrift der Frau Jordis zum ersten Märchen mit Röthel den Vermerk gemacht: „No. 12 und 79", d. h. es mit den beiden Märchen des Bandes von 1812, Rapunzel und Wassernix, in denen ähnliche Stellen vorkommen, in verwandtschaftliche Beziehung gesetzt. Aber gerade diese Verwandtschaft mit schon aufgenommenen Märchen machte eine spätere Verwendung der Niederschrift überflüssig.

Bei dem zweiten Märchen erfreut die Angabe, daß die Erzählerin es von ihrer Mutter, also von der Frau Maximiliane Brentano-Laroche, wisse. Wohl begegnen uns in Goethes Briefen an die Frau Sophie von Laroche, die sich um das Wohl und Wehe der Maxe drehen, gelegentliche Märchenspuren: „wie jener Mühlstein, der vom Himmel fiel", schrieb Goethe 1774. Es war also im Larocheschen Familienverbande die Märchenpoesie heimisch. Lulu zählte erst sechs Jahre, als ihre Mutter 1794 starb, die liebreiche, vom Glücke nicht bevorzugte Frau, deren Gedächtniß, wie Lulu, auch Clemens und

Bettina Zeitlebens mit seliger Kindheitsfreude im Herzen getragen haben. Der Mutter Pflege, dichtete Clemens, war ihm Frühlingswonne:

> Ich konnte oft den Abend nicht erwarten,
> Wenn sie die Wundermärchen uns gesungen,
> Daß rings die Kinder in Erstaunen starrten.

Und wenn ihm davon keines so ins Herz gedrungen, als das von des süßen Jesus schweren Leiden, wie Herodes' Kindermord mißlungen, Maria durch Aegypten mußte reiten, so hat seine Schwester Lulu das weltliche Wundermärchen, wie treue Schwesterliebe den Bruder sucht und wiederfindet, in ihren Gedanken aufbewahrt und durch ihre Nacherzählung gerettet.

Register

A

B

C

D

K

L

M

N

Z

Diel-Kreiten: Clemens Brentano. Ein Lebensbild nach gedruckten und ungedruckten Quellen von P. Joh. Bapt. Diel S. J. Ergänzt und herausgegeben von Wilhelm Kreiten S. J. 2 Bände 468 und 588 Seiten. Freiburg 1877/78. Fr. 98.— pro Band (erscheint 1970)

Johann Samuel Ersch: Allgemeines Repertorium der Literatur. 8 Bände. Jena und Weimar 1793/94—1807. Fr. 2300.—

Friedensblätter. Eine Zeitschrift für Leben, Literatur und Kunst. Von einer Gesellschaft herausgegeben. 1. und 2. Jahrgang. Wien 16. 6. 1814 — 30. 11. 1815. 572 Seiten, 1 ungezähltes Blatt, Musikbeilagen und Kupferstiche. Fr. 208.— dazu

Josef Körner: Die Wiener Friedensblätter 1814—1815, romantische Zeitschrift. Separatum aus der Zeitschrift für Bücherfreunde, N. F. 14. Jahrgang 1922. Seiten 90—98. Kart. Fr. 12.50

Goethe in vertraulichen Briefen seiner Zeitgenossen. Auch eine Lebensgeschichte. Zusammengestellt von Wilhelm Bode. 3 Bände. Berlin 1921—23. Fr. 380.—

Registerband zu Goethes Saemtliche Werke. Jubiläumsausgabe. Herausgegeben von Eduard von der Hellen. Stuttgart und Berlin 1912. VIII/432 Seiten. Fr. 132.—

Friedrich von Hagedorn: Sämtliche poetische Werke. Nachdruck der Erstausgabe. Hamburg 1757. 3 Bände in einem. 536 Seiten. Fr. 85.—

Melchior Meyr: Wilhelm und Rosina — ein ländliches Gedicht. München 1835. 278 Seiten und 42 Seiten Nachwort. Fr. 35.—

Friedrich Müller (Maler-Müller): Dichtungen von Maler-Müller. Herausgegeben von H. Hettner. Leipzig 1868. 2 Bände in einem Band. 242 und 220 Seiten. Fr. 92.—

Max Preitz: Clemens Brentanos Freudenhaus-Romanze. Frankfurt 1922. Privatdruck der Gesellschaft der Freunde des Frankfurter Goethemuseums. 39 Seiten. Fr. 20.—

Caroline Schlegel: Briefe aus der Frühromantik. Nach Georg Weitz vermehrt, herausgegeben von Erich Schmidt. Leipzig 1913. 2 Bände. XX/766 und 746 Seiten, 3 Bilder, 1 Faksimile. Fr. 140.— (erscheint 1970)

Reinhold Steig: Clemens Brentano und die Brüder Grimm. Stuttgart 1914. VIII/292 Seiten, 1 Tafel. Fr. 70.—

Thalia (Rheinische Thalia). Herausgegeben von Friedrich Schiller. 12 Hefte in 3 Bänden. Leipzig 1785—1791. 1642 Seiten. Fr. 320.—

Neue Thalia. Herausgegeben von Friedrich Schiller. 4 Bände. Leipzig 1792—1793. 1460 Seiten. Fr. 320.—

Johann Heinrich Voss: Sämtliche Gedichte. 6 Bände (7 Teile). 2210 Seiten. Königsberg 1802. Fr. 480.—